WILHELM TELL

Macmillan's Modern Language Texts

Schiller
WILHELM TELL

EDITED BY
WILLIAM F. MAINLAND
*Professor of Germanic Studies in the
University of Sheffield*

MACMILLAN

London · Melbourne · Toronto

ST MARTIN'S PRESS

New York

1968

Published by
MACMILLAN & CO LTD
Little Essex Street London W C 2
and also at Bombay Calcutta and Madras
Macmillan South Africa (Publishers) Pty Ltd Johannesburg
The Macmillan Company of Australia Pty Ltd Melbourne
The Macmillan Company of Canada Ltd Toronto
St Martin's Press Inc New York

Printed in Great Britain by
ROBERT MACLEHOSE AND CO. LTD
The University Press, Glasgow

In memoriam
EDITH AULHORN

Contents

vii

Contents

Preface

IN the preface to his edition of *Maria Stuart* (in this series, 1965) Professor Witte wrote:

> It is one of the marks of a literary masterpiece that it keeps presenting new facets to successive generations of readers. . . . Some fifty years ago, it was not uncommon to find critics regarding Schiller as *démodé*. . . . The critical reappraisal of recent years has produced a growing awareness of the modernity of Schiller's work; as one reads his writings today one is struck again and again by their relevance to the events and problems – political, social, and spiritual - of our own age.

These are wise and welcome words, and the truth of them is superbly illustrated in Witte's interpretations of *Wallenstein* (Oxford, 1952) and *Maria Stuart*.

Study of the reception of *Wilhelm Tell* reveals periods of apathy and disparagement. This is saddening and can be embarrassing if, like the present editor, one remembers having listened sympathetically to the adverse criticisms. But what gives cause for graver concern is the popularity of this play. The question why *Wilhelm Tell* has been and probably still is the most widely popular of Schiller's works is easy to answer: it provides most of the quotations which have been found relevant to a succession of phases and fashions in social, spiritual, and above all political life. This is not a happy state of affairs.

Now I am not seeking to deny the relevance of *Wilhelm Tell* to the experiences of today. On the contrary, I have never been more keenly aware than I am now of its significance for the twentieth century. The play came into my hands shortly after the end of the First World War, and as I read it then, the growing excitement and menace in the meadow near Altdorf, the storms on the Vierwaldstättersee, and the eerie splendour of moonlight on the Rütli and on the distant glaciers were more real and relevant to me than anything at all in my own environment. This experience, before the whipcord of theory could challenge the magic, was heightened by a sense of wonder that to Schiller also

these scenes came, not from his memory, but from engravings
and from the 'mere words' of chronicles and histories and
travellers' tales. *Wilhelm Tell*, exercising the majesty of a great
poet's art, acquired a spiritual relevance of the kind which, I
believe, the individual reader can never forget. Afterwards,
literary histories, commentaries, and public speeches led me (as
they will lead others) to the disconcerting discovery of a conviction that Schiller had dramatized an old Swiss story in
order to fill his fellow-countrymen with patriotic zeal and
inspire an ardent longing for unity and freedom. Inevitably,
Goethe was and will be quoted : 'Denn er war unser, unser
eigen war er . . .'; and again and again the last words of Attinghausen fervently chanted: 'Seid einig – einig – einig –', until it
seems as if these words, and the whole play, were Schiller's
political bequest to succeeding generations of Germans. This is
precisely what they have become, by the contrivance of these
generations. It is still happening, and will continue to happen,
just as the early Swiss stories of the cantons and the bowman
Tell have become and will continue to be an active and productive
part of the Swiss heritage, greatly aided – and this is the irony of
it – by Schiller's contribution.

It is futile, and has been for at least two hundred years, to
point out that there is no proof that a Swiss countryman called
Tell ever shot an apple from his son's head, or that a puppet
tyrant called Geßler ever lived and received the just reward for
his evil deeds by an arrow from somebody's cross-bow. But the
reputation concocted for Schiller's play as a political heritage is a
different matter. It is different because enthusiastic admirers
have found fault with certain alleged shortcomings which, in
their opinion, weaken and confuse the message. The question is:
Which message – Schiller's, or the one which custom has
taught people to expect and therefore to believe that they have
heard? As I have not been able to discover that Schiller had a
message of the kind which seems to be attributed to him, I am
inclined to think that a fixed belief in it is responsible for certain
items of criticism (shared by detractors and eulogists) such as the
following: that in *Wilhelm Tell* one character (Baumgarten) sets
the action going and then has little more to do; that two others
(Berta and Rudenz) are a sort of pale, distorted reflection of
Thekla and Max and altogether an unfortunate intrusion; that
there are three or four plots very loosely connected; that the

hero is the people; that Tell in some metaphysical way is identified with the people; and that in two scenes he shows a very unpleasant side of his character. Noting such items, one suspects that criteria of a non-literary kind have caused a drift away from consideration of Schiller's activity as a dramatist.

If we wish to re-establish contact with the drama, we must relinquish the old habits of quoting pieces from the dialogue as if they were verses from Schiller's own political credo, and of resorting to *Wilhelm Tell* as to a filing-cabinet of manifestos for use on a variety of occasions. If we can do this, we shall be free for a time to consider some of the sequences of narrative which Schiller had read, and what use he made of them in the construction of his play. Above all we shall be free to look for formal details and total structure, which, unlike conjectures about Schiller's political intention or ideological purpose, are there, in the play, to be seen, as evidence of the writer's craft. Very soon we discover that we no longer need to point out so many faults in Schiller's technique, or to make condescending excuses for him. We are able not only to accept but to welcome the contradictions and paradoxes in his play, for we see that they were admitted from the sources, and, under Schiller's control, found their central place in his dramatic pattern.

The patriotic chroniclers, and Schiller's contemporary, the Swiss historian Johannes von Müller, wrote with enthusiasm of the early struggles and triumph of the Confederates. A legendary hero, Wilhelm Tell, came into their hands as part of the folklore which they could not jettison. But they had difficulty in fitting him into their story, and the difficulty is obvious in the way they told the story. Far from concealing this, Schiller gave it all the dominance it needed. As a creative writer and an acutely critical student of historical records, Schiller had a profound interest in what happens to events and people when narrators get to work on them. It is to this interest and these activities that we must look if we wish to find the essential theme of his last complete play. From such scrutiny *Wilhelm Tell* emerges not as dramatization of the story of a people's revolt, nor even as serene realization of the aesthetic state. It is a representation, in dramatic form, of the creation of a legend.

The most important clue to this is the figure of Stauffacher, prototype of the chroniclers who wrote the story of the days when the Confederation was formed. Stauffacher has a great sense of responsibility, but the means by which he promotes the cause of the cantons repay most careful scrutiny. He is the public-spirited politician, married to a woman who has listened to wise discussions in her father's house. He tells the men of the Rütli the proud story of their past, adroitly weighted in favour of his own canton, and skilfully controls the course of their deliberations. He has tried to persuade Tell to join the group, but Tell has no ear for collective persuasion. Tell is the non-political man, committed by private circumstance to a deed which runs counter to collective policy but aids the common cause. There is evidence that Stauffacher holds him in reserve for just this kind of function. It is manifestly Stauffacher who in the end fits Tell into the story of the Confederates, just as forcibly, just as incredibly, as the chroniclers of later years.

Tell, aloof, non-associative, is a man of admired valour and integrity. He has a public image, and this is a thing of value which the Confederates cannot afford to do without – least of all when they are celebrating their victory. It does not mar their communal rejoicing, with Tell at its centre, that this victory was assured by private action involving three murders in contravention of the principle they have accepted. This is the kind of dramatic theme which played into Schiller's hands. As far as the public reputation of Tell is concerned, it is a Wallenstein in reverse. Of Wallenstein Schiller had written in his *History of the Thirty Years War* (end of Book IV): 'A misfortune for the man when he was alive that he made an enemy of the victorious party – a misfortune for him in death that this enemy survived him and wrote his story.'

It will be pointed out that nothing in Schiller's letters supports the interpretation I now offer. But on the other hand, in his brief, sometimes forcibly argumentative references, penned in moods of exuberance or distress in the midst of composition, I find nothing which can be held to disprove it. In any case the interpretation will no doubt be judged, to say the least, unconventional. It will therefore be necessary for students to read as many varieties of good conventional interpretation as they can; and I am sure that their tutors will be ready to add to the list of such antidotes as I have included in the Bibliography. My criticism of much that I have read about *Wilhelm Tell* is that it disregards an important artistic principle of Schiller himself, by paying too much attention to substance and too little to form. Here I will merely mention one example, to be discussed later: many commentators have been concerned with the cross-bow of the story and not with the cross-bow in the play.

I hope the general trend of my observations may offer the same opportunity to readers as it has offered to me. As far as I can see at present there is no other way of demonstrating the unity of the play; and since this unity is consistently questioned and often denied, the attempt to rediscover it will be at least something in the literary line. But if my arguments are correct, their acceptance will demand the sacrifice of a cherished and widespread belief – the belief that the play has a happy ending. This will hurt. There is on the other hand a possible gain for present appreciation of the play. *Wilhelm Tell* has a relevance in our time, of the same order as that which Witte has proved for *Maria Stuart*. The mid-twentieth century is remarkable for its brash idolatry. We have the idolatry of collective effort, national, social, and (if I may be permitted the use of the appropriate jargon) groupwise. And there is the worship of the public image, the service of which allows only cheap, sensational, and transitory concern for the misery which the image may conceal.

To name all who have eased the progress of this edition would require many pages. The few to whom I now offer specific thanks may not be best pleased by the use I have made of their help; as I know, they do not all share my view of Schiller's work. Very grateful mention must be made of Dr S. H. Steinberg, who, unhappily obliged by illness to abandon the editing, generously consented to let the material he had collected be sent on to me. Working through the MS. of his line-notes, I have admired and benefited by his erudition, especially in historical and topographical detail. With diffidence and humility I acknowledge to Emeritus Professor G. R. Potter, as an outstanding authority on the history of Switzerland, his constant readiness to aid my inquiries as colleague and friend. From discussion of plan and detail of the edition with Dr E. J. Engel of the University of Keele, and from the discriminating and richly informative notes which she made and sent to me from Marbach, I have derived incalculable help. To my former Sheffield colleague, Professor Yuill of Nottingham, I owe warm thanks for his good-humoured perception and corrective tolerance in my search for Schiller's dramatic purpose. In matters of formulation and linguistic detail, I happily acknowledge my debt to Dr Kolisko, whose help at every stage has been generously constructive. Finally, it is pleasant to record that the work could not have been done without the collaboration of the library staff of Sheffield University; particularly I wish to thank Miss Wells, who with customary unobtrusive efficiency has negotiated with distant centres through the Inter-Library Loan for books not available in this country.

WILLIAM F. MAINLAND

Sheffield, 1967

Schiller's Life and Works, and Contemporary Events

1759	Nov. 10, Schiller born at Marbach in Swabia.	August W. Iffland (author, actor), Robert Burns born. Death of G. F. Händel.
1760		Saint-Simon born.
1762		Rousseau, *Contrat Social*. Wieland translates Shakespeare (completed 1766). J. G. Fichte born.
1763		End of Seven Years War. J. P. F. Richter ('Jean-Paul') born.
1764	Schiller at village school, Lorch.	Invention of stationary steam-engine by James Watt.
1765		Goethe student in Leipzig (till 1768).
1766	Schiller family in Ludwigsburg.	Wieland, *Agathon* (novel, completed 1767). Goldsmith, *Vicar of Wakefield*. Nov. 22, Charlotte von Lengefeld born in Rudolstadt.
1767	Schiller at grammar school in Ludwigsburg (till 1772).	Wilhelm von Humboldt born. Lessing, *Minna von Barnhelm*.
1768		Sterne, *A Sentimental Journey*.
1770		Friedrich Hegel, Friedrich Hölderlin, Ludwig van Beethoven born. Goethe in Straßburg (till 1771).
1771		Klopstock, *Oden*.
1772		Friedrich Schlegel, Friedrich Hardenberg ('Novalis') born. Goethe as lawyer in Wetzlar. Lessing, *Emilia Galotti*.
1773	Schiller enters Karlsschule near Ludwigsburg.	Goethe, *Götz von Berlichingen*. Peasant's Revolt in Russia.
1774	Begins legal studies.	Goethe, *Die Leiden des jungen Werthers*.
1775		Goethe in Weimar. American War of Independence.
1776	Turns to medical studies.	Klinger, *Der Wirrwarr, oder Sturm und Drang* (play). Leisewitz,

Julius von Tarent. E. T. A. Hoffmann born. Gibbon, *Decline and Fall* (compl. 1788).

1777   Heinrich von Kleist born.

1778   Herder, *Stimmen der Völker* (completed). Death of Voltaire. Death of Rousseau.

1779   Lessing, *Nathan der Weise.* Mannheim Nationaltheater opened.

1780   Graduates with thesis *Über den Zusammenhang der thierischen Natur des Menschen mit seiner geistigen.* Becomes Army surgeon.   Johannes von Müller, *Geschichte der schweizerischen Eidgenossenschaft* (completed 1795). Death of Maria Theresia of Austria.

1781   *Die Räuber* published (anonymously).   Kant, *Kritik der reinen Vernunft.* Death of Lessing. Achim von Arnim, Adalbert von Chamisso born.

1782   Jan. 13, *Die Räuber* performed in Mannheim; Feb., *Anthologie auf das Jahr 1782* (poems); Sept. 22, Schiller to Mannheim; Dec., to Bauerbach.

1783   *Die Verschwörung des Fiesco zu Genua* published. Schiller appointed playwright of Mannheim Nationaltheater.   V. A. Zhukovski (Russian translator of Schiller) born.

1784   *Kabale und Liebe* published.   Johann H. Voß, *Luise* (idyll). Invention of power loom by Cartwright.

1785   Accepts invitation of Körner and his friends to Gohlis and Loschwitz. *An die Freude* (ode).   K. Ph. Moritz, *Anton Reiser* (novel, completed 1790).

1786   *Verbrecher aus Infamie* (story, later entitled *Der Verbrecher aus verlorener Ehre* in journal *Thalia II.*) *Philosophische Briefe* in *Thalia III.*   Goethe goes to Italy. Nationaltheater opened in Berlin. Death of Frederick II ('the Great') of Prussia.

1787   *Don Carlos Infant von Spanien* published. Moves   Goethe, *Iphigenie auf Tauris.* Friedrich von Matthisson, to Weimar.

Gedichte. Ludwig Uhland born. Weimar Theatre opened.

1788   *Abfall der Niederlande* (history). Appointed Professor of History in Jena.

Goethe, *Egmont.* Kant, *Kritik der praktischen Vernunft.* Joseph von Eichendorff, Friedrich Rückert, Arthur Schopenhauer born.

1789   Moves to Jena. May 26, inaugural lecture. Betrothal to Charlotte von Lengefeld. *Der Geisterseher* (novel) published unfinished. *Die Künstler* (philosophical poem).

George Washington first President of U.S.A. June 15, National Assembly in Paris. July 14, fall of the Bastille. Declaration of the Rights of Man.

1790   Feb. 22, marriage with Charlotte.

Goethe, *Torquato Tasso, Faust, ein Fragment.* Kant, *Kritik der Urteilskraft.* Jean Paul, *Schulmeisterlein Wutz.* Suppression of religious orders in France.

1791   *Geschichte des dreißigjährigen Krieges.*

Mozart, *Die Zauberflöte.* Death of Mirabeau. Dec. 5, death of Mozart.

1792   Made honorary citizen of the French Republic.

Sept. 1, Champ-de-Mars, massacres in Paris. Defeat of Prussian Army at Valmy. French troops take Mainz.

1793   *Über Anmut und Würde* (philosophical essay).

Jan. 21, Louis XVI beheaded. Goethe, *Der Bürgergeneral.* Jean Paul, *Die unsichtbare Loge.* Oct. 16, Marie-Antoinette beheaded.

1794   Beginning of friendship with Goethe.

Execution of Robespierre. Polish revolt (Kosciuszko) defeated.

1795   *Briefe über die ästhetische Erziehung. Über naive und sentimentalische Dichtung* (completed 1796).

Goethe, *Römische Elegien, Wilhelm Meisters Lehrjahre* (completed 1796). Keats, Carlyle born. Directorate established in Paris.

1796   *Xenien* (aphoristic poems in collaboration with Goethe).

Iffland director of Berlin Theatre. Schlegel brothers in Jena.

1797   'Das Balladenjahr': *Der Ring des Polykrates, Der Handschuh, Die Kraniche des Ibykus.*

'Das Balladenjahr': Goethe, *Der Gott und die Bajadere, Die Braut von Korinth; Hermann und Dorothea* ('epic idyll'). Wackenroder and Tieck, *Herzensergießungen.* Hölderlin, *Hyperion* (till

		1799). A. W. Schlegel, beginning of Shakespeare translations. Heinrich Heine, Franz Schubert born.
1798	*Wallensteins Lager* performed.	Wordsworth and Coleridge, *Lyrical Ballads*. Invasion of Bern, occupation of Switzerland by French. 'Helvetic Republic' established by French.
1799	*Piccolomini* and *Wallensteins Tod* performed. *Das Lied von der Glocke.* Schiller resident in Weimar.	Friedrich Schlegel, *Lucinde* (novel). Military dictatorship in France (Napoleon). Honoré de Balzac, Alexander Pushkin born.
1800	*Maria Stuart* performed. Translation of *Macbeth* performed.	Novalis, *Hymnen an die Nacht*. Jean Paul, *Titan* (completed 1803).
1801	*Die Jungfrau von Orleans* performed.	Death of Novalis. Brentano, *Godwi*. Chateaubriand, *Atala*.
1802	By Imperial 'Adelsbrief' becomes Friedrich von Schiller.	Novalis, *Heinrich von Ofterdingen* (posthumously). Chateaubriand, *Le génie du Christianisme*. Napoleon Consul. Victor Hugo born.
1803	*Die Braut von Messina* performed.	Goethe, *Die natürliche Tochter*. Kleist, *Die Familie Schroffenstein*. Death of Klopstock and of Herder.
1804	Feb. 18, *Wilhelm Tell* completed; Mar. 17, first Weimar performance; July 4, first Berlin performance; Oct., *Wilhelm Tell Schauspiel von Schiller. Zum Neujahrsgeschenk auf 1805* published by J. G. Cotta, Tübingen.	Death of Kant. Napoleon becomes Emperor. Beethoven, 'Eroica' Symphony (called in MS. 'Bonaparte').
1805	Work on *Demetrius*. May 9, death of Schiller.	Beethoven, *Fidelio*. Adalbert Stifter born.

An Interpretation

Nicht die Kinder bloß speist man
Mit Märchen ab.
LESSING, *Nathan der Weise*, III. vi

THE oldest record which we have of the origin of the Forest
Cantons of Switzerland is *Das Weiße Buch von Sarnen*, which
owes its name to its binding. Here the story is told of the early
settlements, of a long period of freedom, and of the submission
to Rudolf, Count of Habsburg (who had become German
king in 1273), on condition that he protect the liberties of the
cantons and that they remain directly dependent on the Crown.
Then follows the account of the failure to respect the status
of the cantons after Rudolf's death in 1291, and of the excesses
of men who had acquired rights as 'Vögte' (governors or bailiffs).
Representatives from Uri, Schwyz, and Unterwalden meet in a
forest clearing, the Rütli, on the west shore of the Lake in Uri,
where they take an oath and plan to expel the oppressors. The
refusal of Tell, one of the conspirators, to do reverence to the
hat – the symbol of the Habsburgs and of Vogt Geßler's
authority – in the market-place of Altdorf is punished by arrest
and the order to shoot an apple from his son's head. Tell's
escape from Geßler's barge on the way to prison and the killing
of the Vogt in a narrow pass between Lake Zug and Lake
Luzern precipitate the uprising. The governors are driven out,
and their castles stormed.

The form in which this narrative has come down to us dates
from about 1470. The lapse of nearly one and three-quarter
centuries between event and recording can do much to reduce
the authenticity of an account; research has in fact revealed confusion as to dates and some fanciful embroidery of episodes.
Most significant is that by 1470 a long-drawn-out struggle with
the Habsburgs had made them appear as the hereditary enemy
of the cantons. Whether it is true or not, this antagonism came to
be regarded as the reason for the formation of the Confederacy.
Moreover, such battles in the intervening years as Morgarten
(1315), Sempach (1386), and Näfels (1388), in which the

peasantry, with or without the aid of townsfolk, had routed feudal armies, had added greatly to the renown and self-esteem of the cantons. Events of this order became part of the national story, comparable to the deeds of Breydel and de Coninck and the Battle of the Golden Spurs (1302) in the annals of Flanders. The social and national significance of the early years of the cantons, thus enhanced in the *White Book*, passed into later accounts, some of which, as we shall see, provided material for Schiller's play.

Wilhelm Tell as Swiss hero and the story of the apple were the object of sceptical comment at least as early as 1760, when Uriel Freudenberger published *Guillaume Tell – fable danoise?* But the French critic Louis-Sébastien Mercier, thinking of the ancient Greek theatre and of the great national dramas of the seventeenth-century Dutch poet Vondel, speculated on the prospects of drama in Switzerland.[1] The necessary condition for the growth of such a drama, said Mercier, is that freedom must be cherished, and its inspiration will be an enlightened patriotism. To the general question 'Quelle sera donc la tragédie véritable?' the answer is:

> Ce sera celle qui sera entendue & saisie par tous les ordres de citoyens, qui aura un rapport intime avec les affaires politiques, qui tenant lieu de la tribune aux harangues éclairera le peuple sur ses vrais intérêts, les lui offrira sous des traits frappans, exaltera dans son cœur un patriotisme éclairé, lui fait chérir la patrie dont il sentira tous les avantages.

Then Mercier draws the particular conclusion: 'si jamais les Suisses établissent chez eux un théâtre, ils devront commencer par un *Guillaume Tell*'.

Plays about Tell and the Confederates had been composed by Swiss authors long before the publication of Mercier's essay, and others have continued to appear down into the present century. The oldest known is the *Urnerspiel von Wilhelm Tell* (ed. W. Vischer, Basel, 1874), which dates back to the beginning of the sixteenth century. Here the three 'Herold' figures make the comparison between the story of Tell and that of Lucretia, trace the history of the cantons from the settlement by immi-

---

[1] *Du Théâtre, ou nouvel essai sur l'art dramatique*, Amsterdam, 1773, pp. 39–40.

grants from Rome and Sweden,[1] and end with the agreement with
Rudolf of Habsburg and the ensuing troubles with the 'Landvögte'. The action of the play begins with the demand for
strict obedience to the Landvogt of Uri. Tell and Stauffacher
take counsel and are joined by Melchthal, who narrates the
story of his father's suffering. The three decide to recruit
others to form a league. Tell's disdain of the hat ('so es doch were
nun ein filzhuot, / Den selben zuo eeren wer nit guot') is punished
by the order to shoot an apple from the head of his favourite son
(who asks Tell why he wants to kill him, since he has always been
obedient!). The question and answer about the second arrow
held in reserve, the seizing of Tell, his aid in steering the barge,
his escape, and the killing of Geßler (presented in dumb-show)
are all included. On joining his companions Tell hears of the
slaying of the Vogt of Unterwalden and recites the oath of the
Confederacy:

> Das wir keinen tyrannen mee dulden,
> Versprechen wir by unsern hulden,
> Also sol GOtt vatter mit sim sun,
> Ouch heiliger geist uns helffen nun.

An adaptation of the *Urnerspiel* by Jakob Ruof, surgeon of
Zürich and a prolific writer, was performed in 1545.

Much attention has been paid to the Swiss Tell plays which
succeeded the *Urnerspiel*;[2] a brief but useful summary of trends,
with well-selected quotations, was prepared by Elsbeth Merz:
Tell im Drama vor und nach Schiller (Sprache und Dichtung,
Heft 31, Bern, 1925). Notwithstanding the vigorous acclaim
of the worthy traditions of the cantons apparent in the diverse
dramatic patterns from the earliest works down to those of the
1770s, not a single one of the native Swiss writers succeeded in
creating a play which could be acknowledged as a supremely

[1] Reference to Sweden is derived from the *White Book*. H. Nabholz
et al., *Geschichte der Schweiz*, Bd. 1, Zürich, 1932, pp. 142-3, comment:
'eine nachträgliche Konstruktion des 15. Jahrhunderts, veranlaßt
durch die große Ähnlichkeit der ältesten lateinischen und deutschen
Bezeichnungen für Schweden und Schwyzer'. Cf. also note to l. 1161
below.
[2] See chiefly Gustav Kettner, 'Verhältnis des Schillerschen Tell zu
den ältern Telldramen', in *Marbacher Schillerbuch*, iii, Berlin and
Stuttgart, 1909, pp. 64-124.

great interpretation of the national theme. This fame was reserved for a German poet who had never seen Altdorf or the Rütli and had never heard the rumbling of the glaciers or 'des Herdenreihens Melodie' from the upland pastures. A Director of the Realschule in Bern who brought out an edition of Schiller's *Wilhelm Tell* in 1836 wrote: 'Noch mehr aber als die trefflichen Naturschilderungen bewundern wir die verschiedenen Charaktere, von deren Wahrheit sich jeder, welcher das schlichte, anspruchslose und kräftige Gebirgsvölkchen mit Aufmerksamkeit beobachtet hat, auf eine überraschende Weise überzeugt',[1] and called it a 'Meisterwerk, welches sich nach Form und Inhalt wie kein anderes zum Lesen in Schulen eignet und zugleich mit vollem Rechte ein Volksbuch geworden ist'.[2] Even more lively, though acrid, testimony to the popular appeal of the work in the early nineteenth century comes from another quarter – the official censors in Vienna. When Schiller's play was being prepared for production there in 1827, an undertaking was required that all passages of a politically offensive nature be omitted, that anything savouring of democratic tendency be set aside in favour of the purely rustic and universal interest, and that the fall of Geßler and the other 'Vögte' be the main content.[3] A week before the play opened, Metternich still expressed doubts. By the first night (29 November) the roles of Rösselmann and Parricida had been cut; where 'Kaiser' appeared in the text 'Vogt' was substituted, and the words 'Tyrann' and 'Freiheit' were avoided as far as possible.[4] This was a full two decades after Schiller's death. But even as preparations were afoot for the first Berlin production, which opened on 4 July 1804, Schiller was asked by Iffland, the director, to alter three passages which might cause offence: ll. 1274–87, 1797–1809, and the scene of Attinghausen's death in Act IV. Schiller sent a revised text. In the very year of its

---

[1] Christoph H. Hugendubel, *Schillers Wilhelm Tell. Mit einer geschichtlichen Einleitung und erklärenden Anmerkungen*, Bern, Chur and Leipzig, 1836, pp. xxv–xxvi.

[2] Ibid., p. iii.

[3] Cf. *Eydgnoessisches Contrafeth Auf- und Abnehmender Jungfrauen Helvetiæ*, Zug, 1673, by the Jesuit dramatist J. C. Weißenbach, who also shifts the blame to the 'Vögte' and so avoids criticism of Austria.

[4] See Alexander von Weilen, 'Schreyvogels Bearbeitung des Wilhelm Tell', *Euphorion*, xii, 1905, pp. 641–8.

completion, not only those who approved, but also those who feared an effect upon the established order greeted *Wilhelm Tell* as though it were a fulfilment of the kind of plea which Mercier had made in his essay of 1773. In that essay Mercier had written: 'la vraie tragédie ne fera entendre ses fiers accens que dans un pays où ceux de la liberté ne seront pas étouffés'. Schiller himself recognized well enough the topical appeal of the story involved in his play; it formed a great contrast to the remote austerity of *Die Braut von Messina*, its predecessor, which, he believed, the public of his time had been unable to comprehend. To his brother-in-law Wilhelm von Wolzogen he wrote (27 October 1803): 'jetzt besonders ist von der schweizerischen Freiheit desto mehr die Rede, weil sie aus der Welt verschwunden ist'. The new Helvetic Republic was under the administration of Napoleon, for whom Schiller had no liking. With the greedy parade of force between France and Britain ('Aller Länder Freiheit zu verschlingen, / Schwingen sie den Dreizack und den Blitz'),[1] Schiller might well contrast 'ein Volk, das fromm die Herden weidet'[2] – the Swiss Confederates of the early fourteenth century who cast off the alien yoke but even in their wrath revered humanity and were temperate in the hour of their triumph. But the play itself is by no means the simple eulogy which the dedicatory lines might lead us to expect.

The earliest recorded evidence of Schiller's feelings about the beginnings of Swiss national fame shows considerable antipathy. Such a mood, it is true, may be noted in his mature approach to other historical themes which were to inspire dramas of great renown: *Wallenstein, Maria Stuart*, even *Die Jungfrau von Orleans*.[3] But his comments on the Swiss theme are of specific importance. Charlotte von Lengefeld, to whom he was betrothed, had spent a year in Switzerland and retained a lively affection for the country and the people. Her admiration for Arnold von Winkelried, hero of Sempach, was repudiated by Schiller: 'Ohne das, was die Franzosen férocité nennen, kann man einen solchen Heldenmuth nicht äußern; die Heftigkeiten, deren der Mensch in einem Zustande roher Begeisterung fähig

[1] *Der Antritt des neuen Jahrhunderts.*

[2] Lines in dedication of *Wilhelm Tell* to Count von Stolberg.

[3] Cf. letter to Goethe, 13 September 1800, referring to the story of Joan of Arc: 'Dieser Stoff liegt mir nicht nahe'.

ist, kann man der *Gattung* bloß als *Kraft*, aber dem Individuum nicht wohl als *Größe* anrechnen.'[1] Barely four months before the Paris mob was to storm the Bastille, Schiller was thus denouncing a historic example of violent heroism in a people's cause. His censure of revolutionary violence had been already explicit in an early subjective work which was to help gain him the honorary citizenship of the French Republic.[2] It was intensified when he heard of the unbridled excesses of the summer of 1793 and the beginning of the Reign of Terror in France.[3] If there ever was a time in Schiller's evolution when he could have filled a play with a recipe for political liberation, that time had gone by when he set to work on *Tell*.

If Schiller did not respond warmly to the signs of revolutionary zeal, there is also evidence that he was on his guard against that kind of patriotic enthusiasm which dominated his Swiss sources. There are for example his comments on the legislation of Lycurgus in Sparta: 'Eine einzige Tugend war es, die in Sparta mit Hintansetzung aller andern geübt wurde, Vaterlandsliebe. Diesem künstlichen Triebe wurden die natürlichsten, schönsten Gefühle der Menschheit zum Opfer gebracht.'[4] On the imagination fired by 'Freiheits- und Vaterlandsliebe' Schiller had this to say:

> Da die Gegenstände dieser Empfindungen immer Ideen sind und in der äußern Erfahrung nicht erscheinen (denn was z.B. den politischen Enthusiasten bewegt, ist nicht, was er siehet, sondern was er denkt), so hat die selbsttätige Einbildungskraft eine gefährliche Freiheit und kann nicht ...

[1] Letter to Charlotte, 26 March 1789.

[2] *Die Räuber* (1781); see Räuber Moor's words in the final scene: 'Ich maßte mich an, o Vorsicht, die Scharten deines Schwerts auszuwetzen und deine Parteylichkeit gut zu machen. . . .'

[3] Cf. *Das Lied von der Glocke* (1799):

> Freiheit und Gleichheit! hört man schallen; . . .
> Nichts Heiliges ist mehr, es lösen
> Sich alle Bande frommer Scheu;
> Der Gute räumt den Platz dem Bösen,
> Und alle Laster walten frei.

[4] *Die Gesetzgebung des Lykurgus und Solon*, first published in *Thalia*; see Säkular-Ausgabe, xiii, p. 80. For literature on the authenticity of this essay see ibid, pp. 303–4, and cf. H. Cysarz, *Schiller*, Halle, 1934, p. 441.

durch die sinnliche Gegenwart ihres Objekts in ihre Grenzen
zurückgewiesen werden.[1]

It is good to bear these things in mind, not only when we are
considering the conservatism of the Confederates in the Rütli,
but also when we are tempted to attribute to Schiller himself
sentiments expressed by characters in his play and often very
clearly derived from one or other of the sources. By accepting
this measure of critical self-denial we shall be able to see
Schiller engaged, as he had been at least from the beginning of
his work on *Wallenstein*, in the sternly disciplined, legitimate
activity of the dramatist, and by no means captivated by the
raw material of political enthusiasms. In *Wilhelm Tell*, as before,
he was busy assembling a pattern from a selected part of the
historical process, and, in the midst of antagonisms and collective
action, presenting the enigmatic figure. Here, as in all his
previous plays, he was concerned with usurpation of office, of
power, even of affection.

But in *Wilhelm Tell* another kind of usurpation is also seen
to be at work: legend taking control of fact. As a historian with a
healthy distrust of report,[2] he clearly perceived how this had
happened in the Swiss chronicles. And, as Schiller was com-
posing his play, he was aware of a great aggressive figure of his
own time, 'wo selbst die Wirklichkeit zur Dichtung wird',[3]
a figure of boundless political ambition around which a legend
was already growing – a 'légende des siècles'. For his theme he
reached further back than he had ever done before, to a time of
fascinating contradictions and uncertainties. From this a legendary figure emerged – Wilhelm Tell, whose last recorded act, the
assassination of the tyrant Geßler, though ambiguous in relation
to the general will, had won increasing renown as part of a
communal triumph of great political significance. Confronted
by equivocal report, Schiller had studied the enigmas of Count
Fiesco of Genoa, of Wallenstein, of Elizabeth I of England and

[1] *Über naive und sentimentalische Dichtung*, Säk.-Ausg., xii, 2. Teil,
p. 242.
[2] Cf. Reinhold Schneider, 'Tragik und Erlösung im Weltbild
Schillers', in *Schiller. Reden im Gedenkjahr*, Stuttgart, 1955, p. 295,
in reference to *Die Jungfrau von Orleans*: 'Schillers Verhältnis zur
überlieferten Geschichte – deren Wahrheitsgehalt ihm ja immer
anfechtbar war – zeigt sich hier ganz klar.'
[3] *Wallenstein*, Prolog.

Mary, Queen of Scots. By means of his art, 'die alles begrenzt und bindet', he had devised coherent patterns. This is what he also had to do for Wilhelm Tell. But here the task was in some sense more refined, since the confusion had arisen not from 'der Parteien Gunst und Haß' but from an excess of patriotic zeal among the Swiss chroniclers and historians. The widely accepted interpretation of Schiller's last complete play as enthusiastic confirmation of this zeal may come to be regarded as the culminating irony in the legend which has been built around Schiller himself. His later plays, and especially *Wilhelm Tell*, would probably be of greater interest to the twentieth century if there were more frank admission of the irony in Schiller's own disposition. There is a tonic effect of sarcasm in the letter to Wolzogen quoted above (p. xxiii): 'und arbeite an dem Wilhelm Tell, womit ich den Leuten den Kopf wieder warm zu machen denke. Sie sind auf solche Volksgegenstände ganz verteufelt erpicht, und jetzt besonders ist von der schweizerischen Freiheit desto mehr die Rede . . .', etc.

It is not known precisely when Schiller decided to write a drama about Tell. The novelist and musicologist Friedrich Rochlitz noted (under date 1801) that he started planning it immediately after the completion of *Wallenstein*,[1] but this is not regarded as reliable evidence. The correspondence of Schiller, though not of much help in the dating at this point, is interesting because of the curious assertion that he started to compose the play after hearing the entirely groundless rumour that he was already at work on it: 'und so wird also vermutlich, wie öfters schon geschehen, die Prophezeiung dadurch erfüllt werden, daß sie gemacht worden ist'.[2] Once he had addressed himself to the task, his letters revealed his customary sense of urgency and keen enterprise: 'Stoff sehr widerstrebend . . . sonst großen Reiz' (to Wilhelm von Humboldt, 18 August 1803); 'woraus ich eine große Tragödie zu machen gedenke' (to Wilhelm von Wolzogen, 4 September 1803); 'ein mächtiges Ding . . . die Bühnen von Deutschland erschüttern . . . ganz wirblicht von meinem jetzigen Geschäft' (to Gottfried Körner, 7 November 1803); 'Im Tell leb ich und

[1] See *Denkmale glücklicher Stunden*, Leipzig, 1810, quoted by Julius Petersen, *Schillers Gespräche*, Leipzig, 1911, p. 313.

[2] Letter to Iffland, 22 April 1803. Cf. also letters to Cotta, 16 March, and Körner, 9 September 1802.

web ich ... ein Stück für das ganze Publikum' (to Iffland, 11 November 1803). Enthusiasm gave way at times to uncertainty; progress was interrupted by illness and also by uncongenial company: of Mme de Staël, who visited Weimar in the winter of 1803, he wrote to Goethe (21 December): 'für das, was wir *Poesie* nennen, ist kein Sinn in ihr ... man muß sich ganz in ein Gehörorgan verwandeln um ihr folgen zu können. ... Meine Arbeit hat in dieser Woche freilich nicht viel zugenommen.'

More intensively than for any previous play Schiller had to study the details of setting, for here he saw the people in close, essential relationship to their environment, like the figures in ancient epic poetry. His remarkable blend of poetic and dramatic skill is seen in his evocation of the nature of the land. As Witte says, his efforts in this direction are not a mere hankering after local colour: 'The Swiss scene in *Wilhelm Tell* is more than just a setting; it becomes something like a character, an active force which helps to shape the events of the play.'[1] Since circumstance deprived Schiller of all hope of visiting Switzerland, he had to conjure up the landscape and the ethos of the cantons as he sat at his writing-table or paced the floor of his little workroom in Weimar, recalling and piecing together the descriptions of others more fortunate than he had been. Charlotte's sympathetic recollections now asserted their value. From Goethe's accounts of his three visits to Switzerland (1775, 1779, 1797) and of his abandoned plan for an epic on the exploits of Tell,[2] thoughts and images emerged. The contemplative lyric of Albrecht von Haller with its Alpine setting was well known to Schiller. The awe-inspiring grandeur of mountains and glaciers and ravines in the poetry of Friedrich von Matthisson may well have been in his mind as he created the more austere of his pictures of Alpine life, as, for example, in Hedwig's lines in III. i (ll. 1490–1507).[3]

[1] William Witte, *Schiller*, Oxford, 1949, p. 192.

[2] Goethe records (*Tag- und Jahreshefte*, in *Werke*, Weimarer Ausg., xxxv, p. 185) that he passed on these plans to Schiller; cf. also Eckermann, *Gespräche mit Goethe*, 6 May 1827.

[3] Cf. from *Der Alpenwandrer*:

> Dumpf donnernd wie die Hölle
> In Aetnas Tiefen rast,

To supplement such interpretations of the heroic setting, Schiller surrounded himself with maps and 'prospects'. Travel books such as Johann Stumpf's *Gemeiner loblicher eydtgenoschaft stetten, landen und völkeren chronickwirdiger thaten beschreybung* (Zürich, 1554, reprinted 1606), and Scheuchzer's *Beschreibung der Naturgeschichten des Schweizerlands* (Zürich, 1706–8), contained woodcuts and engravings which, while providing detail of topography, conveyed by their style a notion of the fantastic and grandiose entirely appropriate to Schiller's theme. Thus Scheuchzer's picture of the *pons diaboli* makes excellent graphic accompaniment to the text of Act V, where Tell describes the path Johannes Parricida must follow. Such representation tallies with the impression of Joseph Addison, whose mind, as he observed the many steeps and precipices, was 'filled with an agreeable kind of horror'.[1] The imposing folio of Matthias Merian the Elder, *Topographia helvetica* (Frankfurt, 1642), though of course much less accurate than a set of aerial photographs, is a much better guide to the mode of Schiller's composition. Each plate represents the Lake and its shores, the townships nestling beneath darkly wooded slopes, the austere white peaks rising high in the background; the traditional insignia of each canton are displayed, and at the bottom there is a key to features of historic note; the picture of Unterwaldia shows the 'Drachenhöhle', and below it the kinsman of Meier von Sarnen (see l. 1074) in the very act of slaying the dragon. Even little details of the life of the region are to be seen: the busy craft on the Lake, the 'Sennhütte' with herdsmen and

> Kracht an des Bergstroms Quelle
> Des Gletschers Eispalast. . . .
> Und wilder, immer wilder
> Schwingt sich der Pfad empor;
> Bleich wallen Todesbilder
> Aus jeder Kluft hervor.

and, from *Alpenreise*:

> Dort senkt sich, so schaurig und still, wie die Gruft,
> Ein Pfad über Schiefer aus nächtlicher Kluft, . . .
> Ihn wandelt der Jäger der Gemsen, im Graun
> Der feuchtenden Wolke . . .

(*Schriften von Friedrich von Matthisson*, Ausgabe letzter Hand, Zürich, 1825, i, pp. 132, 175.)

[1] Cf. P. Smithers, *Joseph Addison*, Oxford, 1954, p. 74.

cattle on the high meadow. In the foreground of the Uri en-
graving the nimble chamois is shown leaping from crag to crag.

The text of Stumpf and Scheuchzer and of a number of other
works – Etterlyn, *Kronica von der loblichen eydtgnoschafft, ir
harkommen und sonst seltzame stritenn und geschichtenn* (Basel,
1507); Fäsi, *Genaue und vollständige staats- und erdbeschreibung
der ganzen helvetischen eidgenoßschaft* (Zürich, 1766), etc. –
furnished countless items of environment, weather-lore,
characteristics of the people, their customs and traditions.
Schiller's excerpts from these sources include notes which we
can recognize in his play: 'Der graue Thalvogt kommt. Es
wehet schaurig aus dem Wetterloch'; 'Gesommert, gewintert';
'Vorboten des Regens. Schwalben fliegen niedrig, Wasservögel
tauchen unter, Schaafe fressen begierig Gras, Hunde scharren
die Erd auf. . . .'

For the history and the central legend of Tell, Schiller drew
chiefly upon two sources. The oldest of these was *Aegidii
Tschudii Landammans zu Glarus chronicon helveticum*, a sixteenth-
century work known to Schiller in the version edited by Johann
Rudolf Iselin and published in Basel in 1734. The other was the
work of the famous contemporary Swiss historian Johannes von
Müller (1752–1809), *Der Geschichten Schweitzerischer Eydgenos-
senschaft Erster und Zweyter Theil* (Leipzig, 1786). The latter
had been known to Schiller since its publication.[1] Tschudi's
chronicle came to his notice at the right time to kindle his
imagination. To Körner he wrote (9 September 1802): 'Nun
ging mir ein Licht auf, denn dieser Schriftsteller hat einen so
treuherzigen herodotischen, ja fast homerischen Geist, daß er
einen poetisch zu stimmen imstande ist.' If the old Swiss
chronicler brought to Schiller the inspiration of the Greek
historian and the Greek epic poet, Müller had won renown as
the 'Swiss Tacitus'. The vigorous, direct, and graphic narrative
of Tschudi and the reflective style of the contemporary historian both left their mark in the pattern of Schiller's composition. Tell's account (IV. i) of the storm and his escape from
Geßler's barge is very close to Tschudi's text. The end of the
Rütli episode (II. ii) has the solemnity and the cadence of the
corresponding passage in Müller (i, p. 664): 'Als die dreyßig
dieses hörten, hob ein jeglicher seine Hand auf und leistete bey

[1] See letter to the Leipzig bookseller Crusius, 5 November 1787.

Gott und bey den Heiligen diesen Eid. Ueber die Art, ihren
Entschluß zu vollstrecken, waren sie einig; damals gieng jeder
in seine Hütte, schwieg still und winterte das Vieh.' Schiller's
naming of the man from whom Stauffacher has the news of the
assassination of King Albrecht – 'ein glaubenwerter Mann,
Johannes Müller' (ll. 2947–8) – is more subtle and significant
than the tribute of courtesy which is the common interpretation
of it. Through the rhetoric of Stauffacher, the most thoughtful
and persuasive of the Confederates, the voice of Johannes von
Müller may be heard. The patriotic historian within the play,
bearing the honoured name of Stauffacher, is seen devising
actions and creating a legend which the Swiss historian of
Schiller's own time, equally zealous in the Confederates' cause,
sets out to confirm. The dramatist, who was a professional
historian, was no doubt attracted to such a character as a subject
for careful scrutiny. Stauffacher appears as a noble and congenial
figure. But Schiller kept his distance. It was not for him to
weaken the structure of his play by sharing enthusiasm such as
that of von Matthisson, who wrote: 'unser, jedes historische
Goldstück mit richtiger Wage partheylos und unbefangen
abwägender Johannes Müller'.[1] Schiller was sensitive to signs
of bias and discrepancy in what he read. There are such signs
in the pages of Müller. Far from attempting to conceal them,
Schiller gave them full prominence in his play by associating
them chiefly with the historian and leading patriotic orator in
the Rütli assembly. We shall have to return to Stauffacher at
later stages of our inquiry.

Further pursuit of sources might be expected to lead to
the many plays which preceded Schiller's treatment of Tell and
the councils of the Confederates. Very searching inquiry into
this matter was made at the end of the nineteenth and beginning
of the present century,[2] and though it would be unsafe to regard
the question as closed, there seems to be remarkably little
evidence of Schiller's indebtedness to any of these previous

[1] *Eintritt in die Schweiz* (1787), in *Schriften*, ii, p. 164.

[2] See, e.g., Gustav Roethe, 'Die dramatischen Quellen des Schiller-
schen Tell'; in *Forschungen zur deutschen Philologie*, Leipzig, 1894;
Adolf Frey, 'Schillerstudien II. Zu Wilhelm Tell', in *Marbacher
Schillerbuch*, Stuttgart and Berlin, 1905; Gustav Kettner, *Studien zu
Schillers Dramen*, 1 Bd.: *Wilhelm Tell*, Berlin, 1909; cf. also O.
Walzel, Säk.-Ausg., vii, Einleitung.

dramas. The *Urnerspiel* was known to him. Four plays by the Swiss poet and critic Johann Jakob Bodmer may have influenced him: *Heinrich von Melchtal oder die ausgetretenen Augen; Wilhelm Tell oder der gefährliche Schuß; Geßlers Tod oder das erlegte Raubtier; Der Haß der Tyranney und nicht der Person* (all published 1775). Johann Ludwig Ambühl's *Schweizerbund* (Zürich, 1779), the forceful dialogue of which shows marked 'Sturm und Drang' influence, and his *Wilhelm Tell* (Zürich, 1790) have been suggested with some strength of argument as possible sources of inspiration. But there is in general such a weight of chronicle tradition in these earlier Tell plays, and such a purposeful use of that same tradition by Schiller, that any direct transference of motif or characterization has not been clearly proved.

When we come to consider literary influences as distinct from the Tell tradition in drama, the prospects are more hopeful. They are more hopeful in the specific sense that they offer means of exploring and recognizing what Schiller was about in constructing the complex poetic and dramatic pattern of his play. In his *Life of Friedrich Schiller* (2nd ed., London, 1845, p. 215) Thomas Carlyle wrote:

> These Switzers are not Arcadian shepherds, or speculative patriots; there is not one crook or beechen bowl among them, and they never mention the Social Contract or the Rights of Man. They are honest people, driven by oppression to assert their privileges; and they go to work like men in earnest, bent on the dispatch of business, not on the display of sentiment.

Such praise was without doubt beneficial in its time, and for a good half-century after. But it is at any time misleading to suggest that because a theory – e.g. Rousseau's theory of social contract – is not explicitly mentioned, it is alien to the substance of the play. It is in fact possible, in considering Schiller's handling of the relation of Tell to the Confederates, to see the dramatist sustaining an argument against Rousseau on the final incompatibility of the individual and the general will; and it is probably not irrelevant that Schiller asked for the works of Rousseau when he was at work on *Tell*.[1] The tone of Carlyle's comment can, unfortunately perhaps, be matched by eulogies

[1] Letter to Cotta, 9 August 1803.

of more recent date. Anything which does not fit in with what
has been called the 'robust open-air picture of the conflict
between tyrant and oppressed people'[1] tends to get submerged or
noted as a fault in Schiller's style.[2] It does not help towards an
understanding of the play if, while perceiving 'a certain lack
of unity throughout all the piece', the eulogist calls it the work
of a 'true and strong-minded poet', a 'copy of lowly Nature . . .
embellished and refined by the agency of genius'.[3] Schiller did
create an admirable picture of rustic life – a picture of the Swiss
people (as Gottfried Keller began to see) not so much as they
were, but as they would like to be. If we ask how the 'agency of
genius' contrived to do this, and much more besides, in the
drama of *Tell*, a simple and general answer can be given: it was
achieved by masterly response to the literary traditions of
Schiller's time, and by unusually penetrating observation of the
strength and the weakness in human nature.

We have noted, in reference to Tschudi's chronicle, Schiller's
phrase, 'einen . . . herodotischen, ja fast homerischen Geist'.
In one of the most noteworthy and valuable papers delivered in
the Schiller anniversary year 1955, Edith Braemer maintained:
'Die *Wilhelm Tell*-Dichtung bedeutet keinesfalls eine Abkehr
von Schillers Verherrlichung der Antike.'[4] Her suggestion that
the most classical in intention of all Schiller's plays, *Die Braut
von Messina*, was a 'Vorarbeit' for *Tell* (of which the theme is
apparently so far remote from Mediterranean tradition) is
startling and salutary. It is necessary to remember that the
dominant sphere of literary reference, ensured by education in
Schiller's day, was classical antiquity. In the concluding lines of
Der Spaziergang the poet, assailed by the elemental fear of
abandonment in unfamiliar chaos, regains the vision of con-
tinuity by renewed association with a known and cherished image:

[1] See *Wilhelm Tell*, ed. with an Introduction and Notes by H. B.
Garland, London, 1950, p. v.

[2] See, e.g., L. Bellermann, *Schillers Dramen*, Berlin, 1908, iii,
p. 175, on the speech of the fisherman in iv. i, and note to ll. 2129 ff. in
the present edition.

[3] Carlyle, p. 216. Cf. Garland (ed.), p. v.: 'characteristics . . . trans-
formed and ennobled by Schiller's balanced view of human character
and his upright and sincere political attitude'.

[4] 'Wilhelm Tell', in *Schiller in unserer Zeit*, herausg. vom Schiller-
Komitee, Weimar, 1955, p. 180.

Unter demselben Blau, über dem nämlichen Grün
Wandeln die nahen und wandeln vereint die fernen
    Geschlechter,
Und die Sonne Homers, siehe! sie lächelt auch uns.

In seeking a dramatic interpretation which would give unity and
significance to the creation of the Swiss chroniclers, Schiller
looked for guidance in large matters and in analogous details
to the classical heritage, either in the old texts or in some
intermediary transformation. Here, by early training, he was
more at home than in the legends of the cantons.

At the Academy in Stuttgart he had made a turbulent hexa-
meter translation from the first book of Virgil's *Aeneid*, *Der
Sturm auf dem Tyrrhener Meer*:

Sturm von Morgen und Abend, und Mittag, der mächtige
    Hagler,
Stürzen über den Pelagus her und rühren den Grund auf,
Wälzen Gebirge von Fluten hinan an die hallenden Ufer.[1]

In his letter of 9 August 1803 to the publisher Cotta, who had
just visited Switzerland, a mild note of regret that Schiller
could not take his example was followed by a request for the
loan of pictures and books on the country. A list of works by
Latin and French authors which Schiller needed is appended.
These include Virgil and Valerius Flaccus. It is possible that the
Argonautica by the latter author was connected with plans for a
sea-drama,[2] but more likely that Schiller wished to refresh his
memory of episodes similar to some taking shape in *Tell*.
Comment on the indiscriminate vehemence of the storm is the
motif shared by

O Unvernunft des blinden Elements!
Mußt du, um *einen* Schuldigen zu treffen,
Das Schiff mitsamt dem Steuermann verderben!
                                        (ll. 2183–5)

and

. . . in solum non saeviet Aesona pontus?
non iuvenem in casus eademque pericula Acastum
abripiam? invisae Pelias freta tuta carinae optet . . .[3]

---

[1] Säk.-Ausg., x, pp. 286–91.
[2] See *inter alia* letter to Goethe, 13 February 1798.
[3] *Argonautica*, i. 151–5: 'shall the ocean spend its wrath on Aeson.

B

Tschudi's description of the 'Apfelschuß' scene and of the voyage in Geßler's barge is at points almost literally transcribed by Schiller. But though the detail of the incident is vivid in Tschudi, there is very little of the mood. For this Schiller may have drawn upon Valerius Flaccus. In III., iii (ll. 1981–3), particularly in the stage-direction 'Tell läßt die Armbrust sinken', Schiller involves the inaction of the cross-bow as contributory to the mood, and expresses the anguished hesitation and momentary despair of Tell. In the *Argonautica*, Phalerus' arms bear the picture of himself as a child, a snake coiled round his body, while his father is represented 'in dread stretching the uncertain bow' ('stat procul intendens dubium pater anxius arcum').[1] And the helplessness of Tell, bound and deprived of his cross-bow – 'Wehrlos, ein aufgegebner Mann...' (ll. 2219 ff.) – may be prefigured in: 'Magnanimus spectat phaetras et inutile robur Amphitryonides'.[2]

Schiller's book-list sent to Cotta also includes 'Julius Caesar in II Volumes'. This name, in connection with *Tell*, provides a further example of the Latin heritage. But it is from Shakespeare that the immediate inspiration comes. On 2 October 1803 Schiller wrote to Goethe enthusiastically about a production of *Julius Caesar*: '... Interesse der Handlung, Abwechßlung und Reichthum, Gewalt der Leidenschaft und sinnliches Leben vis a vis des Publicums', and adds: 'Für meinen Tell ist mir das Stück von unschätzbarem Wert....' Much could be said about Schiller's debt to this play, but two illustrations must suffice. They involve contrasting figures, and the second illustration shows a blending of Shakespearean influence with direct reminiscence from classical antiquity. When Hedwig (ll. 1514 ff.) asks Tell: 'Wo gehst du hin?... Sinnst du auch nichts Gefährliches?' pleading and arguing with him, we recall the words of Calpurnia as Caesar is about to go to the Senate: 'What mean you Caesar? Think you to walk forth? You shall not stir out of your house today' (*Julius Caesar* II. ii). Tell makes no show of hesitation such as Shakespeare's Decius has to overcome, and

---

alone? shall I not snatch away the young Acastus to undergo the same fortunes and the same perils? Then let Pelias desire a safe voyage for the hated ship' (trans. Mozley, Loeb, 1934).

[1] Ibid., i. 401.
[2] Ibid., i. 634–5.

Hedwig does not, like Calpurnia, invoke the persuasion of signs and portents; reference to these is left for the fisherman and Stüssi, at a later stage. But both she and Calpurnia, sharing the burden of woman's endless anxiety, and in fond foreboding with no control of reason, foresee disaster: 'Wie kannst du dich so ohne Ursach quälen?' says Tell, and Hedwig replies: '*Weils* keine Ursach hat – Tell, bleibe hier.'

The contrast between Caesar and Calpurnia on the one hand and Brutus and Portia on the other is reflected in Schiller's play. Brutus (*Julius Caesar* I. ii) speaks of

> . . . passions of some difference (i.e. conflicting feelings),
> Conceptions only proper to myself,
> Which give some soil perhaps to my behaviour

and Portia (II. i) bids him unburden his mind:

> No my Brutus,
> You have some sick offence within your mind,
> Which by the right and virtue of my place,
> I ought to know of.

The reminiscence in *Tell* is clear. Stauffacher is deeply afflicted by the evils of the time, and his wife Gertrud pleads with him: 'Schon viele Tage seh ichs schweigend an . . . Und meine Hälfte fodr ich deines Grams' (ll. 196–200). Portia is 'a woman well-reputed, Cato's daughter'. Into the corresponding phrase of reference to Gertrud the Homeric epithet (as used also for example by Goethe in *Hermann und Dorothea*) is introduced: Walter Fürst speaks of her as 'Des weisen Ibergs hochverständge Tochter'. In Stauffacher himself, more noticeably than in any other figure in the play, the blending of character from Swiss sources and from antiquity is seen. In Müller's account (i, p. 638), Werner Stauffacher is 'ein wohlbegüterter und wohlgesinnter Landmann'. He enjoys the trust of his fellow-countrymen, the 'freiheitsstolzes Volk zu Schwytz' (p. 639). To add a little to this dignified picture Schiller may have borrowed lineaments more familiar to his contemporaries from Homer's *Iliad* (vi. 12), where Axilus is described as 'a man rich in substance, that was beloved of all men, for he dwelt in a house by the high road and was wont to give entertainment to all' (trans.

A. T. Murray, Loeb, 1946). A parallel to the last predicament
and destiny of Wilhelm Tell himself may perhaps be traced in
one of the biographies compiled by Cornelius Nepos, whose
name is also included in the list of desiderata sent to Cotta in
August 1803. To this, as to further discussion of Stauffacher's
function in the play, we must return later.

Beyond the minutiae of motif and character, certain devices
and modes, more or less markedly in classical tradition, appear
in the diverse structure of the play. Dialogue in alternate
lines (so-called stichomythia), with occasional expansion and
renewed contraction of statement, expresses at certain points the
tension of controversy, the thrust and parry of argument. An
instance of the greatest importance occurs in ll. 415 ff., which
bring into sharp focus the contrast of disposition between Tell
and Stauffacher and prepare us for the complex relation of
individual and communal action. A remarkable feature of the
play is the very generous use of narrative, and particularly the
variety of its distribution, tone, and tempo. The first example, an
important part of the exposition, is Baumgarten's account of the
events which led to his flight. A counterpart to this is the story
which concerns Melchthal, likewise taken from Tschudi's
chronicle, and most skilfully divided; the first part is told by
the young man himself at the beginning of I. iv, the second part
(ll. 559 ff.) by Stauffacher, who is unaware of Melchthal's
presence in the inner room. Thus epic form is involved in a
dramatic sequence. Two encounters with Geßler are narrated
before he appears: one (taken directly from Tschudi) by
Stauffacher to Gertrud (ll. 219 ff.), the other (Schiller's invention) by Tell to Hedwig (ll. 1554 ff.). The early history of the
cantons is recounted by Stauffacher in the Rütli meeting. Here
the didactic aim contrasts in method and conclusion with Tell's
instruction of Walter concerning landscape and life beyond the
borders (III. iii); the first conveys a message of communal
cohesion while the second ends in praise of isolation (ll. 1812–
13). Konrad Hunn's account of his visit to Rheinfeld (ll. 1323–
47), though to all appearance simple and graphic, brings
together, under a single reference to justice, the resentment of
the Swiss and of Johann of Swabia, and thus prepares the way
both for the reception of the news of Albrecht's death (l. 3026:
'Jetzt ist zu hoffen auf Gerechtigkeit!') and for the dialogue of
Tell and Johann in v. ii. These are a few of the ways in which

Schiller made highly specialized use of the epic component of his drama. Further analysis would show very interesting diversity, ranging from the classical tradition of a report on events which, sometimes for technical reasons, cannot be enacted on the stage, to the more subtle device of splitting up the material of the chronicles into a plan for action and action accomplished: the ejection of the 'Landvögte' is partly described in Act V, but the load is lightened because some of the story has already been anticipated in II. ii (ll. 1399–1416), where Winkelried and Melchthal say what they are going to do.

These diverse uses of narrative in *Wilhelm Tell* may perhaps provide a clue to Schiller's whole dramatic intention in the play. The Confederates, and Wilhelm Tell, are very carefully shown carrying out the deeds which the Swiss chroniclers and historians say they have performed. A more generous borrowing of narrative in this play than in any other ensures that the voices of the patriotic historians will be heard, constructing their legend. The dramatic theme is the building-up of this legend and the revelation of its inevitable weakness. It may be that wherever the history of a nation is recounted, this process of legend-building is unavoidable, for it springs from the suffering and triumph, the ambition and the pride which belong to awareness of nationhood. Viewed in this way, and in no way more limited than this, *Wilhelm Tell* can be called a 'Volks-schauspiel'. It is relevant not merely to the Swiss nation, or to the German, but to nations as such, as they continue to invent their past. If *Wilhelm Tell* is interpreted merely as a splendid confirmation of the patriotic efforts of the chroniclers, Schiller himself will appear, in spite of his technical skill, as not much more than a gullible enthusiast; his formal control will continue to get out of focus; his poetic modulations will go on being misconstrued or completely neglected. Above all, we shall remain insensitive to both his pity and his satire.

As essential to the structure of the play as the device of stichomythia and the use of narrative is Schiller's control of traditional poetic modes. One of the most treasured pieces of the classical heritage in the eighteenth century was the idyll. The Swiss poet Geßner and Schiller's friend Voß, in their widely divergent ways, did much to ensure its popularity. Schiller himself discussed its significance for the modern world in *Über naive und sentimentalische Dichtung*. His long-cherished desire to compose an idyll did not mature on the theme he had set himself (Hercules and Hebe), but it has been said that *Wilhelm Tell* was the fulfilment of it.[1] This interpretation seems to require a cheerful view of the action which becomes difficult to sustain. The idyllic mood does play a very important part in the composition of *Tell* – a part much more significant, and more characteristic of Schiller, than is suggested by those who claim its dominance at the end of the play.

What we witness in the first act is a brief farewell to the idyll. The 'Kuhreihen' and the songs of the fisher-boy, the herdsman, and the hunter, and the seasonal departure from the high pastures are a poetic representation of the simple life of a people living close to nature. The note of sadness and of parting, though it belongs in nature to the declining year, and the swift onslaught of the storm, though natural to the region, are heavy with foreboding. Baumgarten's arrival, his story of violence, and the raid upon the cattle and the homesteads eclipse the idyll. With the advent of Tell the heroic supersedes. As the action advances we recognize that what we witnessed at the beginning was a memory of something which had already passed. The picture of peace, happiness, simplicity does not belong to the present.

> Jene Natur . . . liegt ewig hinter dir, sie muß ewig hinter dir liegen. . . . Laß dir nicht mehr einfallen, mit ihr *tauschen* zu wollen. . . . Sie umgebe dich wie eine liebliche Idylle, in der du dich immer widerfindest . . . bei der du Mut und neues Vertrauen sammelst zum Laufe, und die Flamme des Ideals, die in den Stürmen des Lebens so leicht erlischt, in deinem Herzen von neuem entzündest.[2]

Thus Schiller, in 1795, had seen the idyllic not as a state which could be recaptured, but as representation of simple perfection with power to sustain the human spirit in the distresses of a changing world. And now, in *Tell*, appropriately suggested for the first Berlin production by the music of Bernhard Anselm

[1] See, e.g., E. L. Stahl, *Friedrich Schiller's Drama: Theory and Practice*, Oxford, 1954, p. 146, and Benno von Wiese, *Friedrich Schiller*, Stuttgart, 1959, p. 776: 'Als Festspieldrama ist *Wilhelm Tell* das politisch gewordene "Elysium", bzw. die politisch gewordene "Idylle".'

[2] *Über naive und sentimentalische Dichtung*, Säk.-Ausg., xii, 2. Teil, p. 178.

Weber, the idyllic recurs at various stages throughout the play, as reminder and as inspiration. There is the young exuberance of Walter Tell's song in III. i; and the quiet assurance of the idyll is heard in the greeting of the two men who are soon to be the first Confederates: 'Was sucht Ihr hier in Uri?' asks Walter Fürst, and Stauffacher replies: 'Die alten Zeiten und die alte Schweiz' (ll. 511–12). The beginning of Act II is a picture of old custom in the life of the cantons. In the old Gothic hall, adorned with shields and helmets, the morning-cup is passed from master to men as the latter prepare to go to their work in the fields. But the idyllic mood gives way to elegy, a regret for the passing of the old days, when the master himself joined in the labours, and bore the banner leading his men into battle. Setting and memories are an evocation of the patriarchal society, of which Attinghausen is a fitting representative, for he has helped to make the history from which others derive inspiration. He himself finds no inspiration or solace, seeing only the decline of innocent custom and the onset of destructive innovation. 'Ein anders denkendes Geschlecht', to which his own nephew belongs, not recognizing the worth of tradition, barters its freedom for the glitter of an alien court. But as Attinghausen lies dying, he hears of his nephew's change of heart and of the resolution in the Rütli. His earlier lament: 'Das Neue dringt herein mit Macht ... Unter der Erde schon liegt *meine* Zeit' (ll. 951–6) yields to a happier vision, as he foretells the revival of the old virtues and the emergence of a community which has outgrown its feudal tutelage: 'Es lebt *nach* uns – durch andre Kräfte will / Das Herrliche der Menschheit sich erhalten' (ll. 2421–2).

The counterpart to the dynamic terms of Attinghausen's prophecy is found in the scene of Rudenz's conversion (III. ii). Though he proves later ready to act with resolute courage, Rudenz's words here evoke a picture of tranquil, happy seclusion: 'Glück in meiner Heimat', 'tausend Freudespuren', (his bride) 'In weiblich reizender Geschäftigkeit', 'den Himmel mir erbauen', 'wie der Frühling seine Blumen streut', 'mit schöner Anmut mir das Leben schmücken'. After the surprise of Berta's rebuke, followed by her exhortation, there is a confluence of resolve in ll. 1691–1714, which have some of the quality of an operatic duet.[1] The more resolute tone is that of Berta, who

[1] From one scene in *Maria Stuart*, through a number of scenes in

shares something of the social conviction of Attinghausen: 'die alte Treue', 'im echten Männerwert', 'Den ersten von den Freien und den Gleichen'. But her words also contribute to the dominant mood of the scene, which is that of the sentimental idyll, and this is in keeping with the part which Berta and Rudenz play throughout. Their cause becomes linked with that of the Confederates, but it is essentially a private cause, threatened by one man – Geßler. So a parallel is established with the predicament of Tell and his family.

This parallel is developed by formal means – structure of plot and pattern of phrases. In II. i, Rudenz insists that he must go to Altdorf. His uncle, not foreseeing that Berta will revive his affection for his people, pleads with him: 'nur heute / Geh nicht nach Altdorf – Hörst du? Heute nicht...' (ll. 927–9). In III. i, it is Hedwig who pleads with Tell: 'Bleib weg von Altdorf... Bleib heute nur dort weg... Tell, bleibe hier' (ll. 1539, 1573, 1576). It is in Altdorf that Geßler, issuing his cruel order to Tell, hears the accusation from Rudenz. In IV. ii, Rudenz and Melchthal jointly urge immediate attack upon the tyrants: Berta has been abducted by Geßler and 'Frei war der Tell, als wir im Rütli schwuren' (l. 2549). Very characteristic of Schiller is that he induces us to associate figures by antithesis and so to discover beneath apparent contrast a common feature of behaviour. Berta recognizes Rudenz's inborn virtue, which he has perforce in false ambition stifled: 'Ihr müßt Gewalt ausüben an Euch selbst, / Die angestammte Tugend zu ertöten' (ll. 1644–5). This line, which, it *may* be worth noting, occurs exactly half-way through the play, gains weightier significance if it is recollected when we are pondering Tell's words in IV. iii:

> Ich lebte still und harmlos ...
> *Du* hast aus meinem Frieden mich heraus
> Geschreckt, in gärend Drachengift hast du
> Die Milch der frommen Denkart mir verwandelt.
> Zum Ungeheuren hast du mich gewöhnt –   (ll. 2568–74)

What Rudenz *has* done in a delusion of good intention (the support of Austria and the winning of Berta), Tell must *now* do to thwart the evil purpose of the tyrants. Rudenz, liberated

---

Die Jungfrau von Orleans, and a considerable part of *Die Braut von Messina*, the progress of Schiller's affection for operatic form can be traced.

from his delusion, and Tell, subduing the kindlier urge of his
nature, are both ostensibly concerned to redress unnatural
violence:

> Unter den Trümmern der Tyrannenmacht
> Allein kann sie [Berta] hervorgegraben werden   (ll. 2543-4)
>
> – Und doch an *euch* nur denkt er, lieben Kinder,
> Auch jetzt – euch zu verteidgen, eure holde Unschuld
> Zu schützen vor der Rache des Tyrannen,
> Will er zum Morde jetzt den Bogen spannen!   (ll. 2631-4)

The picture of simple, innocent life in the midst of nature is
cherished by Tell and revived by Rudenz in happy anticipation
of life with Berta. But whereas for Tell the idyll represents
contrast to the grave imperfections of society (e.g. ll. 1812-13),
Rudenz sees it with all its conventional sentimental attributes.
Both feel the urge to escape. But what attracts Rudenz is not
the cottage (in which Tell is his own carpenter) or the perilous
heights which Tell knows from experience, but a dream of what
the eighteenth century called 'melting beauty'. The excesses of
Rudenz's temperament are maintained to the very last line of the
play: 'Und frei erklär ich alle meine Knechte.' This is a gesture
which belongs, not to the feudal days of the Holy Roman
Empire, but to the year after its final collapse (and two years
after Schiller's death), when the Freiherr von Stein abolished the
hereditary serfdom of the Prussian peasantry. It has of course
been construed as affirmation of Schiller's own political faith.
But in its setting it is in startling contrast to the conservative
principles of the Rütli, and has the curious distinction of being
the only revolutionary declaration in the whole play. It is perhaps
desirable to see it as expression of the temperament which
Schiller has projected through the figure of the young nobleman.
There is in Rudenz much of what Schiller called the 'Phantast'.[1]

As Rudenz is markedly susceptible to persuasion (by the
Habsburg court and Berta), the complementary and contrasting
figure Melchthal has notable power to persuade others. In not

---

[1] Considerable caution is needed in treating Rudenz as a 'character'
in the play. Moral judgment, frequent in commentaries, obscures his
function in the theme and structure of the play. His early support of
the Habsburg cause represents the feelings of other noblemen who
do not appear. And, as we shall see, he makes further contribution
to the symmetry of Schiller's design.

even the most passionate outbursts of Melchthal is there any trace of the 'Phantast'. As counterpart to the idyll of Rudenz (III. i), Melchthal presents the ode. The lines 'O, eine edle Himmelsgabe ist / Das Licht des Auges . . .' (ll. 588–601) have sometimes been criticized as an artificial interruption in the action. If we do not accept artifice, Schiller's mature art will remain entirely alien to us. As for 'interruption', this is partly the function of the lines. They are comparable to meditations of the Chorus in *Die Braut von Messina*:

> So wie der Chor in die Sprache *Leben* bringt, so bringt er *Ruhe* in die Handlung. . . . Denn das Gemüth des Zuschauers soll auch in der heftigsten Passion seine Freiheit behalten; es soll kein Raub der Eindrücke sein, sondern sich immer klar und heiter von den Rührungen scheiden, die es erleidet.[1]

Recollection of Melchthal's ode on the divine gift of sight helps us to note more clearly the resonance in figures of speech and in literal references by which Schiller introduces at various stages the motifs of darkness and of light:[2] 'Und hell in deiner Nacht soll es dir tagen' (Melchthal at the end of Act I); 'Ist es gleich Nacht, so leuchtet unser Recht' (l. 1117); 'Kommt, laßt uns scheiden, / Eh uns des Tages Leuchten überrascht.' 'Sorgt nicht, die Nacht weicht langsam aus den Tälern' (ll. 1440–2); 'So ist für *ihn* [Tell] kein Leben als im Licht / Der Sonne' (ll. 2359–60). These and other instances of the blending of the natural phenomena of night and day in the mountains with the inner landscape of the human spirit contribute to the poetic coherence of the drama. The formal significance of ll. 588–601 is more readily appreciated if we perceive, in spite of the lack of rhyme, a well-ordered sonnet-structure; further analysis would show the contrasts in each half of the octave and the fresh impulse at the beginning of the sestet.

The incentive for Melchthal's participation in the action is, as with Baumgarten and Tell, individual suffering under tyranny. He is ready to submerge personal longing for revenge in communal action. He sees his enemy at close quarters and

---

[1] *Über den Gebrauch des Chors in der Tragödie*, Säk.-Ausg., xvi, p. 126.

[2] Cf. metaphors of 'Tag', 'Nacht', 'Dunkelheit', 'Finsternis' in *Maria Stuart* and *Die Jungfrau von Orleans*.

does not slay him (l. 1064); when he again spares the 'Landvogt' (l. 2909) he is prompted, not by communal interest, but by a plea for clemency made by his own father. The blend of individual and collective motive finds its most interesting manifestation in Melchthal. Just as his ode (see above), with all its intensity of response to his own suffering, stirs in choric fashion the deep and general feelings of all individuals in the audience, so also he is the figure devised by Schiller to show enterprise in recruitment for the common cause. Prelude to Stauffacher's history of the cantons (ll. 1166 ff.), Melchthal's account of his journey (ll. 997 ff.) gives a picture of the people as he has found them in remote communities, zealous of custom and resentful of alien invasion. On the other hand it is Melchthal who, admiring their opposition to 'verwegene Neuerung', perceives the need for new action in emergency. Impatient of delay (ll. 686–94, 1969–70), he insists upon immediate revision of the Rütli vote (see l. 1418) when conditions are changed by events. For the vague council of patience from Reding (ll. 1436–7: 'Die Zeit bringt Rat. Erwartets in Geduld. / Man muß dem Augenblick auch was vertrauen'), Melchthal substitutes a general but precise dictum: 'Es bringt die Zeit ein anderes Gesetz' (l. 2551). The line has limited and specific reference in its context to the date of the uprising. But it carries a much wider implication as challenge to a community in a time of crisis. We must now consider how the Rütli community is shown to behave in its time of crisis.

The first Confederates, in their midnight assembly, are proudly conscious of their primitive local heritage, yet excitedly aware that they are the instigators of a great new political venture. Their more gifted rhetoricians formulate their resolution and they are assured that God will help them to carry it out. Schiller creates a pattern of solidarity and disagreement, courage and timidity, assertion of rights and profession of humility, opportunism and acceptance of a moral creed, the somewhat pitiable confusion of man's self-reliance, in communal and individual action, with his avowed trust in God. These men are shown, as it were, trying vigorously and a little clumsily to merit the commendation which Müller was to publish almost four and a half centuries later: 'Wenn Gott unsern Bund nicht billigte, er hätte die Umstände anders gefügt; wären unsere Väter gemeine Seelen gewesen, so hätten sie diese Umstände vorbeygehen lassen. . . . Dieses, *o Eidgenossen*, erwäget; gedenket, was ihr gewesen; *haltet fest*; fürchtet nichts.'[1]

Among the circumstances which led to the 'Rütlibund' were not simply the evil deeds of individual tyrants, but the fact that the tyrants were in league with one another. Melchthal perceives in this an example for effective opposition. 'Die Tyrannen reichen sich die Hände', says Walter Fürst (l. 496), and Melchthal replies: 'Sie lehren uns, was *wir* tun sollten.' No common aid has been available to help Baumgarten (I. i) or Tell (III. iii). Between the two incidents the Confederacy is founded.

The risks incurred by all who attend the Rütli gathering are demonstrably great. They are all held to be responsible men, public-spirited and of serious intention. The mood is solemn and impressive, and the whole scene is one of the most skilful of all Schiller's compositions. It is so exquisitely skilful that the satire in it does not undermine the grandiose effect. But to suppress the satirical element in analysis of the activity of the Confederates weakens the appreciation of the play as a whole. This has happened too often. Therefore, for a few minutes we must try to forget the Lake and the glaciers, the double rainbow (and especially the moonlight), and make a summary of the proceedings of the Rütli meeting.

The assembly discussed procedure and elected a chairman. The opening remarks from the chair were interrupted for a correction on terms of reference. One of the three founder-members delivered an address on the history of the cantons, concluding with an appeal for united action against oppression. A suggestion from another speaker that acceptance of Austrian rule might be the solution was greeted with derision and the oath was taken by all present not to yield to Austrian claims. Diplomatic approach was considered, but after submission of a report by the leader of a delegation, such approach was declared futile. Detailed instructions were issued on payment of dues to overlords and advice given to show moderation in evicting the governors of the cantons. A sharp dispute on cantonal privilege arose and members were called to order by the chairman. A date for the eviction of the governors was proposed, but before a show of hands could be called for, detailed suggestions were offered for the storming of two of the castles. The proposal

[1] Cited from 1806 ed. Leipzig, i, pp. xviii–xix.

for the date was carried by a majority of eight of the thirty-three present (the chairman presumably abstaining). Confidence in the easy success of the *coup* was expressed. Apprehension of serious opposition from one of the governors was voiced by a founder-member, but the matter was not discussed. The oath of solidarity was taken by all present, and after firm injunction (without comment from the chair) against private action, the meeting concluded.

The thrill of the clandestine meeting, the sense of achievement in what is nowadays called 'fruitful discussion', the comforting awareness of brotherhood, promotion of well-being by the virtuous decision to waive private differences and to show magnanimity to the enemy, exhilaration at the mere mention of freedom, the assurance that God protects the rights of men of goodwill – all these things are tediously familiar today, and it is not necessarily frivolous to admire Tell (as Schiller created him) for refusing to have anything to do with them. They find their counterpart in the opening scene of Act V, where bells sound from across the valleys, beacons and bonfires are aglow, and the Confederates, eagerly engaged in demolishing the prison, rejoice at the news of their twofold liberation: the 'Vögte' have fled the country and the Habsburg king is dead. The first resolution on which they have voted has been swept aside, their constitution infringed by a minority admission of a nobleman, and their security measures have proved remarkably lax. They are honoured, it is true, because their activity has not been marred by bloodshed, but the freedom which was the object of their efforts has been won by deeds of a kind which they have been bidden to abjure. Of the assassination of the king, Stauffacher says: '*Wir* aber brechen mit der reinen Hand / Des blutgen Frevels segenvolle Frucht' (ll. 3016–17); and he calls Tell 'unserer Freiheit Stifter' (l. 3083).

It cannot be that all this satire crept into Schiller's play without his effort or recognition. The student of his works at all events has been prepared for it by the chorus of *Die Braut von Messina* and even by old Thibaut in *Die Jungfrau von Orleans*. Now, in *Wilhelm Tell*, his dramatic power is at its height in showing a people convinced of the justice of its cause and quoting evidence – whether accessible or even historically true is irrelevant – of its traditional claim to freedom in the territory it occupies. Schiller's ability to remain outside, observing and manipulating the zealous emotions of his characters, ensures due prominence for the chief incentive of the Confederates to take action, and at the same time brings into clearer focus the motives and perplexities of the one man who takes no part in their deliberations. In the Rütli scene it is not the oath, with its rhetorical protestation of freedom and fraternity and faith, that makes the deepest impression, but the simple response, from the depths of fear and of suffering, to the earlier speech of Stauffacher: 'Wir stehen vor unsre Weiber, unsre Kinder' (l. 1287). There is no trace of satire in that.

Of the social groupings in *Wilhelm Tell*, the one which is dominant and provides the contrasts and the unity is the family. In all Schiller's previous plays there is discord among kinsfolk, and in most of them hostility between the generations; the family ethos is not effective as a cohesive force and the result is tragic confrontation. Of *Wilhelm Tell* Reinhold Schneider observes: 'Hier ist auch die einzige Stelle, wo Schiller die tragische Beziehung zwischen Vater und Sohn aufgelöst hat.'[1] This is true, but the father–son relationship is subtly varied in contrast with the main chronicle source. In Tschudi, Tell answers Geßler's question, 'Welches unter denen kindern ist dir das liebst?' with the assurance: 'Herr, sie sind mir alle glich lieb.'[2] Schiller accepts this in relation to the two sons in his play: 'Herr, beide sind sie mir gleich liebe Kinder' (l. 1880), but devises an interesting explanation for the fact that Walter alone accompanies his father in III. i. Young Wilhelm chooses to stay at home. Hedwig's comment, 'Ja, du bist / Mein liebes Kind, du bleibst mir noch allein!', becomes part of a complicated character-structure which appears most clearly in IV. ii, where Hedwig's pity and apprehension and praise are mingled and she utters the sharp reproach: 'O hätt er eines Vaters Herz . . .' (l. 2320). And this in its turn contributes to the complex picture of Tell's own disposition.

It is relevant to Schneider's observation to refer to a much earlier play of Schiller where there is also no father–son conflict – *Fiesco*. Here the tragedy can be traced back to the lamentable defection of Gianettino Doria from the principles of his uncle Andreas. In *Wilhelm Tell* the uncle–nephew relationship is

[1] *Reden im Gedenkjahr*, p. 297.

[2] See Albert Leitzmann, *Die Quellen von Schillers Wilhelm Tell*, Bonn, 1912, p. 18.

resumed, diversified, and so manipulated that it contributes to the symmetry of the play. We have noted how dissension in the royal household, culminating in the assassination of the king by his nephew, contributes to the success of the Confederates. But their victory is also aided by the unexpected support of Rudenz, who thus compensates them for the death of one of their keenest defenders, his uncle the Freiherr von Attinghausen. This use of a kinship relation in a balanced grouping of figures is one of the means by which Schiller avoids the untidy dispersal of interest apparent in the chronicle sources.

The part which the idea of the family plays in the struggle against the 'Landvögte' is intensified by Schiller in a way which is completely characteristic of his mature control of form. It is possible, as has been noted above (p. xxxi), that he had read Ambühl's play *Wilhelm Tell*. Here, when Tell is pleading with Geßler to rescind the cruel order, he says: 'Herr Reichsvogt! Ihr seyd Vater! Ihr habt ja auch Kinder!' In Schiller's scene the corresponding words are: 'Herr, Ihr habt keine Kinder – wisset nicht, / Was sich bewegt in eines Vaters Herzen.' Geßler is thus shown in sinister opposition to a whole series of figures, each involved in a family relationship, acting and suffering in poignant awareness of the threat to nearest kinsfolk: Baumgarten protecting his wife; Melchthal making spirited defence of the family possessions and seeing his father suffer in consequence; Stauffacher fearing what may happen to Gertrud; Armgard defending her husband's claim to justice; Attinghausen, with no direct heir, trying to win the affection of his nephew for himself and the people, by whom he is also seen as 'Landesvater'.[1] Finally, there is the complete picture of the family: Walter Fürst, Hedwig, young Wilhelm and Walter, and Tell as *paterfamilias*, the chief and victorious opponent of Geßler.

The family is seen as belonging to the natural order of life in the community, and violation of its sanctity as a violation of nature itself. The monstrous invasion by an alien power (like that of the French forces in Schiller's own experience) is part of this intolerable menace. When we, as spectators or readers of *Wilhelm Tell*, are unavoidably stirred by the representation of tyranny, perceiving its relevance to events of our own time and recognizing the sign of Schiller's indomitable hatred of the

[1] A common conventional word for princes and dukes in Schiller's day, but here used with warm sincerity.

servants of tyranny, we must, if we are to appreciate his art, exercise in ourselves something of that discipline which he maintained in scenes of the greatest emotional intensity. The episode of Tell's arrest shows remarkable consistency even in the contrasted behaviour of two so-called minor figures. Frießhardt, who has no true respect for the authority he is hired to defend (cf. l. 1759), is the loud-mouthed hectoring bully who, at the sign of popular opposition, calls others to his aid and uses pompous official language to describe Tell's misdemeanour. Leuthold, with no heart for his disreputable task, merely says: 'Er hat dem Hut nicht Reverenz bewiesen.' On Tell's bow-shot he makes the admiring comment which belongs to folklore, 'Davon / Wird man noch reden in den spätsten Zeiten', and he is moved to pity as he helps to bind Tell (l. 2093). At a deeper level than this Schiller has prepared us to take a balanced view of the two figures in fiercest opposition, Geßler and Tell: he has revealed a motive common to Geßler's cruel command and Tell's resolve to assassinate him. In III. i, Hedwig has said: 'Er hat vor dir gezittert – Wehe dir! / Daß du ihn schwach gesehn, vergibt er nie' (ll. 1570–1). In the 'hohle Gasse' Tell recalls the moment of his oath: 'Als ich ohnmächtig flehend rang vor dir . . .' (l. 2583). The student of Schiller will recognize the distribution of characteristic response to situation over divergent, and sometimes opposed, figures. Here it is the sense of humiliation which is common to Tell and his adversary.

One of the most remarkable instances of economy in the play is seen in the presentation of Geßler; Schiller in fact reduced the number of his appearances on the stage (see note to l. 2879). His status and personality are made known in the dialogues of Stauffacher and Gertrud (II. ii) and of Tell and Hedwig (III. i), very briefly, but with great significance, in the Rütli scene (ll. 1427–31), and in a passing reference by Berta (ll. 1608–9). Then he is before us, in two scenes only. Yet it is unlikely that the millions of paragraphs recording shameful deeds committed in the name of authority of almost every kind in the past thirty years by envious men of warped principle or no principle at all could add more than the weight of lurid detail to the indictment of tyranny which emerges from those two scenes in which Geßler indulges his personal spite against a people charged with evil intent against his master. There is, unhappily, no exaggeration of the common experience of today in the calculated coldness of Geßler's method of subjecting Tell to his ordeal: the taunting accuracy in his description of Tell's character – evidence that he has collected information about him – the thin disguise of his command as a flattering challenge to a renowned marksman, the cunning use he makes of a child's pride in his father's skill.[1] Little escapes Geßler which can be used to torture his victim – least of all Tell's move to have a second arrow ready. Then there is the show of justice, of 'correctness' in keeping the promise to spare Tell's life, as imprisonment is substituted for execution. Yet this is the figure which Eugen Kühnemann, after enthusiastic praise of the Altdorf scene, described as 'ein echter Märchentyrann'.[2] That was at the beginning of the present century. A little later a series of gruesome 'Märchen' became actual experience, and hosts of tyrants rose at the bidding of political ideologists to destroy the lives, the sanity, and the self-respect of millions.

There *is* the illusion of a 'Märchen', or legend, as I have preferred to call it, in *Wilhelm Tell*. It is like a mask. We cannot hope to know what Schiller's full intention was, but it will be difficult even to make a guess at it so long as commentators and demagogues continue to retouch the colour of the mask instead of trying to remove it. We know that in Schiller's previous plays concealment and deception are of great significance, and the notion of the 'Larve', the mask, symbolically developed in *Fiesco*, becomes dominant in *Maria Stuart*. We have also seen that he was more demanding in his literal borrowings from sources in *Wilhelm Tell* than in any other play. They provided, as it were, essential stage-properties, and they included the mask – that personality of his hero as it had to be seen, and has been seen, by his people, prescribed by tradition. We must consider this public image of Tell and try to find Schiller's answer to the question: What sort of man was behind it?

[1] This detail seems to have been suggested by Goethe (see Eckermann, *Gespräche*, 18 January 1825) – a notable example of his perception of Schiller's intention. The Geßler whom Goethe imagined for his epic was to have been a very different character, irresponsible, and not entirely uncongenial (see H. G. Gräf, *Goethe über seine Dichtungen: Epische Dichtungen*, i, Frankfurt, 1901, pp. 307–8).

[2] Eugen Kühnemann, *Schiller*, München, 1905, p. 575.

By his fellow-countrymen Wilhelm Tell is esteemed as a good man, of great courage and daring. 'Es gibt nicht zwei, wie der ist, im Gebirge' (l. 164). These words are spoken by a man who has just been rebuked by Tell because he will not brave the storm on the lake. Like the comments on the bow-shot by Leuthold (ll. 2037–8) and Rudolf der Harras (ll. 2039–40), they express the common admiration for physical prowess and skill. But the respect for Tell is more deeply founded. 'Mit Euch geht unser letzter Trost dahin!' (l. 2092); 'Der beste Mann im Land, der bravste Arm, / Wenns einmal gelten sollte für die Freiheit' (ll. 2101–2); 'Der Arm, der retten sollte, ist gefesselt!' (l. 2126): thus the sorrowful farewell of the country-folk, and the dirge of the fishermen by the lake-shore pay tribute. In the same tone Hedwig laments (IV. ii), chiding those who made no bid to save him, for she knows, as others know, that in him innocence found a friend, and the persecuted a help in their distress. He is seen to be under God's special care. 'So könntet Ihr an einem Manne handeln, / An dem sich Gottes Hand sichtbar ver-kündigt?' says Stauffacher as Geßler gives the order for Tell to be bound and taken to Küßnacht, and the fisherman (ll. 2271–2) thinks of the escape from the barge as a miracle. At the end of v. i, Stauffacher, seeking 'unsrer Freiheit Stifter', calls upon the people to acclaim him: 'Und rufet Heil dem Retter von uns allen', and Hedwig takes up the popular refrain: 'Und euer Vater ists, der 's Land gerettet'. Thus Schiller enhances the traditional picture of the hero. As all the figures in the play are representative – of the local aristocracy, of the 'Landvögte', of herdsmen and fishermen, bondsmen and freemen – so also Tell is seen as the father grimly involved in the fight against tyranny which threatens all the families in the cantons. To all around him he is what they would wish to be if circumstance allowed and they had the courage. Tell is not so much *an* individual as *the* representative individual in the eyes of his com-patriots. The story by which his fame lives through the chronicles is the story of individual action. He is known by three episodes – the bow-shot, the leap ashore, and the killing of Geßler; in none of these could there be collaboration.

In Tschudi, Tell is described as 'ein redlicher frommer Land-Mann von Uri ... (der ouch heimlich in der Pundts-Gesellschafft was ...)'. Tschudi records mixed feelings among the Confederates.:

insonders warend die Pundts Gnossen vast undultig / daß
si dem Tellen / der mit Inen im Pundt was / nit soltend
behulffen sin und retten . . . / und was Inen doch ouch
widrig / daß der Tell nit des Landt-Vogts ungebürlichen
Gebott mit dem Hut noch dißmals gehorsam gewesen / biß
zu der angestellten Zit / Irs gemeinen Anschlags.[1]

In Müller (i, p. 645), Tell is 'einer der Verschwornen'. His
disdain of the hat is 'voreilige Äußerung seiner Denkungsart'
(p. 646); the assassination of Geßler was carried out

> ohne Theilnehmung des unterdrückten Volks, durch den
> gerechten Zorn eines freyen Mannes. . . . Seine That war
> nicht nach den eingeführten Gesetzen, sondern wie die,
> welche in den alten Geschichten und in den heiligen Büchern
> an den Befreyern Athens und Roms und an vielen Helden der
> alten Hebräer darum gerühmt werden, auf daß für Zeiten,
> wo die uralte Freyheit eines friedsamen Volks überlegener
> Macht nicht widerstehen könnte, zum Lohn der Unter-
> drücker solche Männer aufgenährt werden.   (pp. 647–8)

Both these accounts illustrate the weakening of a legend by the
attempt to fuse the independent action of an individual with the
collective policy in the proud story of a nation. The founding of
the Confederacy had to be shown as a great political achievement, and Tell had to be glorified as a national hero. To present
him as one of the men of the Rütli and at the same time as the
first to deviate from their determined course of action was
bound to make things difficult for the patriotic historian. This is
precisely why the patriotic historian whom Schiller introduces
into his play is so interesting: Stauffacher tries to make Tell join
the 'Bund'. Schiller himself seems to have been for a time
uncertain about Tell's relation to the others, for among his
notes we find: 'Tell könnte auch unter den Abgesandten
gewesen seyn, die man an den Kaiser schickte um den Landvogt
zu verklagen.'[2] But he made his decision, and one of his most
beneficent achievements in the play is that he completely
excluded Tell from all delegations and councils. Observing
with a critical eye the tangle of traditional report, Schiller
freed himself utterly from that branch of the old tradition
which had made Tell a party-member, and only by the crudest

[1] See Leitzmann, *Die Quellen von Schillers Wilhelm Tell*, pp. 18–
[2] Ibid., p. 38.

propaganda of the Hitler period could his figure of Tell be
made to appear as a 'Führer'.[1] In more recent years attempts
have been made to show that Schiller's Tell belonged to the
'Bund'. Thus August Raabe, *Idealistischer Realismus* (Bonn,
1962), p. 431: 'Er [Tell] ist zwar Mitglied des Rütlibundes, ist
aber der Versammlung selbst ferngeblieben.' To be a member
of the 'Bund' Tell would have had to take the oath, and the
only oath he takes in Schiller's play is the oath to kill Geßler.
Alexander Abusch, *Schiller* (Berlin, 1955), p. 305, sees Tell as
'Einzelgänger': 'er hat zudem seinen Tell nicht einfach als
unpolitischen Menschen geschildert, sondern als Einzelgänger'.
But he claims that even if Tell had not been driven to take
private revenge, he would have taken part in the insurrection
'in der vordersten Reihe'. Such speculation on what would have
happened can scarcely be a useful approach to a literary work;
and Abusch's supposition of Tell's collective activity is not
strengthened by a form of quotation which I have been unable
to trace in any text of the play: 'Bedürft ihr meiner zu bestimmten
Taten' (cf. l. 444).

The isolation of Tell is ensured by insistence on the nature of
his calling, by brief comments on his temperament, and by
certain sequences of dialogue in which the poet's subtle control
of form is seen at its best. Tell's life as a chamois-hunter[2] entails
long hours of solitude in the mountains. Sometimes there are
vestiges of a character more appropriate to the gregarious and
widely travelled 'Lastträger' who was to have been the hero of
Goethe's *Tell* epic; among these are the little lesson in geography
and economics in which the native zeal of the Swiss pedagogue
is displayed for the edification of Walter, and the description
of the route to Rome in v. ii. But generally the lonely 'unglückseliges Gewerb' of Hedwig's account (ll. 1496 ff.) is kept before
us. The aloofness of Tell as characteristic is admitted by
himself in curiously introspective lines: 'Rastlos muß ich ein

[1] See H. Fabricius, *Schiller als Kampfgenosse Hitlers*, Berlin, 1934,
p. 100; cf. Friedrich Braig, 'Der religiöse Sinn der Klassik Schillers',
in *Der Katholische Gedanke*, Jahrg. 8, 1935, pp. 135–71. By 1941
Hitler himself declared *Wilhelm Tell* unsuitable for school use! (see
Joseph Wulf, *Theater und Film im Dritten Reich*, Gütersloh, 1964,
pp. 188 ff.).

[2] Some doubt has been expressed as to whether this could be an
occupation in itself.

flüchtig Ziel verfolgen...' (ll. 1487 ff.), and known even to
Geßler: 'Man sagte mir, daß du ein Träumer seist / Und dich
entfernst von andrer Menschen Weise' (ll. 1903–4). But the
consistency of this principle in Tell's life can best be seen in four
sequences of dialogue, presently to be considered, in which
there is clear evidence of Schiller's manipulation of the traditional story so that it may play its appointed part in his drama:
ll. 418–45; 1096 ff.; 1427–35; 1461–4 / 1478. What we have to
try to trace is how this aloof man of action becomes involved,
and what the effect is upon him.

Tell's behaviour in I. iii is that of the man who turns away
from manifestations of evil: 'Hier ist nicht gut sein. Laßt uns
weitergehn' (l. 380). The echo of this: 'Was kümmert uns der
Hut! Komm, laß uns gehen' (l. 1815), leads to his arrest. So the
counsel of patience in the hope that the tyrants will weary of
their efforts (l. 430) seems to be proved wrong. To Stauffacher's
plea for co-operation, Tell firmly defends the position of the
individual. The claim of 'die gemeine Sache' appears to have
no meaning for him, and he has to translate 'das Vaterland'
into his own non-political terms before he gives his promise
to act when his friends need his help. He has already helped
Baumgarten, and the significance of this is one of the most
interesting features of the Rütli scene.

Watching the last men arrive, Baumgarten observes (l. 1096)
that Tell is not there. Nobody answers him; the company is
assembling round the fire. Then Walter Fürst speaks, and
though he apparently sets out to proclaim the justice of the
cause, his words (ll. 1097–1102) are sinister, and heavy with a
gloomy portent: 'uns verstohlen zusammenschleichen', 'Mörder',
'Nacht', 'schwarzen Mantel', 'Verbrechen', 'der sonnenscheuen
Verschwörung'. These are the first words we hear after the name
of Tell. There is one further explicit reference to Tell in this
scene, and again it is made by Baumgarten. Apart from two
announcements of the hour of the night and of the approach of a
boat, Baumgarten makes no other contribution to the dialogue.
The Confederates have confidently planned the storming of the
castles, but Stauffacher believes they will meet strong opposition
from Geßler: there will be bloodshed, and even when driven
out he will remain a menace: 'Schwer ists und fast gefährlich,
ihn zu schonen' (l. 1431). It is at this point that Baumgarten
volunteers: 'Wos halsgefährlich ist, da stellt *mich* hin' (l. 1432;

we note in passing that 'halsgefährlich' is the word Hedwig uses in the next scene about Tell's hunting expeditions). Baumgarten reminds those present that he owes his life to Tell, but again there is no comment. Reding, the chairman, sees the light of dawn on the distant peaks and wishes to draw the meeting to a close. Yet even Reding's words at this point fit into the pattern by which Tell becomes involved: 'Man muß dem Augenblick auch was vertrauen' (l. 1437). Unforeseen by Reding, decisive moments are close at hand – Tell's arrest, and the assassination of Geßler. The sharply restricted reference in the whole Rütli scene to a man of wide renown (cf. l. 164: 'Es gibt nicht zwei, wie der ist, im Gebirge') is in itself striking – almost, one might say, like a conspiracy of silence. But much more striking in this tenuous reference is the succession of words and the resultant coagulation of ideas: clandestine, creeping, murderers, crime, Geßler, blood, Tell, the propitious moment. By these means the nature of Tell's deed is prefigured for us, if we can but overcome the habit of seeing Schiller's play as some sort of stage-version of the old Swiss story. Moreover, as we note the conspicuous neglect of Tell by all the men in the Rütli with the exception of Baumgarten, two other matters of interest become apparent. First, the figure of Baumgarten does not, as some commentators have complained, lose significance after I. i. Second, it is not just the *rhetoric* of Stauffacher that is important in guiding the deliberations in this scene. In other ways he exerts an influence (see, e.g., notes to ll. 1215, 1322) – even in refusing to be drawn by Baumgarten's repeated reference to Tell. As a Confederate, Stauffacher supports the policy of moderation, but he knows that Geßler will have to be dealt with by means contrary to that policy. He also knows that Tell has promised to answer the call for help, but he says nothing about this, either to Baumgarten or in his concluding speech. To Schiller's construction of Stauffacher belongs an astute and effective interpretation of the quandary of the Swiss historians who were in fact to recount the events. Müller gives the words of the Rütli agreement: 'die Vögte, ihr Anhang, ihre Knechte und Söldner sollen keinen Tropfen Blut verlieren . . .' (i, p. 644). His account of the meeting is immediately followed by the statement 'Indeß trug sich zu, daß der Vogt Herrmann Geßler todtgeschossen wurde, durch Wilhelm Tell. . . .' The transition from communal resolve to the individual incentive of Tell is

made by Schiller just as swiftly, and the contrast is made
startlingly apparent by a serious play on words.

From the Rütli the scene changes to the outside of Tell's
house. Walter is singing his song, 'Mit dem Pfeil, dem Bogen . . .'
Had it not been for the late insertion of this song, during
rehearsal, two lines of the play would have been even closer
together than they are. At the end of Act II Stauffacher says:
'Denn Raub begeht am allgemeinen Gut, / Wer selbst sich hilft
in seiner eignen Sache.' At the beginning of the next act Walter,
ending his song, comes running to his father. The string of his
bow has snapped and he wants to have it mended. Tell refuses:
'Ein rechter Schütze hilft sich selbst.' There seems to be very
little connection between a body of men anxiously discussing a
social and political crisis and a little boy playing with his bow
and arrows. There is even less connection between the boy's
father and the paraphernalia of discussion, votes and resolutions
in which these men have been involved. This is why the juxta-
position of the lines is so significant. The men of the Rütli,
believing that only unity will bring strength and success, are
ready to abjure private action. Tell, by disposition and profession, can rely on nothing but private action. In the event the
Rütli plans are changed because an individual, Ulrich von
Rudenz, who has just joined with the Confederates, seeks help
'in seiner eignen Sache', and their cause prospers by the out-
come of two private feuds in which they have played no part.
Tell is a hunter, in whose life 'Selbsthilfe' is the only way of self-
preservation, and it is as a hunter that he pursues and slays his
enemy. But there is an inwardness in this theme which we must
now finally consider, looking first at Tell's premeditation and
then at his reflections upon the deed: the monologue in the
'hohle Gasse' and the home-coming, with the encounter of Tell
and Johannes Parricida.

As Schiller had used the monologue in *Maria Stuart* (IV. x:
'O Sklaverei des Volksdiensts! . . .') to reveal Elisabeth's passion
and some of her inmost thoughts, and again, in *Die Jungfrau von
Orleans*, had devised a dialogue with an invented character
Lionel (III. x) and a lyrical monologue (IV. i) to show the intensity of Johanna's confusion and distress, so in two passages
in his last play, where no admiring acquaintance of Tell could
overhear, he dispelled the public image and revealed a man
suffering an agony more acute than that which stirred com-

passion on the meadow close by Altdorf. As Tell, like Wallenstein, is thus brought 'menschlich näher', Schiller's mastery of
the tragic mode ensures that in the disclosure of pitiable human
weakness the stature of the man does not shrink.[1]

We have seen that Tell, as a man of peace, yet aware of
evil, has patiently hoped that the intruders will weary, if they
are not provoked: 'Die Schlange sticht nicht ungereizt' (l. 429).
But now the evil has invaded his own life. He finds himself
compelled to destroy a fellow human being. His words to Stüssi
(l. 2675), 'Dem Schwachen ist sein Stachel auch gegeben', are a
sign of his sense of defilement. The metaphor of the sting
('Stachel'), now related to the swarm of hornets, is transferred
from the tyrants to the hero himself. The change in the form of
Tell's language from the proverbial wisdom to periodic sentences
is a symptom of the change within. About this, two things
must be noted in passing: first, that Schiller prepares us for the
reflective aspect of Tell's nature (cf. ll. 1487–9); he does not
present him as the simple-minded creature which his name, by
popular etymology, was thought to imply.[2] Secondly, the
directness of expression which belongs to the public image of
Tell, i.e. to the legendary component of the play, emerges again
in the dialogue with the fisherman between the 'Apfelschuß'
and the monologue.

The vehement impetus of the monologue, deriving from the
recollection of crisis in the encounter outside Altdorf, must be
thought of in relation to the nature of Tell's religious faith.
He appears to be as devout a man as any in the three cantons.
The trust in God which he professes (l. 157) as he is about to
ferry Baumgarten across the Lake, like the prayer he utters
(l. 2261) before he leaps ashore from Geßler's boat, shows
habitual reverence for God and the forces of His creation. With
the Confederates he shares the belief that God is on their side and
that a good man's strength and skill must help to carry out God's
purpose. As he is led away to captivity and hears Walter's cry,
'Vater! lieber Vater!', he raises his arms to heaven: 'Dort droben
ist dein Vater! den ruf an!' (l. 2095) and then: 'Der Knab ist
unverletzt, mir wird Gott helfen' (l. 2097). This faith is mocked

[1] It should not now be necessary to stress Schiller's early reference
to his play (letter to Wilhelm von Wolzogen, 4 September 1803) as
'eine große Tragödie'.

[2] See note to l. 1871 below.

by Geßler: 'Laß sehn, ob sie [Gottes Hand] ihn zweimal retten wird' (l. 2071). The blasphemy is no greater, only more obvious, than that of Geßler's earlier taunt which marks the crisis of Tell's inner struggle: 'Du kannst ja alles, Tell ... Dich schreckt kein Sturm, wenn es zu retten gilt. ...' This is a personal jibe, using the knowledge of the Baumgarten episode. But the following line (1989), 'Jetzt, Retter, hilf dir selbst – du rettest alle!', spoken with sadistic assurance, recalls the mocking words uttered on Golgotha: 'Andern hat er geholfen, und kann sich selber nicht helfen' (Matt. xxvii, 40–42). It is at this point that Tell takes the second arrow from his quiver. The terrible spiritual effect, perceived by the priest Rösselmann – 'wehe dem, der ihn / Dazu getrieben, daß er Gott versuchte' (ll. 2043–4) – is revealed in the monologue when Tell recollects the moments of terror, humiliation, and resolve:

> Als du mit grausam teufelischer Lust
> Mich zwangst, aufs Haupt des Kindes anzulegen –
> Als ich ohnmächtig flehend rang vor dir,
> Damals gelobt ich mir in meinem Innern
> Mit furchtbarm Eidschwur, den nur Gott gehört,
> Daß meines *nächsten* Schusses *erstes* Ziel
> Dein Herz sein sollte –   (ll. 2581–7)

There is no word here of 'Wenn ich mein liebes Kind getroffen hätte' (cf. l. 2060); the oath is an unconditional promise which Tell has made to himself, with God as witness, therefore remembered by him as a 'sacred' promise which he must fulfil. Throughout the monologue Tell's thoughts are directed to the Landvogt, the arrow, the bow-string, and his absent children. There is no prayer to God. Instead, we hear (l. 2596): 'Es lebt ein Gott, zu strafen und zu rächen.' Thus, like the Confederates, Tell assumes the task of the avenger, quoting the very phrase which should deny such assumption (cf. Reding, l. 1321: 'Gott hilft nur dann, wenn Menschen nicht mehr helfen'). Stauffacher has admitted the need for 'Rache', but 'für das Ganze' (l. 1462). It is not of the community that Tell thinks as he lies in wait for Geßler. Suffering under the inhuman degradation of Geßler's order, he thinks of his children and of the cruel risk of infanticide in which he was potentially involved. No doubt he can be seen, and is acclaimed, as representative of all the fathers in the cantons. But his deed is to be a private deed, excluded by the

humane and somewhat squeamish terms of reference of the
Rütli men, and reserved by circumstance for him. And he
knows that it is murder. He does not try to hide from the horror
of the word, but repeats it: 'Mord', 'rein von Mord', 'Mordgedanken', '*meines* ist der Mord'. This is the full realization of the
theme tentatively announecd by Baumgarten and Stauffacher in
II. ii, which we have discussed above (p. liv). We may recall
lines from the one Shakespeare play which Schiller translated:
'Es war, als hört ich rufen: Schlaft nicht mehr! / Den Schlaf
ermordet Macbeth . . . Schlaft nicht mehr! Glamis hat den
Schlaf ermordet. . . .'[1] The language in Tell's monologue is
similarly obsessional, but it is not the obsession by remorse
over evil done for gain. It is the frenzied articulation of a resolve
to destroy a fellow-man so charged with evil that his very
existence is in Tell's eyes a sacrilege and negation of all that he
treasures. Yet this deed is for him a monstrous contradiction
of the humane habit and principle which he has accepted without question throughout his life. He is aware that his nature has
been, as Garland expresses it,[2] changed and warped: 'in gärend
Drachengift hast du / Die Milch der frommen Denkart mir
verwandelt' (ll. 2572-3).

For a moment in the midst of his personal suffering Tell
recognizes that, though Geßler's action is flagrant injustice,
his mission is justified (ll. 2592-3). This is not the view of
the Rütli council, which has found it impossible to expect
justice from the Austrian dynasty (ll. 1348-9). Tell is politically
ill-informed, but in accepting the proper restraints of authority
he is in substantial agreement with another view expressed in
the Rütli: 'Ein Oberhaupt muß sein, ein höchster Richter'
(Stauffacher, l. 1216). When Geßler is destroyed, the deed seems
to be carried out in circumstances forecast by Stauffacher in the
most stirring of his speeches. The arrow strikes when Armgard
and her children are lying helpless in Geßler's path: Stauffacher
has said 'Wir stehn vor unsre Weiber, unsre Kinder'. He has
also said: 'Der alte Urstand der Natur kehrt wieder, / Wo
Mensch dem Menschen gegenübersteht' (ll. 1281-2). This
phrase may seem to forecast Tell's line (1556): 'Bloß Mensch zu
Mensch, und neben uns der Abgrund.' But as we note the
similarity, the contrast also is made apparent. In the encounter

[1] *Macbeth* II, iv, Säk.-Ausg. ix, p. 37.
[2] Ed. cit., p. xviii.

with Geßler narrated by Tell in III. i, there is a moment of human compassion. In the 'hohle Gasse' Tell can feel no compassion for the man he has set out to kill. In fact the words 'Mensch dem Menschen gegenüber' do not fit the situation. This is one reason why Bismarck's criticism of the ambush as a disgraceful device was not entirely relevant. Geßler becomes for Tell a dangerous wild beast; he has forfeited any right he may have had to the old conventional courtesies of single combat. All that is needed for the deed itself is the persistence and skill of the hunter. But this enforced reversion to the 'alter Urstand der Natur' has its perils for the individual, of which he will be more sharply aware than a crowd which is being incited to revolt. When Stauffacher says of Tell that he has 'das Härteste erduldet' (l. 3084), there is dramatic irony in the words. To become, incidentally, the hero of his people, Tell has had to relinquish all principles of conduct but those of the hunter. The boisterous assurance of a nineteenth-century précis of the monologue by Emil Palleske makes odd reading nowadays: 'Der ganze Monolog heißt in die gemeine Natur übersetzt: "Er muß dran, ohne Gnade, mir bleibt nichts andres übrig, ich bin sonst ein friedfertiger Kerl, aber der Hund treibt mich dazu. Ich schieß ihn nieder mit Wonne".'[1] What we witness in the monologue is the terrifying caesura or hiatus of self-judgment in a man forced by circumstance beyond reach of the injunction: 'Nichts von Klagen über die Erschwerung des Lebens . . .über Unterdrückung, Verfolgung; allen *Uebeln* der Kultur mußt du mit freier Resignation dich unterwerfen.'[2] Tell has tried resignation, and his son's life has been threatened. 'Sorge vielmehr dafür, daß du selbst unter jenen Befleckungen rein, unter jener Knechtschaft frei . . . unter jener Anarchie gesetzmäßig handelst.' Tell experiences the turmoil of sudden involvement; the frenzy of the monologue springs from a violence of compulsion he has never known before. Most of the Rütli men cheerfully accept contradictions between principle and practice, fact and fancy, when Stauffacher has contrived the editorial process. They

[1] *Schillers Leben und Werke*, Stuttgart, 1880; cited from 1912 ed., p. 632. Schiller knew a great deal about 'die gemeine Natur'. It is very risky to try to transpose such a passage as the monologue into this idiom.

[2] *Über naive und sentimentalische Dichtung*, Säk.-Ausg., xii, 2. Teil, p. 178, from which also the next quotation is drawn.

know little of the heart-searching which has raised him to political leadership, and still less of the agony of perception which forces Tell, a man of no political commitment, into unaccustomed action. With the others Tell shares the incentive to act in protection of family life. Like them he gains self-assurance from belief in the sanctity of an oath. But whereas Melchthal, having joined in deeds of solidarity, proclaims: 'und herrlich ists erfüllt, / Was wir im Rütli schwuren' (ll. 2924–5), a personal oath, confirming Tell in his isolation, is linked with memories of anguish, with thoughts of revenge and murder as the sole way to save his children. When Stüssi speaks of the landslide on Mount Glärnisch, Tell's answer is evoked by something more poignant than the wickedness of the outside world: 'Wanken auch / Die Berge selbst? Es steht nichts fest auf Erden' (ll. 2666–7). The formula quoted by Müller (i, p. xvi) – 'Was wir geschworen, das wollen wir halten' – could serve as a motto for Tell *and* the Confederates. This congruence in a treasured convention and the wide divergence of behaviour are an exquisite example of Schiller's perception of form in human relations.

If Tell's monologue is interpreted as an argued justification of intended action, the yield of interest is very slight. This is one reason why it has been so adversely criticized. The criticism takes on a sharper tone when the encounter of Tell and Johannes Parricida is discussed. This again is largely because commentators have applied their own moral criteria and have found that Tell, or Schiller, or both fall short. A typical example of disapproval may be found in Bellermann,[1] who felt that Tell's character suffered in the dialogue, that he appeared as a Pharisee, intolerably harsh towards the pleading and despairing fugitive. Witte[2] has also used the word 'Pharisee' in a similar, though more moderate comment, and Berger[3] regretted 'daß die Vergleichung der beiden Mordtaten den sonst so natürlichen Tell ein paarmal einen überlegenen Ton unerfreulicher Ruhmredigkeit anschlagen läßt'. Storz[4] has found that the Parricida scene adds nothing to the monologue and that it casts an unfavourable light on Tell's character; he holds the traditional five-act structure responsible for the introduction of the scene. Alex-

[1] *Schillers Dramen*, iii, p. 159.
[2] *Schiller*, p. 194 n.
[3] *Schiller: sein Leben und seine Werke*, München, 1909, ii, p. 692.
[4] *Der Dichter Friedrich Schiller*, Stuttgart, 1959, pp. 420–1.

ander Abusch[1] regards it as a wholly superfluous attempt to defend a deed which is 'in dem Werk menschlich und politisch so tief begründet'. Edith Braemer[2] also finds the episode redundant, but explains its presence historically: in Schiller's time Tell's deed was not in itself a sufficiently cogent argument: 'Der Beweis muß ausgesprochen werden, weil die Unsicherheit, ob Bürger politisch handeln können und dürfen zwar weitgehend überwunden, jedoch noch nicht ganz besiegt ist.'

The argument about the scene goes back to Schiller's time. There is some uncertainty about Goethe's opinion,[3] but no doubt at all that Schiller believed the meeting with Johannes to be necessary. But his explanation does not greatly enlighten us: 'Der Casus gehört vor das poetische Forum und darüber kann ich keinen höheren Richter als mein Gefühl erkennen.'[4] Berger[5] and, somewhat more briefly, Benno von Wiese[6] quote further correspondence in which Schiller rebuts an objection raised by Iffland:

> Neben dem ruchlosen Mord aus Impietät und Ehrsucht steht nunmehr Tells notgedrungene Tat, sie erscheint schuldlos in der Zusammenstellung mit einem ihr so ganz unähnlichen Gegenstück und die Hauptidee des ganzen Stückes wird eben dadurch ausgesprochen: das Notwendige und Rechtliche der Selbsthilfe in einem streng bestimmten Fall.

This passage raises far more questions than it answers, and it tells us nothing about the state of mind of the man who commits the 'notgedrungene Tat' and whose behaviour is 'rechtlich'. There is a character in *Wallenstein* who, under great strain, has caused the death of a dangerous man, and whom Schiller, again in a letter, calls 'ein ziemlich rechtlicher Mann'.[7] The last words of

[1] *Schiller: Größe und Tragik eines deutschen Genius*, Berlin, 1955, p. 311.

[2] *Schiller in unserer Zeit*, pp. 189, 194.

[3] See letter of Schiller to Iffland, 14 April 1804, stating that Goethe favoured the scene. Eckermann, *Gespräche*, 16 March 1831, indicates Goethe's disapproval.

[4] Letter to Iffland, 14 April 1804. In much the same way Schiller defended the meeting of the two queens in *Maria Stuart*.

[5] Loc. cit.   [6] *Friedrich Schiller*, p. 775.

[7] See letter to Böttiger, 1 March 1799. But there is so much situation behaviour in Schiller's letters that if there is any discrepancy between

the *Wallenstein* trilogy announce the high Imperial award
'dem Fürsten Piccolomini'. Octavio has just had news of the
death of his son. 'Rechtlich' seems irrelevant when we ask the
question: What evidence is there that Tell enjoys the distinction
of having killed his enemy?

There is evidence that he begins to see himself in the role
in which he is acclaimed – as liberator of his people: he has
not only defended his own family but has also 'das Land
gerettet' (l. 3143). He can, and does, find vigorous arguments
for sustaining this. But the whole tone of the dialogue which
follows l. 3141 shows how precarious self-justification is when
a man cannot obliterate the memory of compulsion and involvement in deeds of a kind which he himself condemns. As Tell bids
Hedwig rejoice, she is reminded of the means by which he has
overcome the tyrant. He protests, and his protestations continue into the dialogue with the Parricida. Here the dramatic
significance of Hedwig's misgivings is made clear by the re-
iteration of one word, a word which she has used – 'Hand'.
From l. 3140 the text runs:

HEDWIG. O Tell! Tell! (*tritt zurück, läßt seine Hand los*).
TELL.   Was erschreckt dich, liebes Weib?
HEDWIG. Wie – *wie* kommst du mir wieder? – Diese **Hand**
    – Darf ich sie fassen? – Diese Hand – O Gott!
TELL (*herzlich und mutig*).
    Hat euch verteidigt und das Land gerettet,
    Ich darf sie frei hinauf zum Himmel heben.

Does he raise his hand to heaven? Almost constantly throughout
the play Schiller indicates by stage-direction this gesture of
affirmation. Here it is lacking. Instead there is another stage-
direction: 'Mönch macht eine rasche Bewegung, er erblickt ihn'.
When the stranger has assured himself that it is indeed Tell
he exclaims: 'Ach, es ist Gottes Hand, / Die unter Euer Dach
mich hat geführt.' Later, before uttering the curse on Johannes,
Tell again protests: 'Zum Himmel heb ich meine reinen
Hände . . .'. A little further on, Parricida, kneeling, says he will
not rise 'bis Ihr mir die Hand gereicht zur Hilfe'. Then, hearing
the note of compassion in Tell's voice, Parricida leaps up and
seizes Tell's hand. But Tell cries: 'Laßt meine Hand los. . . .

what he put into a play and what he wrote about it in a letter, it is
probably safer to trust the play.

It is unreasonable to suppose that at this stage in his dramatic career Schiller would invent the long tirades of the scene merely so that the audience might be shown the difference between Tell's deed and Parricida's. Yet this seems to be all that countless audiences have been advised to look for. It is odd that so many commentators have overlooked the connection between pro-testations which even they regard as excessive in the Parricida scene and the prominence of the word 'Mord' in the monologue. Just as the humiliation of Tell and that of Geßler are causally related, so there is here a linking of Tell's deed with that of Johannes, which is dramatically and humanly far more im-pressive than any pointing of a moral or any demonstration of a political principle. In this connection two stories may be found relevant. One is a story which Schiller himself wrote,[1] and the other is one which he may have read.

It has been mentioned above (p. xxxv) that Schiller asked Cotta to send him the works of Cornelius Nepos. Among these brief biographies is one which Schiller may have remembered from his early schooldays – the story of the Corinthian general and statesman of the fourth century B.C., Timoleon. Timoleon's brother, Timophanes, had made himself tyrant, and although Timoleon could have shared his power, he valued the liberty of his fellow-citizens above his brother's life. He therefore caused the death of Timophanes. He himself did not only refrain from laying hands upon his brother, but did not even wish to look upon his blood. The deed did not meet with equal approval from all. Some, judging him false to fraternal loyalty, disparaged the glory of the exploit. His own mother could not bring herself to admit Timoleon to her presence, and never saw him without calling him an impious fratricide. This treatment so affected him that he sometimes thought of taking his life. The indigna-tion of some of his kinsfolk drove him into retirement for twenty years.[2]

In the story of this one man there are features which may be recognized in their distribution between two figures in Schiller's play, Parricida and Tell. Timoleon, responsible for the death of a kinsman, is denounced by a kinswoman, and, himself horrified by the deed, is driven into obscurity by the indignation of others, and is tempted to put an end to his life.

[1] *Der Verbrecher aus verlorener Ehre* (1785), Säk-Ausg., ii, pp. 191 ff.
[2] See Cornelius Nepos, trans. J. C. Rolfe, Loeb, 1929, pp. 67–8.

Parricida, pursued by order of the widow of the murdered man
(his aunt Queen Elsbet), and heavily rebuked by Tell, says:
So *kann* ich, und so *will* ich nicht mehr leben!' (l. 3189). On the
other side, Timoleon's murder of his brother is the act of a man
who values the liberty of his fellow-men, and they benefit by
his defeat of tyranny. Such a pattern of crossed correspondences
appealed to Schiller. In *Der Verbrecher aus verlorener Ehre* he
had written:

> Eine und eben dieselbe Fertigkeit oder Begierde kann
> in tausenderlei Formen und Richtungen spielen, kann tausend
> widersprechende Phänomene bewirken, kann in tausend
> Charakteren anders gemischt erscheinen, und tausend un-
> gleiche Charaktere und Handlungen können wieder aus einerlei
> Neigung gesponnen sein, wenn auch der Mensch, von
> welchem die Rede ist, nichts weniger denn eine solche Ver-
> wandtschaft ahnet.[1]

The relationship may of course be recognized: Parricida says
'Auch Ihr nahmt Rach an Euerm Feind' (l. 3174), and Tell
'Was Ihr auch Gräßliches / Verübt – Ihr seid ein Mensch – Ich
bin es auch –'. 'Mensch' is used here to denote the frailty of the
human condition[2] and follows immediately upon Tell's recognition that, as a 'Mensch der Sünde', he can offer little help to a
fellow-sinner. Retracing the stages of the dialogue we find,
preceding the rebuke – 'Unglücklicher, wohl kannte dich dein
Ohm' (l. 3204) – the movement of pity – 'Und doch erbarmt
mich deiner . . .' (l. 3190) – to which the stage-direction at
l. 3194 contributes: 'Verhüllt sich das Gesicht'. Like the Confederates in v. i, Tell is seized with horror at the thought of the
assassination. But compared with their judgment and the
choric comment of Walter Fürst (ll. 3012–14), there is in his
words a vehemence of personal emotion: 'Mich faßt ein
Grausen . . .' (l. 3186). It is the passage immediately before this
(ll. 3168–84) which provides most material to those who find
Tell's judgment distasteful. But between 'Du wagst, dein
Antlitz einem guten Menschen / Zu zeigen . . .' and 'Kann ich
Euch helfen? Kanns ein Mensch der Sünde?' (l. 3222) Tell's
utterances are not those of a judge of what has happened. They

---

[1] Säk.-Ausg., ii, pp. 191–2.

[2] Cf. Shrewsbury in *Maria Stuart*, iv. ix: 'Du bist ein Mensch und
jetzt kannst du nicht richten.'

are vehement protestations and have all the signs of intense inner suffering. Heard in this way, the lines 'Unglücklicher!... mein Teuerstes verteidigt' are a paroxysm which reaches its climax in the word 'Gemordet' (l. 3183), echoing the refrain of the monologue: 'Meine Gedanken waren rein von Mord', 'Meines ist der Mord', 'zum Morde jetzt den Bogen spannen'. The compassion which follows is natural and beneficient, but it cannot soften Tell's awareness of the nature of his own deed. So, when the other sinner seizes his hand, the gesture is abhorrent, for it is a blatant expression of complicity in that same guilt of which he is self-convicted.

The Tell who speeds Johannes on his way is the same man of goodwill whose first words were: 'Wer ist der Mann, der hier um Hilfe fleht?' and declares: 'Dem Mann muß Hilfe werden.' And Tell, knowing what Baumgarten has done, saves him from pursuit – the first of the three assassins involved in the drama. Now, as we find Tell ready to help Parricida, we are reminded, in the midst of all the 'widersprechende Phänomene', of the last words of Räuber Moor, 'Dem Manne kann geholfen werden', for these also are the words of a man who has come to recognize the need for repentance.[1] Tell counsels Johannes to go to Rome and make confession, and instructs him what route he must follow.[2] This is the second of Tell's itineraries. In the first (III. iii), he contrasts the beauty of the landscape with the restrictions laid upon the people. In the one we are now considering we find a coalescence of the sublime and even terrifying landscape with the austere purpose of the journey. And whereas Tell, and Walter under his instruction, freely renounce the attractions of the other country, the intensity of Tell's language in the dialogue following l. 3241 suggests an irresistible com-

---

[1] In the midst of an analysis which is in the main difficult to accept (Tell as 'der vollendete christliche Held'), Friedrich Braig's comment – 'gleichsam ein neuer Parzifal' – is perhaps not to be rejected (see op. cit., p. 170). Tell does become 'durch Mitleid wissend'.

[2] Müller records the rumours of Parricida's pilgrimage and later life: 'Herzog Johann war in Mönchsgestalt nach Italien gekommen; er ist, nachdem Kaiser Karl ihn in Pisa gesehen, in solche Dunkelheit verschwunden, daß man von seinem Lebensziel nicht weis, wie hoch er es gebracht, und ungewiß ist, ob er bey den Augustinern zu Pisa, oder als ein unbekannter Bruder in hohem Alter auf dem Stammgut gestorben . . .' (ii, p. 19).

c

pulsion involving not only Parricida but the narrator also. Inevitably, any suspicion that Schiller may have wished to show Tell longing to follow the path to Rome seems to have been forestalled or crushed by the weight of conventional assurance that the poet's aim was limited to the vindication of a national hero. It is indeed a little sad to reflect that when the idea of repentance or even punishment to be accepted by Tell has occurred to commentators, it has been put forward as an idea which Schiller himself ought to have had.[1] Examples can be found in works of the present century, separated by over fifty years: J. G. Robertson, *Schiller after a Century*, Edinburgh and London, 1905, p. 120, and Bernt von Heiseler, *Friedrich Schiller*, Gütersloh, 1959. Much criticism of this kind seems to indicate a failure to recognize the signs which Schiller himself provides in dialogue and stage-directions. Von Heiseler sees only one way for Tell – to confess his guilt and not to accept the plaudits of the people.[2] How does Tell respond to their plaudits? In the same way as many public figures about which a legend has to be constructed. He remains silent. This is the scene about which Schiller wrote to Iffland (5 December 1803): 'So z.B. steht der Tell ziemlich für sich in dem Stück, seine Sache ist eine Privatsache, und bleibt es, bis sie am Schluß mit der öffentlichen Sache zusammengreift.' The last phrase has been taken at its

[1] Some writers outside the confines of academic criticism have reconstructed the Tell story in a different way. In Jakob Bührer's *Ein neues Tellenspiel* (Weinfelden, Freie Bühne Sammlung schw. Theaterstücke, 1923), Tell and Geßler engage in social and political discussion. 'Da hat er [Tell] seine Tiernatur enthüllt.' After the slaying of Geßler, Stauffacher says: 'Seid mutig, Tell, Ihr habt das Land gerettet', and Tell: 'Sprecht keinen Unsinn, Mann! Wir sind aus Mitternacht!' Tell dies saving his child from drowning (an episode taken, with variation, from an early tradition). This slender patchwork play is in the sore, questioning, guilt-laden mood of the post-1918 period.

[2] 'Er sollte nicht vor's Volk hintreten und sich feiern lassen; Verborgenheit, Einsamkeit würden ihm ziemen. Aus dem Dunkel einer Mordtat . . . führt nichts heraus als die Vergebung, die im Erlebnis der Gnade erfahren wird.' Von Heiseler finds the fault to lie in Schiller's optimistic idealism; he declares the argumentation contrasting the simple countryman with the 'Mörder aus Ehrsucht' false: 'hier ist eine Grenze von Schillers Einsicht, wie von jeder bloß humanen Sittlichkeit' (p. 202).

face value, as though it meant that the final scene identifies
Tell's activity with that of the people. Such indeed is the desired
effect of the scene upon the crowd involved in it. It is a grand
traditional spectacle of jubilation, all in noisy accord with the
requirements of a people's victory. For the deviations and heart-
searchings of the appointed hero there is no room in the *story*.
But drama is not committed to such a boisterous show of unani-
mity. Its unity may be achieved, not by manipulating and
suppressing events for a collective purpose, but by maintaining
to the end the austere control of form over the ineradicable
contrasts of communal and individual life which it has per-
sistently revealed.

One of the most searching arguments touching upon these
matters was put forward by W. G. Moore in 1938.[1] He puts up
an able defence of the Parricida scene. Among his most memor-
able comments is: 'The confederates, no less than Tell himself,
show Schiller's sense of the immense power, and danger, that
comes to man with the conviction that the execution of God's
will lies on and with him.' Moore finds the question 'Was Tell
right or wrong?' unanswered 'because perhaps humanly un-
answerable'. It would be better to say 'because it is irrelevant'.
What matters is not the so-called 'objective' question of guilt,
but Tell's awareness of guilt. Moore's 'new reading' appears to
have had little, if any, creative response. Witte[2] dismisses it as
untenable and says that it lacks evidence. It is indeed regrettable
that Moore did not summon a wider range of evidence in support
of his arguments. It is there, in Schiller's text. There is one item
still to consider, and it is, literally, evidence of a material kind.

When we think of Wilhelm Tell we think of the cross-bow.
In fact it will be commonly agreed that Tell is not to be recognized without the cross-bow. Yet this is precisely what Schiller
asks us to do, and we do it, without knowing what an extra-
ordinary and decisive thing has happened. And we cannot say
that Schiller has not prepared us. When in the 'hohle Gasse'
Tell looks at the second arrow, the one destined for Geßler,
he says: 'Ich habe keinen zweiten zu versenden.' The remark
belongs to the natural sequence of events, as such remarks do in

[1] 'A New Reading of *Wilhelm Tell*', in *German Studies for H. G.
Fiedler*, Oxford, 1938, pp. 278–92. See also his 'Guillaume Tell
et Horace', in *Revue de littérature comparée*, 1939, pp. 444–51.

[2] *Schiller*, p. 194.

a properly constructed play. Tell has had no chance of replenishing his stock of arrows. But when, on coming back home, he is asked by Walter: 'Wo hast du deine Armbrust, Vater? Ich seh sie nicht', he answers:

> Du wirst sie nie mehr sehn.
> An heilger Stätte ist sie aufbewahrt,
> Sie wird hinfort zu keiner Jagd mehr dienen.

Once already, in the 'Apfelschußszene', we have failed to notice the cross-bow, because Schiller has devised an altercation between Rudenz and Geßler, which distracts the attention of the crowd, and ours. Then, in the last scene of all, we again do not see it, and this time for an even simpler reason. It is not there. It cannot be there, for the legend of Tell and his cross-bow is finished. There is nothing left for the hero of it to say or do. The last words we hear him speak are those of his injunction to Hedwig: the uncanny guest must be for ever a stranger to her thoughts and his deed remain unknown to her. She must not even see the road a penitent has taken.

The 'heilge Stätte' where the bow was laid was Schiller's invention. No doubt this can be interpreted to mean that the cross-bow has become an object of veneration, like battle-scarred regimental colours in a cathedral, since it has defended freedom and vindicated God's ways with a people which has put its trust in Him. This is how Tell's abandonment of it must be made to appear, for the legend must not be dispelled before the eyes of the people. Tell's visit to the sanctuary is entirely appropriate to the legend, for it has the mark of an act of consecration and of thanksgiving. But in the heart of the man around whom the legend has grown, once the frenzied fiction of Geßler as a noble beast of prey has subsided, there can be little left but the memory of a twofold desecration. The bow has been used to carry out a cruel order and then to kill a man. It is therefore unthinkable that Tell should ever again go up into the mountains with quiver and cross-bow, for he would be carrying with him the constant reminder of an ordeal and a murder.

Reinhold Schneider, somewhat disturbed by Schiller's apparent attempt to depart from tragedy, makes this comment: 'es ist schwer zu begreifen, daß in diesem einen und einzigen Falle die Realisierung der Freiheit in der Geschichte ohne Tragik abgehen soll'.[1] But if we have accepted fully the dis-

[1] Reden im Gedenkjahr, p. 297.

closure of Tell's thoughts and emotions when none of those who are to nourish the legend can overhear, even the last brief scene brings us more than a hint of tragedy in Tell's state. This state is comparable to that of Johanna von Orleans before the cathedral, and the counterpart to that of Elisabeth in the last scene of *Maria Stuart*. She, despising her people, has said of the virtuous life she claims to have led: 'Die eiserne Notwendigkeit . . . gebot mir diese Tugend.' Tell, who has respect for his fellow-men, has also had to yield to iron necessity; but this has meant for him the denial of the good principle which has ruled his life. Looking back on the previous plays of Schiller, Schneider says: 'Von der bisherigen Wertwelt aus gesehen ist es unmöglich, daß der Tell kein anderes Opfer bringt als seine Armbrust.' But is this a paltry sacrifice?

We recall Hedwig's anxious question as Tell is setting out for Altdorf: 'Was willst du mit der Armbrust? Laß sie hier', and Tell's answer: 'Mir fehlt der Arm, wenn mir die Waffe fehlt.' To what life can he turn without the cross-bow? 'Zum Hirten hat Natur mich nicht gebildet' (l. 1486). What indeed is left of the content of his life? – 'Nichts mehr als der Nachhall Teutscher Lieder.'[1] In the rejoicings of the last scene, the cross-bow, which has been, and still is today, the emblem of a people's liberation, is no longer before us. For Tell, who has laid it aside, it has become the symbol of humiliation and suffering, perhaps of contrition. In these last moments the legend fades before our eyes and we observe the man around whom it was created. He is alone in a throng which worships his image and which must not be allowed to suspect his suffering or ever seek to know the cause of it.

> Was unsterblich im Gesang soll leben,
> Muß im Leben untergehn.

---

[1] The melancholy comment of Müller on the death of Walter von Eschenbach, last of his line and accomplice of the Parricida in the assassination of the king.

Notes on Spelling and Grammatical Forms

Following the system of the Deutscher Taschenbuch Verlag
(d t v) edition (München, 1966), the apostrophe showing omission
of vowel has been for the most part discarded, e.g. 'Ihr seids, der
mich verletzt' (l. 1626); 'er hats beschlossen' (l. 2087); 'ich
wars' (l. 3197). The d t v system of exception has also been
adopted for initial omissions, e.g. ' 'ne Vorhut' (l. 60), and where
otherwise a confusion might arise on first reading, e.g. 'die's
redlich meinen' (l. 287). d t v substitution of italics for spaced
printing, mostly for emphasis, has been accepted, e.g. '*Das* sei
dein Stolz, *des* Adels rühme dich' (l. 919).

Omission of inflection of attributive adjectives, e.g. 'zeitlich
Gut' (l. 320), 'brechend Auge' (l. 864), 'mein lechzend Herz'
(l. 3112), will be frequently observed, as will also the appearance
of 'e' in (mainly) finite verb endings, e.g. 'fraget nicht' (l. 2613),
'er zürnet' (l. 2593), 'verirret' (l. 3105, past participle). These
conventional adjustments for rhythm are not peculiar to Schiller's
style or that of his contemporaries.

A Note on recurrence of words

Echo or, reminiscence of phrases linking figures or situations
is probably of even greater importance in *Tell* than in Schiller's
other late plays. Some are pointed out in the Interpretation and
Notes. Readers may add, e.g. ll. 2510, 1969; 2514, 1519, which
draw together Rudenz and Melchthal, and Rudenz and Tell,
respectively. Certain single words also, by recurrence, achieve
dominance as key-words. Precise word-count might be risky,
because, like much statistical statement, it creates an illusion of
usefully accurate information. But there appears to be a hierarchy
of these words (or their close cognates): 'Gott' (apart from use in
common exclamations) occurring *c.* 50 times, 'frei' (+ 'Freiheit')
c. 40 times, 'Recht' (+ 'Gericht', 'Richter') *c.* 20 times; 'Rache'
(+ 'Rächer' 'rächen') with *c.* 15 occurrences, carries great
emphasis. Readers may add terms denoting family relationships,
of which about 30 examples can easily be assembled.

A Select Bibliography

SCHILLER'S WRITINGS

Readers may be referred to the following modern editions of the complete works:

'Säkular-Ausgabe', ed. Eduard von der Hellen, 16 vols., Stuttgart and Berlin, 1904–5. Vol. vii contains *Wilhelm Tell* with commentary and annotations by O. Walzel.

Sämtliche Werke, 20 vols., München, Deutscher Taschenbuch Verlag (d t v), 1966, the text of which is derived from *Sämtliche Werke*, ed. Gerhard Fricke, H. G. Göpfert, and H. Stubenrauch, München, Carl Hanser Verlag, 1962. The text of the present edition is based upon vol. vi of the d t v, 1966, with some modifications of spelling and punctuation drawn from the 'Säkular-Ausgabe' (referred to throughout as 'Säk.-Ausg.').

LETTERS

The standard edition of Schiller's letters is that of Fritz Jonas, 7 vols., Stuttgart and Berlin, 1892–6. The excellent redaction by W. Müller-Seidel, G. Schulz and L. Blumenthal, in the 'Nationalausgabe' (in progress), Weimar, 1948 ff., extends to 1800.

EDITIONS OF *Wilhelm Tell*

In 1959 Wolfgang Vulpius (see below) listed fourteen German texts, published in England and America; of these the following should be noted:

K. Breul, Cambridge University Press, 1897.

W. H. Carruth, New York, Macmillan, 1898.

C. A. Buchheim (rev. ed. by H. Schoenfeld), Oxford University Press, 1902.

H. B. Garland, London, Harrap, 1950.

G. E. Fasnacht, London, Macmillan, 1952 (now out of print).

TRANSLATIONS OF *Wilhelm Tell*

The play has been translated more extensively than any other of Schiller – into over thirty languages. Eight translators of the work into English are listed by Vulpius.

COMPREHENSIVE WORKS ON SCHILLER'S LIFE AND
WRITINGS

A. Abusch, *Schiller: Größe und Tragik eines deutschen Genius*,
Berlin, 1955.

K. Berger, *Schiller: sein Leben und seine Werke*, 2 vols., München,
1909.

R. Buchwald, *Schiller*, 2 vols., Wiesbaden, 1951–4 (see especially
vol. ii, *Der Weg zur Vollendung*).

H. B. Garland, *Schiller*, London, 1949.

M. Gerhard, *Schiller*, Bern, 1950.

E. Kühnemann, *Schiller*, München, 1905.

J. G. Robertson, *Schiller after a Century*, Edinburgh and
London, 1905.

G. Storz, *Der Dichter Friedrich Schiller*, Stuttgart, 1959.

W. Vulpius, *Schiller Bibliographie 1893–1958*, Weimar, 1959.
(A monumental work of the greatest value, listing editions,
monographs and articles, and covering every aspect of Schiller
interest.)

B. von Wiese, *Friedrich Schiller*, Stuttgart, 1959.

W. Witte, *Schiller*, Oxford, 1949.

Among the many books and articles in which the present editor
finds discussion bearing in one way or another upon his interpretation, the following are here mentioned, at enormous risk
of unfairness to the rest:

I. Appelbaum-Graham, 'Reflection as a Function of Form
in Schiller's Tragic Poetry', *Publications of the English
Goethe Society*, xxiv, 1955, pp. 1–32.

L. Bellermann, *Schillers Dramen: Beiträge zu ihrem Verständnis*, 3 vols., Berlin, 1908 (especially vol. iii).

R. Ibel, *Schiller*, *Wilhelm Tell* in series 'Grundlagen und
Gedanken zum Verständnis klassischer Dramen', Frankfurt-
am-Main, n.d.

S. S. Kerry, *Schiller's Writings on Aesthetics*, Manchester
University Press, 1961.

H. Laube, *Das Wiener Stadttheater* (1875); see *Gesammelte
Werke*, ed. H. H. Houben, Leipzig, 1909, Bd. 32, pp. 106 ff.

W. F. Mainland, *Schiller and the Changing Past*, London,
1957. (The present interpretation deviates widely from the
views of the author in the chapter on *Tell*.)

W. F. Mainland, 'Eine weitere Geschichtstrilogie bei Schiller?', in *Deutsche Beiträge zur geistigen Überlieferung*, Bern, 1961.

E. L. Stahl, *Friedrich Schiller's Drama: Theory and Practice*, Oxford, 1954.

HISTORICAL WORKS

E. Bonjour, H. S. Offler and G. R. Potter, *A Short History of Switzerland*, Oxford, 1952. (An authoritative and very illuminating work; see especially chaps. iii and iv.)

P. Dürrenmatt, *Schweizer Geschichte*, Bern, 1957 (richly illustrated).

R. Feller and E. Bonjour, *Geschichtsschreibung der Schweiz*, Bd.I, Basel and Stuttgart, 1962.

A. Gasser, *Die territoriale Entwicklung der schweizerischen Eidgenossenschaft 1291–1797*, Aarau, 1932.

B. Meyer, *Weißes Buch und Wilhelm Tell*, Weinfelden, 1963. (A clear and critical presentation.)

H. Nabholz, L. von Muralt, R. Feller and E. Bonjour, *Geschichte der Schweiz*, Bd.I, Zürich, 1932.

W. Œchsli, *Les origines de la confédération suisse*, Berne, 1891. (Has many notes on family names in the early days of the Confederation.)

References to other works, including source material, will be found in the Interpretation and the Notes.

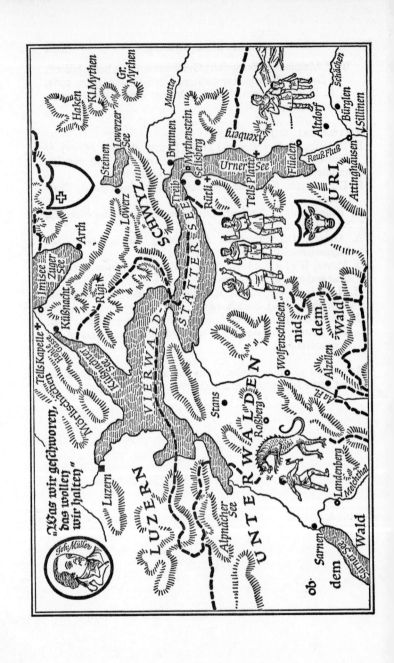

„Was wir geschworen, das wollen wir halten"

Joh. Müller

Haken · Kl.Mythen · Gr. Mythen · Muotta · Schächen

Lowerzer See · Steinen · Brunnen · Mythenstein · Selisberg · Axenberg · Altdorf · Bürglen · Sillinen

SCHWYZ · Treib · Urner See · Reuß Fluß · Flüelen · Attinghausen

Arth · Löwerz · Rigi · Rütli · Tells Platte · URI

Imisee · Zuger See · Küßnacht · VIERWALD · STÄTTER SEE · Wolfenschießen · nid · dem · Wald · Atzellen

Mörtschach · Tells Kapelle · Hohle Gasse · Mörtschachkapelle · Stans · Roßberg · LUZERN · Landenberg · Melchthal

Luzern · Alpnacher See · UNTERWALDEN · Samen · ob. · dem · Wald · Sarner See · Wald

AaH.

WILHELM TELL

Schauspiel

Zum Neujahrsgeschenk auf 1805

Personen

HERMANN GESSLER, *Reichsvogt in Schwyz und Uri*
WERNER, FREIHERR VON ATTINGHAUSEN, *Bannerherr*
ULRICH VON RUDENZ, *sein Neffe*

WERNER STAUFFACHER
KONRAD HUNN
ITEL REDING
HANS AUF DER MAUER   } *Landleute aus Schwyz*
JÖRG IM HOFE
ULRICH DER SCHMIED
JOST VON WEILER

WALTER FÜRST
WILHELM TELL
RÖSSELMANN, *der Pfarrer*
PETERMANN, *der Sigrist*   } *aus Uri*
KUONI, *der Hirte*
WERNI, *der Jäger*
RUODI, *der Fischer*

ARNOLD VOM MELCHTHAL
KONRAD BAUMGARTEN
MEIER VON SARNEN
STRUTH VON WINKELRIED   } *aus Unterwalden*
KLAUS VON DER FLÜE
BURKHARDT AM BÜHEL
ARNOLD VON SEWA

PFEIFFER VON LUZERN
KUNZ VON GERSAU
JENNI, *Fischerknabe*
SEPPI, *Hirtenknabe*
GERTRUD, *Stauffachers Gattin*
HEDWIG, *Tells Gattin, Fürsts Tochter*

BERTA VON BRUNECK, *eine reiche Erbin*

ARMGARD
MECHTHILD
ELSBET
HILDEGARD
} *Bäuerinnen*

WALTER
WILHELM
} *Tells Knaben*

FRIESSHARDT
LEUTHOLD
} *Söldner*

RUDOLF DER HARRAS, *Geßlers Stallmeister*
JOHANNES PARRICIDA, *Herzog von Schwaben*
STÜSSI, *der Flurschütz*
DER STIER VON URI
EIN REICHSBOTE
FRONVOGT
MEISTER STEINMETZ, GESELLEN UND HANDLANGER
ÖFFENTLICHE AUSRUFER
BARMHERZIGE BRÜDER
GESSLERISCHE UND LANDENBERGISCHE REITER
VIELE LANDLEUTE, MÄNNER UND WEIBER AUS DEN
    WALDSTÄTTEN

* An asterisk in the text indicates a note
at the end of the volume.

ERSTER AUFZUG

Erste Szene

*Hohes Felsenufer des Vierwaldstättensees Schwyz gegenüber. Der
See macht eine Bucht ins Land, eine Hütte ist unweit dem Ufer,
FISCHERKNABE fährt sich in einem Kahn. Über den See hinweg
sieht man die grünen Matten, Dörfer und Höfe von Schwyz im
hellen Sonnenschein liegen. Zur Linken des Zuschauers zeigen
sich die Spitzen des Haken, mit Wolken umgeben; zur Rechten
im fernen Hintergrund sieht man die Eisgebirge. Noch ehe der
Vorhang aufgeht, hört man den Kuhreihen und das harmonische
Geläut der Herdenglocken, welches sich auch bei eröffneter Szene
noch eine Zeitlang fortsetzt*

FISCHERKNABE (*singt im Kahn*).

(*Melodie des Kuhreihens*)

*Es lächelt der See, er ladet zum Bade,
 Der Knabe schlief ein am grünen Gestade,
   Da hört er ein Klingen,
   Wie Flöten so süß,
   Wie Stimmen der Engel   5
   Im Paradies.
 Und wie er erwachet in seliger Lust,
 Da spülen die Wasser ihm um die Brust,
   Und es ruft aus den Tiefen:
   Lieb Knabe, bist *mein!*   10
   Ich locke den Schläfer,
   Ich zieh ihn herein.
HIRTE (*auf dem Berge*).

(*Variation des Kuhreihens*)

 Ihr Matten lebt wohl!
 Ihr sonnigen Weiden!
 *Der Senne muß scheiden,   15

5

Der Sommer ist hin.
*Wir fahren zu Berg, wir kommen wieder,
Wenn der Kuckuck ruft, wenn erwachen die Lieder,
Wenn mit Blumen die Erde sich kleidet neu,
Wenn die Brünnlein fließen im lieblichen Mai.   20
Ihr Matten lebt wohl,
Ihr sonnigen Weiden!
Der Senne muß scheiden,
Der Sommer ist hin.

ALPENJÄGER (*erscheint gegenüber auf der Höhe des Felsen*).

(*Zweite Variation*)

*Es donnern die Höhen, es zittert der Steg,   25
*Nicht grauet dem Schützen auf schwindligtem Weg,
Er schreitet verwegen
Auf Feldern von Eis,
Da pranget kein Frühling,
Da grünet kein Reis;   30
Und unter den Füßen ein nebligtes Meer,
*Erkennt er die Städte der Menschen nicht mehr,
Durch den Riß nur der Wolken
Erblickt er die Welt,
Tief unter den Wassern   35
Das grünende Feld.

*(*Die Landschaft verändert sich, man hört ein dumpfes Krachen
von den Bergen, Schatten von Wolken laufen über die Gegend*)
(RUODI *der Fischer kommt aus der Hütte.* WERNI *der Jäger
steigt vom Felsen.* KUONI *der Hirte kommt, mit dem Melknapf
auf der Schulter.* SEPPI, *sein Handbube, folgt ihm*)

*RUODI. Mach hurtig, Jenni. Zieh die Naue ein.
*Der graue Talvogt kommt, dumpf brüllt der Firn,
*Der Mytenstein zieht seine Haube an,
*Und kalt her bläst es aus dem Wetterloch,   40
Der Sturm, ich mein, wird da sein, eh wirs denken.
KUONI. 's kommt Regen, Fährmann. Meine Schafe fressen
Mit Begierde Gras, und Wächter scharrt die Erde.

WERNI. Die Fische springen, und das Wasserhuhn
  Taucht unter. Ein Gewitter ist im Anzug.   45
KUONI (*zum Buben*).
  *Lug, Seppi, ob das Vieh sich nicht verlaufen.
*SEPPI. Die braune Lisel kenn ich am Geläut.
KUONI. So fehlt uns keine mehr, die geht am weitsten.
*RUODI. Ihr habt ein schön Geläute, Meister Hirt.
*WERNI. Und schmuckes Vieh – Ists Euer eignes, Lands-
  mann?   50
KUONI. Bin nit so reich – 's ist meines gnädgen Herrn,
  *Des Attinghäusers, und mir zugezählt.
RUODI. Wie schön der Kuh das Band zu Halse steht.
*KUONI. Das weiß sie auch, daß sie den Reihen führt,
  Und nähm ich ihrs, sie hörte auf zu fressen.   55
RUODI. Ihr seid nicht klug! Ein unvernünftges Vieh –
*WERNI. Ist bald gesagt. Das Tier hat auch Vernunft,
  Das wissen *wir*, die wir die Gemsen jagen,
  Die stellen klug, wo sie zur Weide gehn,
  *'ne Vorhut aus, die spitzt das Ohr und warnet   60
  Mit heller Pfeife, wenn der Jäger naht.
RUODI (*zum Hirten*). Treibt Ihr jetzt heim?
*KUONI.   Die Alp ist abgeweidet.
WERNI. Glückselge Heimkehr, Senn!
KUONI.   Die wünsch ich Euch,
  *Von Eurer Fahrt kehrt sichs nicht immer wieder.
RUODI. Dort kommt ein Mann in voller Hast gelaufen.   65
WERNI. Ich kenn ihn, 's ist der Baumgart von Alzellen.

(KONRAD BAUMGARTEN *atemlos hereinstürzend*)

BAUMGARTEN. Um Gottes willen, Fährmann, Euren Kahn!
RUODI. Nun, nun, was gibts so eilig?
BAUMGARTEN.   Bindet los!
  Ihr rettet mich vom Tode! Setzt mich über!
KUONI. Landsmann, was habt Ihr?   70
WERNI.   Wer verfolgt Euch denn?
BAUMGARTEN (*zum Fischer*).
  Eilt, eilt, sie sind mir dicht schon an den Fersen!

*Des Landvogts Reiter kommen hinter mir,
   Ich bin ein Mann des Tods, wenn sie mich greifen.
RUODI. Warum verfolgen Euch die Reisigen?
BAUMGARTEN. Erst rettet mich, und dann steh ich Euch Rede.
WERNI. Ihr seid mit Blut befleckt, was hats gegeben?   76
*BAUMGARTEN. Des Kaisers Burgvogt, der auf Roßberg saß –
KUONI. Der Wolfenschießen? Läßt Euch *der* verfolgen?
BAUMGARTEN. *Der* schadet nicht mehr, ich hab ihn erschlagen.
ALLE (*fahren zurück*).
   Gott sei Euch gnädig! Was habt Ihr getan?   80
BAUMGARTEN. Was jeder freie Mann an meinem Platz!
   Mein gutes Hausrecht hab ich ausgeübt
   Am Schänder meiner Ehr und meines Weibes.
KUONI. Hat Euch der Burgvogt an der Ehr geschädigt?
BAUMGARTEN. Daß er sein bös Gelüsten nicht vollbracht,   85
   Hat Gott und meine gute Axt verhütet.
WERNI. Ihr habt ihm mit der Axt den Kopf zerspalten?
KUONI. O, laß uns alles hören, Ihr habt Zeit,
   Bis er den Kahn vom Ufer losgebunden.
BAUMGARTEN. Ich hatte Holz gefällt im Wald, da kommt   90
   Mein Weib gelaufen in der Angst des Todes.
   „Der Burgvogt lieg in meinem Haus, er hab
   Ihr anbefohlen, ihm ein Bad zu rüsten.
   Drauf hab er Ungebührliches von ihr
   Verlangt; sie sei entsprungen, mich zu suchen."   95
   Da lief ich frisch hinzu, so wie ich war,
   *Und mit der Axt hab ich ihm's Bad gesegnet.
WERNI. Ihr tatet wohl, kein Mensch kann Euch drum schelten.
KUONI. Der Wüterich! Der hat nun seinen Lohn!
   Hats lang verdient ums Volk von Unterwalden.   100
*BAUMGARTEN. Die Tat ward ruchtbar, mir wird nachgesetzt –
   Indem wir sprechen – Gott – verrinnt die Zeit –

         (*Es fängt an, zu donnern*)

KUONI. Frisch, Fährmann – schaff den Biedermann hinüber.
RUODI. Geht nicht. Ein schweres Ungewitter ist
   Im Anzug. Ihr müßt warten.

BAUMGARTEN.   Heilger Gott!   105
  Ich kann nicht warten. Jeder Aufschub tötet –
KUONI (*zum Fischer*).
  Greif an mit Gott! dem Nächsten muß man helfen,
  Es kann uns allen Gleiches ja begegnen.
        (*Brausen und Donnern*)

*RUODI. Der Föhn ist los, Ihr seht, wie hoch der See geht,
  Ich kann nicht steuern gegen Sturm und Wellen.   110
BAUMGARTEN (*umfaßt seine Knie*).
  *So helf Euch Gott, wie Ihr Euch mein erbarmet –
WERNI. Es geht ums Leben, sei barmherzig, Fährmann.
*KUONI. 's ist ein Hausvater, und hat Weib und Kinder!
       (*Wiederholte Donnerschläge*)

RUODI. Was? Ich hab auch ein Leben zu verlieren,
  Hab Weib und Kind daheim, wie er – Seht hin,   115
  Wies brandet, wie es wogt und Wirbel zieht,
  Und alle Wasser aufrührt in der Tiefe.
  – Ich wollte gern den Biedermann erretten,
  Doch es ist rein unmöglich, Ihr seht selbst.
BAUMGARTEN (*noch auf den Knien*).
  So muß ich fallen in des Feindes Hand,   120
  Das nahe Rettungsufer im Gesichte!
  – Dort liegts! Ich kanns erreichen mit den Augen,
  Hinüberdringen kann der Stimme Schall,
  Da ist der Kahn, der mich hinübertrüge,
  Und muß hier liegen, hilflos, und verzagen!   125
KUONI. Seht, wer da kommt!
WERNI.   Es ist der Tell aus Bürglen.
      (TELL *mit der Armbrust*)

TELL. Wer ist der Mann, der hier um Hilfe fleht?
KUONI. 's ist ein Alzeller Mann, er hat sein Ehr
  Verteidigt, und den Wolfenschieß erschlagen,
  *Des Königs Burgvogt, der auf Roßberg saß –   130
  Des Landvogts Reiter sind ihm auf den Fersen,
  Er fleht den Schiffer um die Überfahrt,

Der fürcht't sich vor dem Sturm und will nicht fahren.

RUODI. Da ist der Tell, er führt das Ruder auch,
Der soll mirs zeugen, ob die Fahrt zu wagen.   135

TELL. Wos not tut, Fährmann, läßt sich alles wagen.

(*Heftige Donnerschläge, der See rauscht auf*)

RUODI. Ich soll mich in den Höllenrachen stürzen?
Das täte keiner, der bei Sinnen ist.

TELL. Der brave Mann denkt an sich selbst zuletzt,
Vertrau auf Gott und rette den Bedrängten.   140

*RUODI. Vom sichern Port läßt sichs gemächlich raten,
*Da ist der Kahn und dort der See! Versuchts!

TELL. Der See kann sich, der Landvogt nicht erbarmen,
Versuch es, Fährmann!

HIRTEN UND JÄGER.   Rett ihn! Rett ihn! Rett ihn!

RUODI. Und wärs mein Bruder und mein leiblich Kind,   145
*Es kann nicht sein, 's ist heut Simons und Judä,
Da rast der See und will sein Opfer haben.

TELL. Mit eitler Rede wird hier nichts geschafft,
*Die Stunde dringt, dem Mann muß Hilfe werden.
Sprich, Fährmann, willst du fahren?   150

RUODI.   Nein, nicht ich!

TELL. In Gottes Namen denn! Gib her den Kahn,
Ich wills mit meiner schwachen Kraft versuchen.

KUONI. Ha, wackrer Tell!

*WERNI.   Das gleicht dem Weidgesellen!

*BAUMGARTEN. Mein Retter seid Ihr und mein Engel, Tell!

TELL. Wohl aus des Vogts Gewalt errett ich Euch,   155
*Aus Sturmes Nöten muß ein andrer helfen.
Doch besser ists, Ihr fallt in Gottes Hand,
Als in der Menschen! (*Zu dem Hirten*)
                    Landsmann, tröstet Ihr
Mein Weib, wenn mir was Menschliches begegnet,
*Ich hab getan, was ich nicht lassen konnte.   160

(*Er springt in den Kahn*)

KUONI (*zum Fischer*).

Ihr seid ein Meister-Steuermann. Was sich
*Der Tell getraut, das konntet *Ihr* nicht wagen?
RUODI. Wohl beßre Männer tuns dem Tell nicht nach,
Es gibt nicht zwei, wie der ist, im Gebirge.
WERNI (*ist auf den Fels gestiegen*).
Er stößt schon ab. Gott helf dir, braver Schwimmer!   165
Sieh, wie das Schifflein auf den Wellen schwankt!
KUONI (*am Ufer*).
Die Flut geht drüber weg – Ich sehs nicht mehr.
Doch halt, da ist es wieder! Kräftiglich
Arbeitet sich der Wackre durch die Brandung.
SEPPI. Des Landvogts Reiter kommen angesprengt.   170
KUONI. Weiß Gott, sie sinds! Das war Hilf in der Not.

(*Ein Trupp* LANDENBERGISCHER REITER)

ERSTER REITER. Den Mörder gebt heraus, den ihr verborgen.
ZWEITER. *Des* Wegs kam er, umsonst verhehlt ihr ihn.
KUONI UND RUODI. Wen meint ihr, Reiter?
ERSTER REITER (*entdeckt den Nachen*). Ha, was seh ich! Teufel!
WERNI (*oben*). Ists der im Nachen, den ihr sucht? – Reit zu,
*Wenn ihr frisch beilegt, holt ihr ihn noch ein.   176
ZWEITER. Verwünscht! Er ist entwischt.
ERSTER (*zum Hirten und Fischer*).   Ihr habt ihm fortgeholfen,
Ihr sollt uns büßen – Fallt in ihre Herde!
Die Hütte reißet ein, brennt und schlagt nieder! (*Eilen fort*)
SEPPI (*stürzt nach*). O meine Lämmer!
KUONI (*folgt*).   Weh mir! Meine Herde!
*WERNI. Die Wütriche!   181
RUODI (*ringt die Hände*). Gerechtigkeit des Himmels,
Wann wird der Retter kommen diesem Lande?

(*Folgt ihnen*)

Zweite Szene

*Zu Steinen in Schwyz. Eine Linde vor des Stauffachers Hause an
der Landstraße, nächst der Brücke*

WERNER STAUFFACHER, PFEIFFER VON LUZERN *kommen
im Gespräch*

PFEIFFER. Ja, ja, Herr Stauffacher, wie ich Euch sagte.
*Schwört nicht zu Östreich, wenn Ihrs könnt vermeiden.
Haltet fest am Reich und wacker, wie bisher,   185
Gott schirme euch bei eurer alten Freiheit!

(Drückt ihm herzlich die Hand und will gehen)

STAUFFACHER. Bleibt doch, bis meine Wirtin kommt – Ihr seid
Mein Gast zu Schwyz, ich in Luzern der Eure.
PFEIFFER. Viel Dank! Muß heute Gersau noch erreichen.
*– Was ihr auch Schweres mögt zu leiden haben   190
Von eurer Vögte Geiz und Übermut,
Tragts in Geduld! Es kann sich ändern, schnell,
Ein andrer Kaiser kann ans Reich gelangen.
Seid ihr erst Österreichs, seid ihrs auf immer.

*(Er geht ab. Stauffacher setzt sich kummervoll auf eine Bank
unter der Linde. So findet ihn* GERTRUD, *seine Frau, die
sich neben ihn stellt und ihn eine Zeitlang schweigend betrachtet)*

GERTRUD. So ernst, mein Freund? Ich kenne dich nicht mehr.
Schon viele Tage seh ichs schweigend an,   196
Wie finstrer Trübsinn deine Stirne furcht.
Auf deinem Herzen drückt ein still Gebresten,
Vertrau es mir, ich bin dein treues Weib,
Und meine Hälfte fodr ich deines Grams.   200

(Stauffacher reicht ihr die Hand und schweigt)

Was kann dein Herz beklemmen, sag es mir.
Gesegnet ist dein Fleiß, dein Glücksstand blüht,
Voll sind die Scheunen, und der Rinder Scharen,
Der glatten Pferde wohlgenährte Zucht
Ist von den Bergen glücklich heimgebracht   205

Zur Winterung in den bequemen Ställen.
– Da steht dein Haus, reich, wie ein Edelsitz,
Von schönem Stammholz ist es neu gezimmert
Und nach dem Richtmaß ordentlich gefügt;
Von vielen Fenstern glänzt es wohnlich, hell,   210
*Mit bunten Wappenschildern ists bemalt,
Und weisen Sprüchen, die der Wandersmann
Verweilend liest und ihren Sinn bewundert.
STAUFFACHER. Wohl steht das Haus gezimmert und gefügt,
*Doch ach – es wankt der Grund, auf den wir bauten.   215
GERTRUD. Mein Werner, sage, wie verstehst du das?
STAUFFACHER. Vor dieser Linde saß ich jüngst wie heut,
Das schön Vollbrachte freudig überdenkend,
Da kam daher von Küßnacht, seiner Burg,
Der Vogt mit seinen Reisigen geritten.   220
Vor diesem Hause hielt er wundernd an,
*Doch ich erhub mich schnell, und unterwürfig,
Wie sichs gebührt, trat ich dem Herrn entgegen,
Der uns des Kaisers richterliche Macht
Vorstellt im Lande. „Wessen ist dies Haus?"   225
Fragt' er bösmeinend, denn er wußt es wohl.
Doch schnell besonnen ich entgegn ihm so:
*„Dies Haus, Herr Vogt, ist meines Herrn des Kaisers,
Und Eures und mein Lehen" – da versetzt er:
„Ich bin Regent im Land an Kaisers Statt   230
Und will nicht, daß der Bauer Häuser baue
Auf seine eigne Hand, und also frei
Hinleb, als ob er Herr wär in dem Lande,
Ich werd mich unterstehn, Euch das zu wehren."
Dies sagend ritt er trutziglich von dannen,   235
Ich aber blieb mit kummervoller Seele,
Das Wort bedenkend, das der Böse sprach.
GERTRUD. Mein lieber Herr und Ehewirt! Magst du
Ein redlich Wort von deinem Weib vernehmen?
*Des edeln Ibergs Tochter rühm ich mich,   240
Des vielerfahrnen Manns. Wir Schwestern saßen,
Die Wolle spinnend, in den langen Nächten,

Wenn bei dem Vater sich des Volkes Häupter
Versammelten, die Pergamente lasen
Der alten Kaiser, und des Landes Wohl 245
Bedachten in vernünftigem Gespräch.
Aufmerkend hört ich da manch kluges Wort,
Was der Verständge denkt, der Gute wünscht,
Und still im Herzen hab ich mirs bewahrt.
So höre denn und acht auf meine Rede, 250
Denn was dich preßte, sieh, das wußt ich längst.
– Dir grollt der Landvogt, möchte gern dir schaden,
Denn du bist ihm ein Hindernis, daß sich
Der Schwyzer nicht dem neuen Fürstenhaus
Will unterwerfen, sondern treu und fest 255
Beim Reich beharren, wie die würdigen
Altvordern es gehalten und getan. –
Ists nicht so, Werner? Sag es, wenn ich lüge!

STAUFFACHER. So ists, das ist des Geßlers Groll auf mich.

GERTRUD. Er ist dir neidisch, weil du glücklich wohnst, 260
Ein freier Mann auf deinem eignen Erb,
– Denn er hat keins. Vom Kaiser selbst und Reich
Trägst du dies Haus zu Lehn; du darfst es zeigen,
So gut der Reichsfürst seine Länder zeigt,
Denn über dir erkennst du keinen Herrn 265
*Als nur den Höchsten in der Christenheit –
Er ist ein jüngrer Sohn nur seines Hauses,
Nichts nennt er sein als seinen Rittermantel.
Drum sieht er jedes Biedermannes Glück
*Mit scheelen Augen giftger Mißgunst an, 270
Dir hat er längst den Untergang geschworen –
Noch stehst du unversehrt – Willst du erwarten,
*Bis er die böse Lust an dir gebüßt?
Der kluge Mann baut vor.

STAUFFACHER.   Was ist zu tun!

GERTRUD (tritt näher).

So höre meinen Rat! Du weißt, wie hier 275
Zu Schwyz sich alle Redlichen beklagen
Ob dieses Landvogts Geiz und Wüterei.

So zweifle nicht, daß sie dort drüben auch
In Unterwalden und im Urner Land
Des Dranges müd sind und des harten Jochs – 280
Denn wie der Geßler hier, so schafft es frech
Der Landenberger drüben überm See –
Es kommt kein Fischerkahn zu uns herüber,
Der nicht ein neues Unheil und Gewalt-
Beginnen von den Vögten uns verkündet. 285
Drum tät es gut, daß eurer etliche,
Die's redlich meinen, still zu Rate gingen,
Wie man des Drucks sich möcht erledigen,
So acht ich wohl, Gott würd euch nicht verlassen
Und der gerechten Sache gnädig sein – 290
Hast du in Uri keinen Gastfreund, sprich,
Dem du dein Herz magst redlich offenbaren?
STAUFFACHER. Der wackern Männer kenn ich viele dort,
Und angesehen große Herrenleute,
Die mir geheim sind und gar wohl vertraut. (*Er steht auf*)
Frau, welchen Sturm gefährlicher Gedanken 296
Weckst du mir in der stillen Brust! Mein Innerstes
Kehrst du ans Licht des Tages mir entgegen,
Und was ich mir zu denken still verbot,
Du sprichsts mit leichter Zunge kecklich aus. 300
– Hast du auch wohl bedacht, was du mir rätst?
Die wilde Zwietracht und den Klang der Waffen
Rufst du in dieses friedgewohnte Tal –
*Wir wagten es, ein schwaches Volk der Hirten,
In Kampf zu gehen mit dem Herrn der Welt? 305
Der gute Schein nur ists, worauf sie warten,
Um loszulassen auf dies arme Land
Die wilden Horden ihrer Kriegesmacht,
Darin zu schalten mit des Siegers Rechten
Und unterm Schein gerechter Züchtigung 310
Die alten Freiheitsbriefe zu vertilgen.
GERTRUD. Ihr seid *auch* Männer, wisset eure Axt
Zu führen, und dem Mutigen hilft Gott!
STAUFFACHER. O Weib! Ein furchtbar wütend Schrecknis ist

Der Krieg, die Herde schlägt er und den Hirten.   315

GERTRUD. Ertragen muß man, was der Himmel sendet,
*Unbilliges erträgt kein edles Herz.

STAUFFACHER. Dies Haus erfreut dich, das wir neu erbauten.
Der Krieg, der ungeheure, brennt es nieder.

GERTRUD. Wüßt ich mein Herz an zeitlich Gut gefesselt,   320
*Den Brand wärf ich hinein mit eigner Hand.

STAUFFACHER.
Du glaubst an Menschlichkeit! Es schont der Krieg
Auch nicht das zarte Kindlein in der Wiege.

GERTRUD. Die Unschuld hat im Himmel einen Freund!
– Sieh vorwärts, Werner, und nicht hinter dich.   325

STAUFFACHER. Wir Männer können tapfer fechtend sterben,
Welch Schicksal aber wird das *eure* sein?

GERTRUD. Die letzte Wahl steht auch dem Schwächsten
offen,
*Ein Sprung von dieser Brücke macht mich frei.

STAUFFACHER (*stürzt in ihre Arme*).
Wer solch ein Herz an seinen Busen drückt,   330
Der kann für Herd und Hof mit Freuden fechten,
Und keines Königs Heermacht fürchtet er –
Nach Uri fahr ich stehnden Fußes gleich,
Dort lebt ein Gastfreund mir, Herr Walter Fürst,
Der über diese Zeiten denkt wie ich.   335
*Auch find ich dort den edeln Bannerherrn
Von Attinghaus – obgleich von hohem Stamm
Liebt er das Volk und ehrt die alten Sitten.
Mit ihnen beiden pfleg ich Rats, wie man
Der Landesfeinde mutig sich erwehrt –   340
*Leb wohl – und weil ich fern bin, führe du
Mit klugem Sinn das Regiment des Hauses –
Dem Pilger, der zum Gotteshause wallt,
Dem frommen Mönch, der für sein Kloster sammelt,
Gib reichlich und entlaß ihn wohl gepflegt.   345
Stauffachers Haus verbirgt sich nicht. Zu äußerst
Am offnen Heerweg stehts, ein wirtlich Dach
Für alle Wandrer, die des Weges fahren.

(Indem sie nach dem Hintergrunde abgehen, tritt WILHELM
TELL *mit* BAUMGARTEN *vorn auf die Szene)*

TELL *(zu Baumgarten).*
  Ihr habt jetzt meiner weiter nicht vonnöten,
• Zu jenem Hause gehet ein, dort wohnt   350
  Der Stauffacher, ein Vater der Bedrängten.
  – Doch sieh, da ist er selber – Folgt mir, kommt!

  (Gehen auf ihn zu, die Szene verwandelt sich)

Dritte Szene

* Öffentlicher Platz bei Altdorf

*Auf einer Anhöhe im Hintergrund sieht man eine Feste bauen,
welche schon so weit gediehen, daß sich die Form des Ganzen
darstellt. Die hintere Seite ist fertig, an der vordern wird eben
gebaut, das Gerüste steht noch, an welchem die Werkleute auf und
nieder steigen; auf dem höchsten Dach hängt der Schieferdecker. –
Alles ist in Bewegung und Arbeit*

FRONVOGT. MEISTER STEINMETZ. GESELLEN
und HANDLANGER

FRONVOGT *(mit dem Stabe, treibt die Arbeiter).*
  *Nicht lang gefeiert, frisch! Die Mauersteine
  Herbei, den Kalk, den Mörtel zugefahren!
  Wenn der Herr Landvogt kommt, daß er das Werk   355
  Gewachsen sieht – Das schlendert wie die Schnecken.

  (Zu zwei Handlangern, welche tragen)

  Heißt das geladen? Gleich das Doppelte!
  *Wie die Tagdiebe ihre Pflicht bestehlen!
ERSTER GESELL. Das ist doch hart, daß wir die Steine selbst
  *Zu unserm Twing und Kerker sollen fahren!   360
FRONVOGT. Was murret ihr? Das ist ein schlechtes Volk,
  Zu nichts anstellig, als das Vieh zu melken,

Und faul herum zu schlendern auf den Bergen.

ALTER MANN (*ruht aus*). Ich kann nicht mehr.

FRONVOGT (*schüttelt ihn*).   Frisch, Alter, an die Arbeit!

*ERSTER GESELL. Habt Ihr denn gar kein Eingeweid, daß Ihr
    Den Greis, der kaum sich selber schleppen kann,   366
    Zum harten Frondienst treibt?

MEISTER STEINMETZ UND GESELLEN. 's ist himmelschreiend!

FRONVOGT. Sorgt ihr für euch, ich tu, was meines Amts.

ZWEITER GESELL.
    Fronvogt, wie wird die Feste denn sich nennen,
    Die wir da baun?

FRONVOGT.   *Zwing Uri* soll sie heißen,   370
    Denn unter dieses Joch wird man euch beugen.

GESELLEN. Zwing Uri!

FRONVOGT.   Nun, was gibts dabei zu lachen?

ZWEITER GESELL. Mit diesem Häuslein wollt ihr Uri zwingen?

ERSTER GESELL. Laß sehn, wieviel man solcher Maulwurfs-
    haufen
    Muß übernander setzen, bis ein Berg   375
    Draus wird, wie der geringste nur in Uri!

       (*Fronvogt geht nach dem Hintergrund*)

MEISTER STEINMETZ. Den Hammer werf ich in den tiefsten See,
    Der mir gedient bei diesem Fluchgebäude!

       (TELL *und* STAUFFACHER *kommen*)

*STAUFFACHER. O hätt ich nie gelebt, um das zu schauen!

TELL. Hier ist nicht gut sein. Laßt uns weitergehn.   380

STAUFFACHER. Bin ich zu Uri, in der Freiheit Land?

MEISTER STEINMETZ. O Herr, wenn Ihr die Keller erst gesehn
    Unter den Türmen! Ja, wer *die* bewohnt,
    *Der wird den Hahn nicht fürder krähen hören!

STAUFFACHER. O Gott!

*STEINMETZ.   Seht diese Flanken, diese Strebepfeiler,
    Die stehn, wie für die Ewigkeit gebaut!   386

*TELL. Was Hände bauten, können Hände stürzen.

       (*Nach den zn Bergeeigend*)

Das Haus der Freiheit hat uns Gott gegründet.

(*Man hört eine Trommel, es kommen Leute, die einen Hut auf einer Stange tragen, ein* AUSRUFER *folgt ihnen, Weiber und Kinder dringen tumultuarisch nach*)

ERSTER GESELL. Was will die Trommel? Gebet acht!
MEISTER STEINMETZ.   Was für
  *Ein Faßnachtsaufzug und was soll der Hut?   390
AUSRUFER. In des Kaisers Namen! Höret!
GESELLEN.   Still doch! Höret!
AUSRUFER. Ihr sehet diesen Hut, Männer von Uri!
  *Aufrichten wird man ihn auf hoher Säule,
  Mitten in Altdorf, an dem höchsten Ort,
  Und dieses ist des Landvogts Will und Meinung: 395
  Dem Hut soll gleiche Ehre wie ihm selbst geschehn,
  Man soll ihn mit gebognem Knie und mit
  Entblößtem Haupt verehren – Daran will
  Der König die Gehorsamen erkennen.
  Verfallen ist mit seinem Leib und Gut   400
  Dem Könige, wer das Gebot verachtet.

(*Das Volk lacht laut auf, die Trommel wird gerührt, sie gehen vorüber*)

*ERSTER GESELL. Welch neues Unerhörtes hat der Vogt
  Sich ausgesonnen! Wir 'nen *Hut* verehren!
  Sagt! Hat man je vernommen von dergleichen?
MEISTER STEINMETZ. Wir unsre Knie beugen einem Hut! 405
  Treibt er sein Spiel mit ernsthaft würdgen Leuten?
ERSTER GESELL. Wärs noch die kaiserliche Kron! So ists
  Der Hut von Österreich, ich sah ihn hangen
  Über dem Thron, wo man die Lehen gibt!
MEISTER STEINMETZ. Der Hut von Österreich! Gebt acht, es ist   410
  Ein Fallstrick, uns an Östreich zu verraten!
GESELLEN. Kein Ehrenmann wird sich der Schmach beque-
  men.

MEISTER STEINMETZ.
   Kommt, laßt uns mit den andern Abred nehmen.

   (*Sie gehen nach der Tiefe*)

TELL (*zum Stauffacher*).
   *Ihr wisset nun Bescheid. Lebt wohl, Herr Werner!
STAUFFACHER. Wo wollt Ihr hin? O eilt nicht so von dannen.
TELL. Mein Haus entbehrt des Vaters. Lebet wohl.   416
STAUFFACHER. Mir ist das Herz so voll, mit Euch zu reden.
TELL. Das schwere Herz wird nicht durch Worte leicht.
STAUFFACHER. Doch könnten Worte uns zu Taten führen.
TELL. Die einzge Tat ist jetzt Geduld und Schweigen.   420
STAUFFACHER. Soll man ertragen, was unleidlich ist?
*TELL. Die schnellen Herrscher sinds, die kurz regieren.
   – Wenn sich der Föhn erhebt aus seinen Schlünden,
   *Löscht man die Feuer aus, die Schiffe suchen
   Eilends den Hafen, und der mächtge Geist   425
   Geht ohne Schaden, spurlos, über die Erde.
   Ein jeder lebe still bei sich daheim,
   Dem Friedlichen gewährt man gern den Frieden.
STAUFFACHER. Meint Ihr?
TELL.   Die Schlange sticht nicht ungereizt.
   Sie werden endlich doch von selbst ermüden,   430
   *Wenn sie die Lande ruhig bleiben sehn.
STAUFFACHER. Wir könnten viel, wenn wir zusammenstünden.
TELL. Beim Schiffbruch hilft der einzelne sich leichter.
STAUFFACHER. So kalt verlaßt Ihr die gemeine Sache?
TELL. Ein jeder zählt nur sicher auf sich selbst.   435
STAUFFACHER. Verbunden werden auch die Schwachen mächtig.
TELL. Der Starke ist am mächtigsten *allein*.
STAUFFACHER. So kann das Vaterland auf Euch nicht zählen,
   *Wenn es verzweiflungsvoll zur Notwehr greift?
TELL (*gibt ihm die Hand*).
   Der Tell holt ein verlornes Lamm vom Abgrund,   440
   Und sollte seinen Freunden sich entziehen?
   Doch *was* ihr tut, laßt mich aus eurem *Rat*,
   Ich kann nicht lange prüfen oder wählen,

Bedürft ihr meiner zu bestimmter *Tat*,
Dann ruft den Tell, es soll an mir nicht fehlen.   445

(*Gehen ab zu verschiedenen Seiten. Ein plötzlicher Auflauf
entsteht um das Gerüste.*)

MEISTER STEINMETZ (*eilt hin*). Was gibts?
ERSTER GESELL (*kommt vor, rufend*). Der Schieferdecker ist
vom Dach gestürzt.

(BERTA *mit Gefolge*)

BERTA (*stürzt herein*). Ist er zerschmettert? Rennet, rettet,
helft –
Wenn Hilfe möglich, rettet, hier ist Gold –

(*Wirft ihr Geschmeide unter das Volk*)

*MEISTER. Mit eurem Golde – Alles ist euch feil
Um Gold; wenn ihr den Vater von den Kindern   450
Gerissen und den Mann von seinem Weibe,
Und Jammer habt gebracht über die Welt,
Denkt ihrs mit Golde zu vergüten – Geht!
Wir waren frohe Menschen, eh ihr kamt,
Mit euch ist die Verzweiflung eingezogen.   455
BERTA (*zu dem Fronvogt, der zurückkommt*).
*Lebt er? (*Fronvogt gibt ein Zeichen des Gegenteils*)
O unglückseliges Schloß, mit Flüchen
Erbaut, und Flüche werden dich bewohnen! (*Geht ab*)

Vierte Szene

Walter Fürsts Wohnung

WALTER FÜRST *und* ARNOLD VOM MELCHTHAL *treten
zugleich ein, von verschiedenen Seiten.*

MELCHTHAL. Herr Walter Fürst –
WALTER FÜRST.   Wenn man uns überraschte!
*Bleibt, wo Ihr seid. Wir sind umringt von Spähern.
MELCHTHAL. Bringt Ihr mir nichts von Unterwalden? Nichts

Von meinem Vater? Nicht ertrag ichs länger,   461
Als ein Gefangner müßig hier zu liegen.
Was hab ich denn so Sträfliches getan,
Um mich gleich einem Mörder zu verbergen?
Dem frechen Buben, der die Ochsen mir,   465
Das trefflichste Gespann, vor meinen Augen
Weg wollte treiben auf des Vogts Geheiß,
Hab ich den Finger mit dem Stab gebrochen.
*WALTER FÜRST. Ihr seid zu rasch. Der Bube war des Vogts,
Von Eurer Obrigkeit war er gesendet,   470
Ihr wart in Straf gefallen, mußtet Euch,
Wie schwer sie war, der Buße schweigend fügen.
MELCHTHAL. Ertragen sollt ich die leichtfertge Rede
Des Unverschämten: „Wenn der Bauer Brot
Wollt essen, mög er selbst am Pfluge ziehn!"   475
In die Seele schnitt mirs, als der Bub die Ochsen,
Die schönen Tiere, von dem Pfluge spannte;
Dumpf brüllten sie, als hätten sie Gefühl
Der Ungebühr, und stießen mit den Hörnern,
Da übernahm mich der gerechte Zorn,   480
Und meiner selbst nicht Herr, schlug ich den Boten.
WALTER FÜRST. O kaum bezwingen wir das eigne Herz,
Wie soll die rasche Jugend sich bezähmen!
MELCHTHAL. Mich jammert nur der Vater – Er bedarf
So sehr der Pflege, und sein Sohn ist fern.   485
Der Vogt ist ihm gehässig, weil er stets
Für Recht und Freiheit redlich hat gestritten.
Drum werden sie den alten Mann bedrängen,
Und niemand ist, der ihn vor Unglimpf schütze.
– Werde mit mir was will, ich muß hinüber.   490
WALTER FÜRST. Erwartet nur und faßt Euch in Geduld,
Bis Nachricht uns herüber kommt vom Walde.
– Ich höre klopfen, geht – Vielleicht ein Bote
Vom Landvogt – Geht hinein – Ihr seid in Uri
Nicht sicher vor des Landenbergers Arm,   495
Denn die Tyrannen reichen sich die Hände.
MELCHTHAL. Sie lehren uns, was *wir* tun sollten.

WALTER FÜRST.   Geht!
  Ich ruf Euch wieder, wenns hier sicher ist.

        (*Melchthal geht hinein*)

  Der Unglückselige, ich darf ihm nicht
  *Gestehen, was mir Böses schwant – Wer klopft?   500
  So oft die Türe rauscht, erwart ich Unglück.
  Verrat und Argwohn lauscht in allen Ecken,
  Bis in das Innerste der Häuser dringen
  Die Boten der Gewalt; bald tät es not,
  Wir hätten Schloß und Riegel an den Türen.   505
  (*Er öffnet und tritt erstaunt zurück, da* WERNER STAUF-
  FACHER *hereintritt*) Was seh ich? Ihr, Herr Werner! Nun,
      bei Gott!
  Ein werter, teurer Gast – Kein beßrer Mann
  Ist über diese Schwelle noch gegangen.
  Seid hoch willkommen unter meinem Dach!
  Was führt Euch her? Was sucht Ihr hier in Uri?   510
STAUFFACHER (*ihm die Hand reichend*).
  Die alten Zeiten und die alte Schweiz.
WALTER FÜRST. Die bringt Ihr mit Euch – Sieh, mir wird so
      wohl,
  Warm geht das Herz mir auf bei Eurem Anblick.
  – Setzt Euch, Herr Werner – Wie verließet Ihr
  Frau Gertrud, Eure angenehme Wirtin,   515
  Des weisen Ibergs hochverständge Tochter?
  Von allen Wandrern aus dem deutschen Land,
  *Die über Meinrads Zell nach Welschland fahren,
  Rühmt jeder Euer gastlich Haus – Doch sagt,
  Kommt Ihr soeben frisch von Flüelen her,   520
  Und habt Euch nirgend sonst noch umgesehn,
  Eh Ihr den Fuß gesetzt auf diese Schwelle?
STAUFFACHER (*setzt sich*).
  Wohl ein erstaunlich neues Werk hab ich
  Bereiten sehen, das mich nicht erfreute.
WALTER FÜRST. O Freund, da habt Ihrs gleich mit *einem*
      Blicke!   525

D

STAUFFACHER. Ein solches ist in Uri nie gewesen –
  *Seit Menschendenken war kein Twinghof hier,
  Und fest war keine Wohnung als das Grab.
WALTER FÜRST.
  Ein Grab der Freiheit ists. Ihr nennts mit Namen.
*STAUFFACHER. Herr Walter Fürst, ich will Euch nicht ver-
    halten, 530
  Nicht eine müßge Neugier führt mich her,
  Mich drücken schwere Sorgen – Drangsal hab ich
  Zu Haus verlassen, Drangsal find ich hier.
  Denn ganz unleidlich ists, was wir erdulden,
  Und dieses Dranges ist kein Ziel zu sehn. 535
*Frei war der Schweizer von uralters her,
  Wir sinds gewohnt, daß man uns gut begegnet,
  Ein solches war im Lande nie erlebt,
  Solang ein Hirte trieb auf diesen Bergen.
WALTER FÜRST. Ja, es ist ohne Beispiel, wie sies treiben! 540
  *Auch unser edler Herr von Attinghausen,
  Der noch die alten Zeiten hat gesehn,
  Meint selber, es sei nicht mehr zu ertragen.
STAUFFACHER. Auch drüben unterm Wald geht Schweres vor,
  Und blutig wirds gebüßt – Der Wolfenschießen, 545
  Des Kaisers Vogt, der auf dem Roßberg hauste,
  *Gelüsten trug er nach verbotner Frucht,
  Baumgartens Weib, der haushält zu Alzellen,
  Wollt er zu frecher Ungebühr mißbrauchen,
  Und mit der Axt hat ihn der Mann erschlagen. 550
*WALTER FÜRST. O die Gerichte Gottes sind gerecht!
  *– Baumgarten, sagt Ihr? Ein bescheidner Mann!
  Er ist gerettet doch und wohl geborgen?
STAUFFACHER. Euer Eidam hat ihn übern See geflüchtet,
  Bei mir zu Steinen halt ich ihn verborgen – 555
  – Noch Greulichers hat mir derselbe Mann
  Berichtet, was zu Sarnen ist geschehn.
  Das Herz muß jedem Biedermanne bluten.
WALTER FÜRST (*aufmerksam*).
  Sagt an, was ists?

STAUFFACHER.   Im Melchthal, da, wo man
  Eintritt bei Kerns, wohnt ein gerechter Mann,   560
  Sie nennen ihn den Heinrich von der Halden,
  Und seine Stimm gilt was in der Gemeinde.
WALTER FÜRST.
  Wer kennt ihn nicht! Was ists mit ihm! Vollendet!
STAUFFACHER. Der Landenberger büßte seinen Sohn
  Um kleinen Fehlers willen, ließ die Ochsen,   565
  Das beste Paar, ihm aus dem Pfluge spannen,
  Da schlug der Knab den Knecht und wurde flüchtig.
WALTER FÜRST (*in höchster Spannung*).
  Der Vater aber – sagt, wie stehts um den?
*STAUFFACHER. Den Vater läßt der Landenberger fodern.
  Zur Stelle schaffen soll er ihm den Sohn,   570
  Und da der alte Mann mit Wahrheit schwört,
  Er habe von dem Flüchtling keine Kunde,
  Da läßt der Vogt die Folterknechte kommen –
WALTER FÜRST (*springt auf und will ihn auf die andre Seite führen*).
  O still, nichts mehr!
STAUFFACHER (*mit steigendem Ton*). „Ist mir der Sohn entgangen,
  So hab ich *dich*!" – Läßt ihn zu Boden werfen,   575
  Den spitzgen Stahl ihm in die Augen bohren –
WALTER FÜRST. Barmherzger Himmel!
MELCHTHAL (*stürzt heraus*).   In die Augen, sagt Ihr?
STAUFFACHER (*erstaunt zum Walter Fürst*).
  Wer ist der Jüngling?
MELCHTHAL (*faßt ihn mit krampfhafter Heftigkeit*).
      In die Augen? Redet!
WALTER FÜRST. O der Bejammernswürdige!
STAUFFACHER.   Wer ists?

    (*Da Walter Fürst ihm ein Zeichen gibt*)

  Der Sohn ists? Allgerechter Gott!   580
MELCHTHAL.   Und ich
  Muß ferne sein! – In seine beiden Augen?

WALTER FÜRST. Bezwinget Euch, ertragt es wie ein Mann!
MELCHTHAL. Um *meiner* Schuld, um *meines* Frevels willen!
 – Blind also! Wirklich *blind* und *ganz* geblendet?
STAUFFACHER. Ich sagts. Der Quell des Sehns ist ausgeflossen,
 Das Licht der Sonne schaut er niemals wieder.   586
WALTER FÜRST.
 Schont seines Schmerzens!
MELCHTHAL.   Niemals! Niemals wieder!

(*Er drückt die Hand vor die Augen und schweigt einige
Momente, dann wendet er sich von dem einen zu dem andern
und spricht mit sanfter, von Tränen erstickter Stimme*)

 *O, eine edle Himmelsgabe ist
 Das Licht des Auges – Alle Wesen leben
 Vom Lichte, jedes glückliche Geschöpf –   590
 Die Pflanze selbst kehrt freudig sich zum Lichte.
 Und *er* muß sitzen, fühlend, in der Nacht,
 Im ewig Finstern – ihn erquickt nicht mehr
 Der Matten warmes Grün, der Blumen Schmelz,
 Die roten Firnen kann er nicht mehr schauen –   595
 Sterben ist nichts – doch *leben* und nicht *sehen*,
 Das ist ein Unglück – Warum seht ihr mich
 So jammernd an? Ich hab zwei frische Augen,
 Und kann dem blinden Vater keines geben,
 Nicht einen Schimmer von dem Meer des Lichts,   600
 Das glanzvoll, blendend, mir ins Auge dringt.
STAUFFACHER. Ach, ich muß Euren Jammer noch vergrößern,
 Statt ihn zu heilen – Er bedarf noch mehr!
 Denn alles hat der Landvogt ihm geraubt,
 Nichts hat er ihm gelassen als den Stab,   605
 Um nackt und blind von Tür zu Tür zu wandern.
MELCHTHAL. Nichts als den Stab dem augenlosen Greis!
 Alles geraubt, und auch das Licht der Sonne,
 Des Ärmsten allgemeines Gut – Jetzt rede
 Mir keiner mehr von Bleiben, von Verbergen!   610
 Was für ein feiger Elender bin ich,
 Daß ich auf *meine* Sicherheit gedacht,

Und nicht auf deine – dein geliebtes Haupt
Als Pfand gelassen in des Wütrichs Händen!
Feigherzge Vorsicht, fahre hin – Auf nichts   615
Als blutige Vergeltung will ich denken –
Hinüber will ich – Keiner soll mich halten –
Des Vaters Auge von dem Landvogt fodern –
Aus allen seinen Reisigen heraus
*Will ich ihn finden – Nichts liegt mir am Leben,   620
Wenn ich den heißen, ungeheuren Schmerz
In seinem Lebensblute kühle. (*Er will gehen*)
WALTER FÜRST.   Bleibt!
Was könnt Ihr gegen ihn? Er sitzt zu Sarnen
Auf seiner hohen Herrenburg und spottet
Ohnmächtgen Zorns in seiner sichern Feste.   625
MELCHTHAL. Und wohnt' er droben auf dem Eispalast
*Des Schreckhorns oder höher, wo die Jungfrau
*Seit Ewigkeit verschleiert sitzt – *Ich* mache
Mir Bahn zu ihm; mit zwanzig Jünglingen,
Gesinnt wie ich, zerbrech ich seine Feste.   630
Und wenn mir niemand folgt, und wenn ihr alle,
Für eure Hütten bang und eure Herden,
Euch dem Tyrannenjoche beugt – die Hirten
Will ich zusammenrufen im Gebirg,
Dort, unterm freien Himmelsdache, wo   635
Der Sinn noch frisch ist und das Herz gesund,
Das ungeheuer Gräßliche erzählen.
STAUFFACHER (*zu Walter Fürst*).
*Es ist auf seinem Gipfel – Wollen wir
Erwarten, bis das Äußerste –
MELCHTHAL.   Welch Äußerstes
Ist noch zu fürchten, wenn der Stern des Auges   640
In seiner Höhle nicht mehr sicher ist?
– Sind wir denn wehrlos? Wozu lernten wir
*Die Armbrust spannen und die schwere Wucht
Der Streitaxt schwingen? Jedem Wesen ward
*Ein Notgewehr in der Verzweiflungsangst,   645
Es stellt sich der erschöpfte Hirsch und zeigt

Der Meute sein gefürchtetes Geweih,
Die Gemse reißt den Jäger in den Abgrund –
Der Pflugstier selbst, der sanfte Hausgenoß
Des Menschen, der die ungeheure Kraft   650
Des Halses duldsam unters Joch gebogen,
Springt auf, gereizt, wetzt sein gewaltig Horn
Und schleudert seinen Feind den Wolken zu.

WALTER FÜRST. Wenn die drei Lande dächten wie wir drei,
    *So möchten wir vielleicht etwas vermögen.   655

STAUFFACHER. Wenn Uri ruft, wenn Unterwalden hilft,
    *Der Schwyzer wird die alten Bünde ehren.

MELCHTHAL. Groß ist in Unterwalden meine Freundschaft,
    Und jeder wagt mit Freuden Leib und Blut,
    Wenn er am andern einen Rücken hat   660
    Und Schirm – O fromme Väter dieses Landes!
    Ich stehe nur ein Jüngling zwischen euch,
    Den Vielerfahrnen – meine Stimme muß
    Bescheiden schweigen in der Landsgemeinde.
    Nicht, weil ich jung bin und nicht viel erlebte,   665
    Verachtet meinen Rat und meine Rede,
    Nicht lüstern jugendliches Blut, mich treibt
    Des höchsten Jammers schmerzliche Gewalt,
    *Was auch den Stein des Felsens muß erbarmen.
    Ihr selbst seid Väter, Häupter eines Hauses   670
    Und wünscht euch einen tugendhaften Sohn,
    Der eures Hauptes heilge Locken ehre
    Und euch den Stern des Auges fromm bewache.
    O, weil ihr selbst an eurem Leib und Gut
    Noch nichts erlitten, eure Augen sich   675
    Noch frisch und hell in ihren Kreisen regen,
    So sei euch darum unsre Not nicht fremd.
    Auch über euch hängt das Tyrannenschwert,
    Ihr habt das Land von Östreich abgewendet,
    Kein anderes war meines Vaters Unrecht,   680
    *Ihr seid in gleicher Mitschuld und Verdammnis.

STAUFFACHER (zu Walter Fürst).
    Beschließet Ihr! Ich bin bereit zu folgen.

WALTER FÜRST. Wir wollen hören, was die edeln Herrn
   *Von Sillinen, von Attinghausen raten –
   Ihr Name, denk ich, wird uns Freunde werben.   685

MELCHTHAL. Wo ist ein Name in dem Waldgebirg
   Ehrwürdiger als Eurer und der Eure?
   An solcher Namen echte Währung glaubt
   Das Volk, sie haben guten Klang im Lande.
   Ihr habt ein reiches Erb von Vätertugend   690
   Und habt es selber reich vermehrt – Was brauchts
   Des Edelmanns? Laßts uns allein vollenden.
   Wären wir doch allein im Land! Ich meine,
   Wir wollten uns schon selbst zu schirmen wissen.

STAUFFACHER. Die Edeln drängt nicht gleiche Not mit uns,
   Der Strom, der in den Niederungen wütet,   696
   Bis jetzt hat er die Höhn noch nicht erreicht –
   *Doch ihre Hilfe wird uns nicht entstehn,
   Wenn sie das Land in Waffen erst erblicken.

*WALTER FÜRST. Wäre ein Obmann zwischen uns und
      Östreich,   700
   So möchte Recht entscheiden und Gesetz,
   Doch, der uns unterdrückt, ist unser Kaiser
   *Und höchster Richter – so muß *Gott uns helfen*
   Durch unsern Arm – Erforschet *Ihr* die Männer
   Von Schwyz, *ich* will in Uri Freunde werben.   705
   Wen aber senden wir nach Unterwalden –

MELCHTHAL. Mich sendet hin – wem läg es näher an –

WALTER FÜRST. Ich gebs nicht zu, Ihr seid mein Gast, ich muß
   Für Eure Sicherheit gewähren!

MELCHTHAL.   Laßt mich!
   *Die Schliche kenn ich und die Felsensteige,   710
   Auch Freunde find ich gnug, die mich dem Feind
   Verhehlen und ein Obdach gern gewähren.

STAUFFACHER. Laßt ihn mit Gott hinübergehn. Dort drüben
   Ist kein Verräter – so verabscheut ist
   Die Tyrannei, daß sie kein Werkzeug findet.   715
   *Auch der Alzeller soll uns nid dem Wald
   Genossen werben und das Land erregen.

MELCHTHAL. Wie bringen wir uns sichre Kunde zu,
Daß wir den Argwohn der Tyrannen täuschen?
*STAUFFACHER. Wir könnten uns zu Brunnen oder Treib   720
Versammeln, wo die Kaufmannsschiffe landen.
WALTER FÜRST. So offen dürfen wir das Werk nicht treiben.
– Hört meine Meinung. Links am See, wenn man
*Nach Brunnen fährt, dem Mytenstein grad über,
Liegt eine Matte heimlich im Gehölz,   725
Das Rütli heißt sie bei dem Volk der Hirten,
Weil dort die Waldung ausgereutet ward.
Dort ists, wo unsre Landmark und die Eure (*zu Melchthal*)
Zusammengrenzen, und in kurzer Fahrt (*zu Stauffacher*)
Trägt Euch der leichte Kahn von Schwyz herüber.   730
Auf öden Pfaden können wir dahin
Bei Nachtzeit wandern und uns still beraten.
*Dahin mag jeder zehn vertraute Männer
Mitbringen, die herzeinig sind mit uns,
So können wir gemeinsam das Gemeine   735
Besprechen und mit Gott es frisch beschließen.
STAUFFACHER. So seis. Jetzt reicht mir Eure biedre Rechte,
Reicht Ihr die Eure her, und so, wie wir
Drei Männer jetzo, unter uns, die Hände
Zusammenflechten, redlich, ohne Falsch,   740
*So wollen wir *drei Länder* auch, zu Schutz
Und Trutz, zusammenstehn auf Tod und Leben.
WALTER FÜRST UND MELCHTHAL.
Auf Tod und Leben! (*Sie halten die Hände noch einige Pausen
lang zusammengeflochten und schweigen*)
MELCHTHAL.   Blinder, alter Vater!
Du kannst den Tag der Freiheit nicht mehr *schauen*,
Du sollst ihn *hören* – Wenn von Alp zu Alp   745
Die Feuerzeichen flammend sich erheben,
Die festen Schlösser der Tyrannen fallen,
In deine Hütte soll der Schweizer wallen,
Zu deinem Ohr die Freudenkunde tragen,
Und hell in deiner Nacht soll es dir tagen.   750
(*Sie gehen auseinander*)

ZWEITER AUFZUG

Erste Szene

Edelhof des Freiherrn von Attinghausen

*Ein gotischer Saal mit Wappenschildern und Helmen verziert.
DER FREIHERR *ein Greis von fünfundachtzig Jahren, von hoher
edler Statur, an einem Stabe, worauf ein Gemsenhorn, und in ein
Pelzwams gekleidet.* KUONI *und noch sechs* KNECHTE *stehen
um ihn her mit Rechen und Sensen.* – ULRICH VON RUDENZ
tritt ein in Ritterkleidung

RUDENZ. Hier bin ich, Oheim – Was ist Euer Wille?
ATTINGHAUSEN. Erlaubt, daß ich nach altem Hausgebrauch
    Den Frühtrunk erst mit meinen Knechten teile.

(Er trinkt aus einem Becher, der dann in der Reihe herumgeht)

    Sonst war ich selber mit in Feld und Wald,
    Mit meinem Auge ihren Fleiß regierend,   755
    Wie sie mein Banner führte in der Schlacht,
 *Jetzt kann ich nichts mehr als den Schaffner machen,
    Und kommt die warme Sonne nicht zu mir,
    Ich kann sie nicht mehr suchen auf den Bergen.
 *Und so, in enger stets und engerm Kreis,   760
    Beweg ich mich dem engesten und letzten,
    Wo alles Leben stillsteht, langsam zu,
    Mein Schatte bin ich nur, bald nur mein Name.
KUONI (*zu Rudenz mit dem Becher*).
    Ich brings Euch, Junker.

        (Da Rudenz zaudert, den Becher zu nehmen)

              Trinket frisch! Es geht
    Aus *einem* Becher und aus *einem* Herzen.   765
ATTINGHAUSEN. Geht, Kinder, und wenns Feierabend ist,

31

32   WILHELM TELL

Dann reden wir auch von des Lands Geschäften.

(*Knechte gehen ab*)
(*Attinghausen und Rudenz*)

ATTINGHAUSEN. Ich sehe dich gegürtet und gerüstet,
Du willst nach Altdorf in die Herrenburg?

RUDENZ. Ja, Oheim, und ich darf nicht länger säumen –   770

ATTINGHAUSEN (*setzt sich*).
Hast dus so eilig? Wie? Ist deiner Jugend
Die Zeit so karg gemessen, daß du sie
An deinem alten Oheim mußt ersparen?

RUDENZ. Ich sehe, daß Ihr meiner nicht bedürft,
Ich bin ein Fremdling nur in diesem Hause.   775

ATTINGHAUSEN (*hat ihn lange mit den Augen gemustert*).
Ja leider bist dus. Leider ist die Heimat
Zur Fremde dir geworden! – Uly! Uly!
Ich kenne dich nicht mehr. In Seide prangst du,
*Die Pfauenfeder trägst du stolz zur Schau,
Und schlägst den Purpurmantel um die Schultern,   780
Den Landmann blickst du mit Verachtung an,
Und schämst dich seiner traulichen Begrüßung.

*RUDENZ. Die Ehr, die ihm gebührt, geb ich ihm gern,
Das Recht, das er sich nimmt, verweigr ich ihm.

*ATTINGHAUSEN. Das ganze Land liegt unterm schweren Zorn
Des Königs – Jedes Biedermannes Herz   786
*Ist kummervoll ob der tyrannischen Gewalt,
Die wir erdulden – Dich allein rührt nicht
Der allgemeine Schmerz – Dich siehet man
Abtrünnig von den Deinen auf der Seite   790
Des Landesfeindes stehen, unsrer Not
Hohnsprechend nach der leichten Freude jagen,
Und buhlen um die Fürstengunst, indes
Dein Vaterland von schwerer Geißel blutet.

RUDENZ.
Das Land ist schwer bedrängt – Warum, mein Oheim?   795
Wer ists, der es gestürzt in diese Not?
*Es kostete ein einzig leichtes Wort,

Um augenblicks des Dranges los zu sein,
Und einen gnädgen Kaiser zu gewinnen.
Weh ihnen, die dem Volk die Augen halten,   800
Daß es dem wahren Besten widerstrebt.
Um eignen Vorteils willen hindern sie,
Daß die Waldstätte nicht zu Östreich schwören,
Wie ringsum alle Lande doch getan.
Wohl tut es ihnen, auf der Herrenbank   805
Zu sitzen mit dem Edelmann – den *Kaiser*
Will man zum Herrn, um *keinen* Herrn zu haben.
ATTINGHAUSEN. Muß ich *das* hören und aus deinem Munde!
RUDENZ. Ihr habt mich aufgefodert, laßt mich enden.
– Welche Person ists, Oheim, die Ihr selbst   810
Hier spielt? Habt Ihr nicht höhern Stolz, als hier
*Landammann oder Bannerherr zu sein
Und neben diesen Hirten zu regieren?
Wie? Ists nicht eine rühmlichere Wahl,
Zu huldigen dem königlichen Herrn,   815
Sich an sein glänzend Lager anzuschließen,
Als Eurer eignen Knechte Pair zu sein,
Und zu Gericht zu sitzen mit dem Bauer?
ATTINGHAUSEN. Ach Uly! Uly! Ich erkenne sie,
Die Stimme der Verführung! Sie ergriff   820
Dein offnes Ohr, sie hat dein Herz vergiftet.
RUDENZ. Ja, ich verberg es nicht – in tiefer Seele
Schmerzt mich der Spott der Fremdlinge, die uns
*Den *Baurenadel* schelten – Nicht ertrag ichs,
Indes die edle Jugend rings umher   825
Sich Ehre sammelt unter Habsburgs Fahnen,
Auf meinem Erb hier müßig stillzuliegen
*Und bei gemeinem Tagewerk den Lenz
Des Lebens zu verlieren – Anderswo
Geschehen Taten, eine Welt des Ruhms   830
Bewegt sich glänzend jenseits dieser Berge –
Mir rosten in der Halle Helm und Schild,
*Der Kriegstrommete mutiges Getön,
Der Heroldsruf, der zum Turniere ladet,

Er dringt in diese Täler nicht herein, 835
Nichts als den *Kuhreihn* und der Herdeglocken
Einförmiges Geläut vernehm ich hier.
ATTINGHAUSEN. Verblendeter, vom eiteln Glanz verführt!
Verachte dein Geburstland! Schäme dich
Der uralt frommen Sitte deiner Väter! 840
Mit heißen Tränen wirst du dich dereinst
Heim sehnen nach den väterlichen Bergen,
Und dieses Herdenreihens Melodie,
Die du in stolzem Überdruß verschmähst,
Mit Schmerzenssehnsucht wird sie dich ergreifen, 845
*Wenn sie dir anklingt auf der fremden Erde.
O, mächtig ist der Trieb des Vaterlands!
Die fremde falsche Welt ist nicht für dich,
Dort an dem stolzen Kaiserhof bleibst du
Dir ewig fremd mit deinem treuen Herzen! 850
Die Welt, sie fodert andre Tugenden,
Als du in diesen Tälern dir erworben.
– Geh hin, verkaufe deine freie Seele,
*Nimm Land zu Lehen, werd ein Fürstenknecht,
Da du ein Selbstherr sein kannst und ein Fürst 855
Auf deinem eignen Erb und freien Boden.
Ach Uly! Uly! Bleibe bei den Deinen!
Geh nicht nach Altdorf – O, verlaß sie nicht,
Die heilge Sache deines Vaterlands!
– Ich bin der Letzte meines Stamms. Mein Name 860
*Endet mit mir. Da hängen Helm und Schild,
Die werden sie mir in das Grab mitgeben.
Und muß ich denken bei dem letzten Hauch,
*Daß du mein brechend Auge nur erwartest,
Um hinzugehn vor diesen neuen Lehenhof, 865
Und meine edeln Güter, die ich frei
*Von Gott empfing, von Östreich zu empfangen!
RUDENZ. Vergebens widerstreben wir dem König,
Die Welt gehört ihm; wollen wir allein
Uns eigensinnig steifen und verstocken, 870
Die Länderkette ihm zu unterbrechen,

Die er gewaltig rings um uns gezogen?
Sein sind die Märkte, die Gerichte, sein
*Die Kaufmannsstraßen, und das Saumroß selbst,
Das auf dem Gotthard ziehet, muß ihm zollen.   875
Von seinen Ländern wie mit einem Netz
Sind wir umgarnet rings und eingeschlossen.
– Wird uns das Reich beschützen? Kann es selbst
Sich schützen gegen Östreichs wachsende Gewalt?
Hilft Gott uns nicht, kein Kaiser kann uns helfen.   880
Was ist zu geben auf der Kaiser Wort,
Wenn sie in Geld- und Kriegesnot die Städte,
*Die untern Schirm des Adlers sich geflüchtet,
Verpfänden dürfen und dem Reich veräußern?
– Nein, Oheim! Wohltat ists und weise Vorsicht,   885
*In diesen schweren Zeiten der Parteiung
Sich anzuschließen an ein mächtig Haupt.
Die Kaiserkrone geht von Stamm zu Stamm,
Die hat für treue Dienste kein Gedächtnis,
Doch um den mächtgen Erbherrn wohl verdienen,   890
Heißt Saaten in die Zukunft streun.

ATTINGHAUSEN.   Bist du so weise?
Willst heller sehn, als deine edeln Väter,
Die um der Freiheit kostbarn Edelstein
Mit Gut und Blut und Heldenkraft gestritten?
*– Schiff nach Luzern hinunter, frage *dort*,   895
Wie Östreichs Herrschaft lastet auf den Ländern!
Sie werden kommen, unsre Schaf und Rinder
Zu zählen, unsre Alpen abzumessen,
*Den Hochflug und das Hochgewilde bannen
In unsern freien Wäldern, ihren Schlagbaum   900
An unsre Brücken, unsre Tore setzen,
Mit unsrer Armut ihre Länderkäufe,
Mit unserm Blute ihre Kriege zahlen –
– Nein, wenn wir unser Blut dran setzen sollen,
So seis *für uns* – wohlfeiler kaufen wir   905
Die Freiheit als die Knechtschaft ein!

RUDENZ.   Was können wir,

Ein Volk der Hirten, gegen Albrechts Heere!
ATTINGHAUSEN. Lern dieses Volk der Hirten kennen, Knabe!
　Ich kenns, ich hab es angeführt in Schlachten,
　*Ich hab es fechten sehen bei Favenz.   910
　Sie sollen kommen, uns ein Joch aufzwingen,
　Das wir entschlossen sind, *nicht zu ertragen!*
　– O lerne fühlen, welches Stamms du bist!
　Wirf nicht für eiteln Glanz und Flitterschein
　Die echte Perle deines Wertes hin –   915
　Das Haupt zu heißen eines *freien* Volks,
　Das dir aus Liebe nur sich herzlich weiht,
　Das treulich zu dir steht in Kampf und Tod –
　Das sei dein Stolz, *des* Adels rühme dich –
　Die angebornen Bande knüpfe fest,   920
　*Ans Vaterland, ans teure, schließ dich an,
　Das halte fest mit deinem ganzen Herzen.
　Hier sind die starken Wurzeln deiner Kraft,
　Dort in der fremden Welt stehst du allein,
　*Ein schwankes Rohr, das jeder Sturm zerknickt.   925
　O komm, du hast uns lang nicht mehr gesehn,
　Versuchs mit uns nur *einen* Tag – nur heute
　Geh nicht nach Altdorf – Hörst du? Heute nicht,
　Den *einen* Tag nur schenke dich den Deinen!

(Er faßt seine Hand)

RUDENZ. Ich gab mein Wort – Laßt mich – Ich bin gebunden.
ATTINGHAUSEN *(läßt seine Hand los, mit Ernst).*
　Du bist gebunden – Ja, Unglücklicher!   931
　Du bists, doch nicht durch Wort und Schwur,
　Gebunden bist du durch der Liebe Seile!

(Rudenz wendet sich weg)

　– Verbirg dich, wie du willst. Das Fräulein ists,
　Berta von Bruneck, die zur Herrenburg   935
　Dich zieht, dich fesselt an des Kaisers Dienst.
　Das Ritterfräulein willst du dir erwerben
　Mit deinem Abfall von dem Land – Betrüg dich nicht!

*Dich anzulocken zeigt man dir die Braut,
Doch deiner Unschuld ist sie nicht beschieden.   940
RUDENZ. Genug hab ich gehört. Gehabt Euch wohl.

(*Er geht ab*)

ATTINGHAUSEN.
Wahnsinnger Jüngling, bleib! – Er geht dahin!
Ich kann ihn nicht erhalten, nicht erretten –
So ist der Wolfenschießen abgefallen
Von seinem Land – so werden andre folgen,   945
Der fremde Zauber reißt die Jugend fort,
Gewaltsam strebend über unsre Berge.
– O unglückselge Stunde, da das Fremde
In diese still beglückten Täler kam,
Der Sitten fromme Unschuld zu zerstören!   950
Das Neue dringt herein mit Macht, das Alte,
Das Würdge scheidet, andre Zeiten kommen,
Es lebt ein anders denkendes Geschlecht!
Was tu ich hier? Sie sind begraben alle,
Mit denen ich gewaltet und gelebt.   955
Unter der Erde schon liegt *meine* Zeit;
Wohl dem, der mit der *neuen* nicht mehr braucht zu leben!

(*Geht ab*)

Zweite Szene

Eine Wiese von hohen Felsen und Wald umgeben

*Auf den Felsen sind Steige, mit Geländern, auch Leitern, von
denen man nachher die Landleute herabsteigen sieht. Im Hintergrunde zeigt sich der See, über welchem anfangs ein Mondregen-
bogen zu sehen ist. Den Prospekt schließen hohe Berge, hinter
welchen noch höhere Eisgebirge ragen. Es ist völlig Nacht auf der
Szene, nur der See und die weißen Gletscher leuchten im Monden-
licht.* MELCHTHAL, BAUMGARTEN, WINKELRIED, MEIER

VON SARNEN, BURKHARDT AM BÜHEL, ARNOLD VON
SEWA, KLAUS VON DER FLÜE *und noch vier andere* LAND-
LEUTE, *alle bewaffnet*

MELCHTHAL (*noch hinter der Szene*).
　　Der Bergweg öffnet sich, nur frisch *mir* nach,
　　Den Fels erkenn ich und das Kreuzlein drauf,
　　Wir sind am Ziel, hier ist das Rütli.

　　　　　(*Treten auf mit Windlichtern*)

WINKELRIED.　　　　　　　　　Horch!　　　　　960
SEWA. Ganz leer.
MEIER.　　　　　　's ist noch kein Landmann da. Wir sind
　　Die ersten auf dem Platz, wir Unterwaldner.
*MELCHTHAL. Wie weit ists in der Nacht?
BAUMGARTEN.　　　　　　　　　Der Feuerwächter
　　Vom Selisberg hat eben zwei gerufen.

　　　　　(*Man hört in der Ferne läuten*)

MEIER. Still! Horch!
*AM BÜHEL.　　　　Das Mettenglöcklein in der Waldkapelle
　　Klingt hell herüber aus dem Schwyzerland.　　　966
VON DER FLÜE. Die Luft ist rein und trägt den Schall so weit.
MELCHTHAL. Gehn einige und zünden Reisholz an,
　　Daß es loh brenne, wenn die Männer kommen.

　　　　　(*Zwei Landleute gehen*)

*SEWA. 's ist eine schöne Mondennacht. Der See　　　970
　　Liegt ruhig da als wie ein ebner Spiegel.
AM BÜHEL. Sie haben eine leichte Fahrt.
WINKELRIED (*zeigt nach dem See*).　　　Ha, seht!
　　Seht dorthin! Seht ihr nichts?
MEIER.　　　　　　　　Was denn? – Ja, wahrlich!
　　Ein Regenbogen mitten in der Nacht!
MELCHTHAL. Es ist das Licht des Mondes, das ihn bildet.　975
VON DER FLÜE. Das ist ein seltsam wunderbares Zeichen!
　　Es leben viele, die das nicht gesehn.
SEWA. Er ist doppelt, seht, ein blässerer steht drüber.

BAUMGARTEN. Ein Nachen fährt soeben drunter weg.
MELCHTHAL. Das ist der Stauffacher mit seinem Kahn,   980
   Der Biedermann läßt sich nicht lang erwarten.

   (*Geht mit Baumgarten nach dem Ufer*)

*MEIER. Die Urner sind es, die am längsten säumen.
AM BÜHEL. Sie müssen weit umgehen durchs Gebirg,
   Daß sie des Landvogts Kundschaft hintergehen.

(*Unterdessen haben die zwei Landleute in der Mitte des
   Platzes ein Feuer angezündet*)

MELCHTHAL (*am Ufer*).
   Wer ist da? Gebt das Wort!
STAUFFACHER (*von unten*).   Freunde des Landes.   985

   *(*Alle gehen nach der Tiefe, den Kommenden entgegen. Aus dem
   Kahn steigen* STAUFFACHER, ITEL REDING, HANS AUF
   DER MAUER, JÖRG IM HOFE, KONRAD HUNN, ULRICH
   DER SCHMIED, JOST VON WEILER *und noch drei andre*
   LANDLEUTE, *gleichfalls bewaffnet*)

ALLE (*rufen*). Willkommen!

(*Indem die übrigen in der Tiefe verweilen und sich begrüßen,
   kommt Melchthal mit Stauffacher vorwärts*)

MELCHTHAL.   O Herr Stauffacher! Ich hab ihn
   Gesehn, der *mich* nicht wiedersehen konnte!
   Die Hand hab ich gelegt auf seine Augen,
   Und glühend Rachgefühl hab ich gesogen
   Aus der erloschnen Sonne seines Blicks.   990
STAUFFACHER.
   Sprecht nicht von Rache. Nicht Geschehnes rächen,   *noble s.*
   Gedrohtem Übel wollen wir begegnen.   *no revenge*
   – Jetzt sagt, was Ihr im Unterwaldner Land
   Geschafft und für gemeine Sach geworben,
   Wie die Landleute denken, wie Ihr selbst   995
   Den Stricken des Verrats entgangen seid.
*MELCHTHAL. Durch der Surennen furchtbares Gebirg,

Auf weit verbreitet öden Eisesfeldern,
Wo nur der heisre Lämmergeier krächzt,
Gelangt ich zu der Alpentrift, wo sich　　　　　1000
Aus Uri und vom Engelberg die Hirten
Anrufend grüßen und gemeinsam weiden,
*Den Durst mir stillend mit der Gletscher Milch,
*Die in den Runsen schäumend niederquillt.

In den einsamen Sennhütten kehrt ich ein,　　　1005
Mein eigner Wirt und Gast, bis daß ich kam
Zu Wohnungen gesellig lebender Menschen.
– Erschollen war in diesen Tälern schon
Der Ruf des neuen Greuels, der geschehn,
*Und fromme Ehrfurcht schaffte mir mein Unglück　1010
Vor jeder Pforte, wo ich wandernd klopfte.
Entrüstet fand ich diese graden Seelen
*Ob dem gewaltsam neuen Regiment,
Denn so wie ihre Alpen fort und fort
Dieselben Kräuter nähren, ihre Brunnen　　　　1015
Gleichförmig fließen, Wolken selbst und Winde
Den gleichen Strich unwandelbar befolgen,
So hat die alte Sitte hier vom Ahn
Zum Enkel unverändert fortbestanden,
*Nicht tragen sie verwegne Neuerung　　　　　1020
Im altgewohnten gleichen Gang des Lebens.
– Die harten Hände reichten sie mir dar,
Von den Wänden langten sie die rostgen Schwerter,
Und aus den Augen blitzte freudiges
Gefühl des Muts, als ich die Namen nannte,　　　1025
Die im Gebirg dem Landmann heilig sind,
Den Eurigen und Walter Fürsts – Was Euch
Recht würde dünken, schwuren sie zu tun,
Euch schwuren sie bis in den Tod zu folgen.
– So eilt ich sicher unterm heilgen Schirm　　　1030
*Des Gastrechts von Gehöfte zu Gehöfte –
Und als ich kam ins heimatliche Tal,
*Wo mir die Vettern viel verbreitet wohnen –
Als ich den Vater fand, beraubt und blind,

Auf fremdem Stroh, von der Barmherzigkeit   1035
Mildtätger Menschen lebend –
STAUFFACHER.   Herr im Himmel!
MELCHTHAL.
  Da weint ich nicht! Nicht in ohnmächtgen Tränen
  Goß ich die Kraft des heißen Schmerzens aus,
  In tiefer Brust, wie einen teuren Schatz
  Verschloß ich ihn und dachte nur auf Taten.   1040
  Ich kroch durch alle Krümmen des Gebirgs,
  *Kein Tal war so versteckt, ich späht es aus;
  Bis an der Gletscher eisbedeckten Fuß
  Erwartet ich und fand bewohnte Hütten,
  Und überall, wohin mein Fuß mich trug,   1045
  Fand ich den gleichen Haß der Tyrannei,
  Denn bis an diese letzte Grenze selbst
  Belebter Schöpfung, wo der starre Boden
  *Aufhört zu geben, raubt der Vögte Geiz –
  Die Herzen alle dieses biedern Volks   1050
  Erregt ich mit dem Stachel meiner Worte,
  Und unser sind sie all mit Herz und Mund.
STAUFFACHER. Großes habt Ihr in kurzer Frist geleistet.
MELCHTHAL. Ich tat noch mehr. Die beiden Festen sinds,
  *Roßberg und Sarnen, die der Landmann fürchtet,   1055
  Denn hinter ihren Felsenwällen schirmt
  Der Feind sich leicht und schädiget das Land.
  Mit eignen Augen wollt ich es erkunden,
  Ich war zu Sarnen und besah die Burg.
STAUFFACHER. Ihr wagtet Euch bis in des Tigers Höhle?   1060
MELCHTHAL. Ich war verkleidet dort in Pilgerstracht,
  Ich sah den Landvogt an der Tafel schwelgen –
  Urteilt, ob ich mein Herz bezwingen kann:
  Ich sah den Feind, und ich erschlug ihn nicht.
STAUFFACHER. Fürwahr, das Glück war Eurer Kühnheit
  hold.   1065

  (*Unterdessen sind die andern Landleute vorwärtsgekommen und
  nähern sich den beiden*)

*Doch jetzo sagt mir, wer die Freunde sind,
Und die gerechten Männer, die Euch folgten?
Macht mich bekannt mit ihnen, daß wir uns
Zutraulich nahen und die Herzen öffnen.

MEIER. Wer kennte *Euch* nicht, Herr, in den drei Landen?
Ich bin der Meir von Sarnen, dies hier ist   1071
*Mein Schwestersohn, der Struth von Winkelried.

STAUFFACHER. Ihr nennt mir keinen unbekannten Namen.
Ein Winkelried wars, der den Drachen schlug
Im Sumpf bei Weiler und sein Leben ließ   1075
*In diesem Strauß.

WINKELRIED.   Das war mein Ahn, Herr Werner.

MELCHTHAL (*zeigt auf zwei Landleute*).
Die wohnen hinterm Wald, sind Klosterleute
Vom Engelberg – Ihr werdet sie drum nicht
*Verachten, weil sie *eigne* Leute sind,
Und nicht, wie wir, frei sitzen auf dem Erbe –   1080
*Sie lieben 's Land, sind sonst auch wohl berufen.

STAUFFACHER (*zu den beiden*).
Gebt mir die Hand. Es preise sich, wer keinem
Mit seinem Leibe pflichtig ist auf Erden,
Doch Redlichkeit gedeiht in jedem Stande.

KONRAD HUNN. Das ist Herr Reding, unser Altlandammann.

MEIER. Ich kenn ihn wohl. Er ist mein Widerpart,   1086
Der um ein altes Erbstück mit mir rechtet.
– Herr Reding, wir sind Feinde vor Gericht,
Hier sind wir einig. (*Schüttelt ihm die Hand*)

STAUFFACHER.   Das ist brav gesprochen.

*WINKELRIED. Hört ihr? Sie kommen. Hört das Horn von
    Uri!   1090
(*Rechts und links sieht man bewaffnete Männer mit Wind-*
        lichtern die Felsen herabsteigen)

AUF DER MAUER. Seht! Steigt nicht selbst der fromme Diener
Der würdge Pfarrer mit herab? Nicht scheut er   [Gottes,
Des Weges Mühen und das Graun der Nacht,
Ein treuer Hirte für das Volk zu sorgen.

BAUMGARTEN. Der Sigrist folgt ihm und Herr Walter Fürst,

Doch nicht den Tell erblick ich in der Menge. 1096

(WALTER FÜRST, RÖSSELMANN der Pfarrer, PETER-
MANN der Sigrist, KUONI der Hirt, WERNI der Jäger,
RUODI der Fischer und noch fünf andere LANDLEUTE;
alle zusammen, dreiunddreißig an der Zahl, treten vorwärts
und stellen sich um das Feuer)

WALTER FÜRST. So müssen wir auf unserm eignen Erb
Und väterlichen Boden uns verstohlen
Zusammenschleichen, wie die Mörder tun,
Und bei der Nacht, die ihren schwarzen Mantel   1100
*Nur dem Verbrechen und der sonnenscheuen
Verschwörung leihet, unser gutes Recht
Uns holen, das doch lauter ist und klar,
*Gleichwie der glanzvoll offne Schoß des Tages.
*MELCHTHAL. Laßts gut sein. Was die dunkle Nacht ge-
sponnen,   1105
*Soll frei und fröhlich an das Licht der Sonnen.
*RÖSSELMANN. Hört, was mir Gott ins Herz gibt, Eidgenossen!
Wir stehen hier statt einer Landsgemeinde
Und können gelten für ein ganzes Volk,
So laßt uns tagen nach den alten Bräuchen   1110
Des Lands, wie wirs in ruhigen Zeiten pflegen,
Was ungesetzlich ist in der Versammlung,
*Entschuldige die Not der Zeit. Doch Gott
Ist überall, wo man das Recht verwaltet,
Und unter seinem Himmel stehen wir.   1115
STAUFFACHER. Wohl, laßt uns tagen nach der alten Sitte,
Ist es gleich Nacht, so leuchtet unser Recht.
*MELCHTHAL. Ist gleich die Zahl nicht voll, das *Herz* ist hier
Des ganzen Volks, die *Besten* sind zugegen.
KONRAD HUNN. Sind auch die alten Bücher nicht zur Hand,
Sie sind in unsre Herzen eingeschrieben.   1121
RÖSSELMANN. Wohlan, so sei der Ring sogleich gebildet.
*Man pflanze *auf* die Schwerter der Gewalt.
AUF DER MAUER. Der Landesammann nehme seinen Platz,
Und seine Weibel stehen ihm zur Seite!   1125

SIGRIST. Es sind der Völker dreie. Welchem nun
  Gebührts, das Haupt zu geben der Gemeinde?

MEIER. Um diese Ehr mag Schwyz mit Uri streiten,
  Wir Unterwaldner stehen frei zurück.

*MELCHTHAL. Wir stehn zurück, wir sind die Flehenden, 1130
  Die Hilfe heischen von den mächtgen Freunden.

STAUFFACHER. So nehme Uri denn das Schwert, sein Banner
  *Zieht bei den Römerzügen uns voran.

WALTER FÜRST. Des Schwertes Ehre werde Schwyz zuteil,
  *Denn seines Stammes rühmen wir uns alle.   1135

RÖSSELMANN.
  Den edeln Wettstreit laßt mich freundlich schlichten,
  Schwyz soll im Rat, Uri im Felde führen.

WALTER FÜRST (reicht dem Stauffacher die Schwerter).
  So nehmt!

STAUFFACHER. Nicht mir, dem Alter sei die Ehre.

IM HOFE. Die meisten Jahre zählt Ulrich der Schmied.

AUF DER MAUER. Der Mann ist wacker, doch nicht freien
    Stands,   1140
  Kein eigner Mann kann Richter sein in Schwyz.

*STAUFFACHER. Steht nicht Herr Reding hier der Altland-
    ammann?
  Was suchen wir noch einen Würdigern?

*WALTER FÜRST. Er sei der Ammann und des Tages Haupt!
  Wer dazu stimmt, erhebe seine Hände.   1145

  (Alle heben die rechte Hand auf)

REDING (tritt in die Mitte).
  Ich kann die Hand nicht auf die Bücher legen,
  So schwör ich droben bei den ewgen Sternen,
  Daß ich mich nimmer will vom Recht entfernen.

(Man richtet die zwei Schwerter vor ihm auf, der Ring bildet
sich um ihn her, Schwyz hält die Mitte, rechts stellt sich Uri
und links Unterwalden. Er steht auf sein Schlachtschwert
                      gestützt)

Was ists, das die drei Völker des Gebirgs

Hier an des Sees unwirtlichem Gestade 1150
Zusammenführte in der Geisterstunde?
Was soll der Inhalt sein des neuen Bunds,
Den wir hier unterm Sternenhimmel stiften?
STAUFFACHER (*tritt in den Ring*).
Wir stiften keinen neuen Bund, es ist
*Ein uralt Bündnis nur von Väter Zeit, 1155
Das wir erneuern! Wisset, Eidgenossen!
Ob uns der See, ob uns die Berge scheiden,
Und jedes Volk sich für sich selbst regiert,
So sind wir *eines* Stammes doch und Bluts,
*Und *eine* Heimat ists, aus der wir zogen. 1160
*WINKELRIED. So ist es wahr, wies in den Liedern lautet,
Daß wir von fernher in das Land gewallt?
O, teilts uns mit, was Euch davon bekannt,
Daß sich der neue Bund am alten stärke.
STAUFFACHER. Hört, was die alten Hirten sich erzählen. 1165
– Es war ein großes Volk, hinten im Lande
*Nach Mitternacht, das litt von schwerer Teurung.
In dieser Not beschloß die Landsgemeinde,
*Daß je der zehnte Bürger nach dem Los
Der Väter Land verlasse – das geschah! 1170
Und zogen aus, wehklagend, Männer und Weiber,
Ein großer Heerzug, nach der Mittagsonne,
Mit dem Schwert sich schlagend durch das deutsche Land,
Bis an das Hochland dieser Waldgebirge.
Und eher nicht ermüdete der Zug, 1175
Bis daß sie kamen in das wilde Tal,
*Wo jetzt die Muotta zwischen Wiesen rinnt –
Nicht Menschenspuren waren hier zu sehen,
*Nur eine Hütte stand am Ufer einsam,
Da saß ein Mann und wartete der Fähre – 1180
Doch heftig wogete der See und war
Nicht fahrbar; da besahen sie das Land
Sich näher und gewahrten schöne Fülle
Des Holzes und entdeckten gute Brunnen
Und meinten, sich im lieben Vaterland 1185

Zu finden – Da beschlossen sie zu bleiben,
Erbaueten den alten Flecken Schwyz,
Und hatten manchen sauren Tag, den Wald
Mit weitverschlungnen Wurzeln auszuroden –
Drauf, als der Boden nicht mehr Gnügen tat   1190
Der Zahl des Volks, da zogen sie hinüber
*Zum schwarzen Berg, ja, bis ans Weißland hin,
Wo, hinter ewgem Eiseswall verborgen,
Ein andres Volk in andern Zungen spricht.
Den Flecken Stanz erbauten sie am Kernwald,   1195
Den Flecken Altdorf in dem Tal der Reuß –
Doch blieben sie des Ursprungs stets gedenk,
Aus all den fremden Stämmen, die seitdem
In Mitte ihres Lands sich angesiedelt,
Finden die Schwyzer Männer sich heraus,   1200
Es gibt das Herz, das Blut sich zu erkennen.

(*Reicht rechts und links die Hand hin*)

*AUF DER MAUER. Ja, wir sind *eines* Herzens, *eines* Bluts!
ALLE (*sich die Hände reichend*).
   Wir sind *ein* Volk, und einig wollen wir handeln.
*STAUFFACHER. Die andern Völker tragen fremdes Joch,
   Sie haben sich dem Sieger unterworfen.   1205
   Es leben selbst in unsern Landesmarken
*Der Sassen viel, die fremde Pflichten tragen,
   Und ihre Knechtschaft erbt auf ihre Kinder.
   Doch *wir*, der alten Schweizer echter Stamm,
   Wir haben stets die Freiheit uns bewahrt.   1210
   Nicht unter Fürsten bogen wir das Knie,
*Freiwillig wählten wir den Schirm der Kaiser.
RÖSSELMANN.
   Frei wählten wir des Reiches Schutz und Schirm,
*So stehts bemerkt in Kaiser Friedrichs Brief.
*STAUFFACHER. Denn herrenlos ist auch der Freiste nicht.
   Ein Oberhaupt muß sein, ein höchster Richter,   1216
   Wo man das Recht mag schöpfen in dem Streit.
   Drum haben unsre Väter für den Boden,

Den sie der alten Wildnis abgewonnen,
Die Ehr gegönnt dem Kaiser, der den Herrn   1220
Sich nennt der deutschen und der welschen Erde,
Und, wie die andern Freien seines Reichs,
Sich ihm zu edelm Waffendienst gelobt,
Denn dieses ist der Freien einzge Pflicht,
Das Reich zu schirmen, das sie selbst beschirmt.   1225
MELCHTHAL. Was drüber ist, ist Merkmal eines Knechts.
*STAUFFACHER. Sie folgten, wenn der Heribann erging,
   Dem Reichspanier und schlugen seine Schlachten.
 *Nach Welschland zogen sie gewappnet mit,
   Die Römerkron ihm auf das Haupt zu setzen.   1230
   Daheim regierten sie sich fröhlich selbst
   Nach altem Brauch und eigenem Gesetz,
 *Der höchste Blutbann war allein des Kaisers.
   Und dazu ward bestellt ein großer Graf,
   Der hatte seinen Sitz nicht in dem Lande;   1235
   Wenn Blutschuld kam, so rief man ihn herein,
   Und unter offnem Himmel, schlicht und klar,
   Sprach er das Recht und ohne Furcht der Menschen.
   Wo sind hier Spuren, daß wir Knechte sind?
   Ist einer, der es anders weiß, der rede!   1240
IM HOFE. Nein, so verhält sich alles, wie Ihr sprecht,
   Gewaltherrschaft ward nie bei uns geduldet.
STAUFFACHER. Dem Kaiser selbst versagten wir Gehorsam,
 *Da er das Recht zu Gunst der Pfaffen bog.
   Denn als die Leute von dem Gotteshaus   1245
   Einsiedeln uns die Alp in Anspruch nahmen,
 *Die wir beweidet seit der Väter Zeit,
   Der Abt herfürzog einen alten Brief,
   Der ihm die herrenlose Wüste schenkte –
   Denn unser Dasein hatte man verhehlt –   1250
 *Da sprachen wir: „Erschlichen ist der Brief,
   Kein Kaiser kann, was unser ist, verschenken.
   Und wird uns Recht versagt vom Reich, wir können
   In unsern Bergen auch des Reichs entbehren."
 *– So sprachen unsre Väter! Sollen *wir*   1255

Des neuen Joches Schändlichkeit erdulden,
Erleiden von dem fremden Knecht, was uns
In seiner Macht kein Kaiser durfte bieten?
– Wir haben diesen Boden uns *erschaffen*
Durch unsrer Hände Fleiß, den alten Wald,   1260
Der sonst der Bären wilde Wohnung war,
Zu einem Sitz für Menschen umgewandelt,
Die Brut des Drachen haben wir getötet,
Der aus den Sümpfen giftgeschwollen stieg,
Die Nebeldecke haben wir zerrissen,   1265
Die ewig grau um diese Wildnis hing,
Den harten Fels gesprengt, über den Abgrund
Dem Wandersmann den sichern Steg geleitet,
Unser ist durch tausendjährigen Besitz
Der Boden – und der fremde Herrenknecht   1270
Soll kommen dürfen und uns Ketten schmieden,
Und Schmach antun auf unsrer eignen Erde?
Ist keine Hilfe gegen solchen Drang?

(*Eine große Bewegung unter den Landleuten*)

Nein, eine Grenze hat Tyrannenmacht,
Wenn der Gedrückte nirgends Recht kann finden,   1275
Wenn unerträglich wird die Last – greift er
*Hinauf getrosten Mutes in den Himmel
Und holt herunter seine ewgen Rechte,
Die droben hangen unveräußerlich
Und unzerbrechlich, wie die Sterne selbst –   1280
Der alte Urstand der Natur kehrt wieder,
Wo Mensch dem Menschen gegenübersteht –
Zum letzten Mittel, wenn kein andres mehr
*Verfangen will, ist ihm das Schwert gegeben –
Der Güter höchstes dürfen wir verteidgen   1285
Gegen Gewalt – Wir stehn vor unser Land,
Wir stehn vor unsre Weiber, unsre Kinder!
ALLE (*an ihre Schwerter schlagend*).
Wir stehn vor unsre Weiber, unsre Kinder!
RÖSSELMANN (*tritt in den Ring*).

*Eh ihr zum Schwerte greift, bedenkt es wohl.
Ihr könnt es friedlich mit dem Kaiser schlichten.   1290
Es kostet euch ein Wort, und die Tyrannen,
Die euch jetzt schwer bedrängen, schmeicheln euch.
– Ergreift, was man euch oft geboten hat,
Trennt euch vom Reich, erkennet Östreichs Hoheit –
AUF DER MAUER.
Was sagt der Pfarrer? Wir zu Östreich schwören!   1295
AM BÜHEL. Hört ihn nicht an!
WINKELRIED.   Das rät uns ein Verräter,
Ein Feind des Landes!
REDING.   Ruhig, Eidgenossen!
SEWA. Wir Östreich huldigen, nach solcher Schmach!
VON DER FLÜE. Wir uns abtrotzen lassen durch Gewalt,
Was wir der Güte weigerten!
MEIER.   Dann wären   1300
Wir Sklaven und verdienten es zu sein!
AUF DER MAUER.
Der sei gestoßen aus dem Recht der Schweizer,
Wer von Ergebung spricht an Österreich!
– Landammann, ich bestehe drauf, dies sei
Das erste Landsgesetz, das wir hier geben.   1305
MELCHTHAL.
So seis. Wer von Ergebung spricht an Östreich,
Soll rechtlos sein und aller Ehren bar,
Kein Landmann nehm ihn auf an seinem Feuer.
ALLE (heben die rechte Hand auf).
Wir wollen es, das sei Gesetz!
REDING (nach einer Pause).   Es ists.
*RÖSSELMANN. Jetzt seid ihr frei, ihr seids durch dies Gesetz.
Nicht durch Gewalt soll Österreich ertrotzen,   1311
Was es durch freundlich Werben nicht erhielt –
JOST VON WEILER. Zur Tagesordnung, weiter.
REDING.   Eidgenossen!
Sind alle sanften Mittel auch versucht?
Vielleicht weiß es der König nicht, es ist   1315
Wohl gar sein Wille nicht, was wir erdulden.

Auch dieses letzte sollten wir versuchen,
Erst unsre Klage bringen vor sein Ohr,
Eh wir zum Schwerte greifen. Schrecklich immer,
Auch in gerechter Sache ist Gewalt,   1320
*Gott hilft nur dann, wenn Menschen nicht mehr helfen.
STAUFFACHER (*zu Konrad Hunn*).
*Nun ists an Euch, Bericht zu geben. Redet.
*KONRAD HUNN. Ich war zu Rheinfeld an des Kaisers Pfalz,
Wider der Vögte harten Druck zu klagen,
Den Brief zu holen unsrer alten Freiheit,   1325
Den jeder neue König sonst bestätigt.
Die Boten vieler Städte fand ich dort,
Vom schwäbschen Lande und vom Lauf des Rheins,
Die all erhielten ihre Pergamente,
Und kehrten freudig wieder in ihr Land.   1330
Mich, *euren* Boten, wies man an die Räte,
Und die entließen mich mit leerem Trost:
„Der Kaiser habe diesmal keine Zeit,
Er würde sonst einmal wohl an uns denken."
– Und als ich traurig durch die Säle ging   1335
Der Königsburg, da sah ich Herzog Hansen
*In einem Erker weinend stehn, um ihn
*Die edeln Herrn von Wart und Tegerfeld.
Die riefen mir und sagten: „Helft euch selbst,
Gerechtigkeit erwartet nicht vom König.   1340
Beraubt er nicht des eignen Bruders Kind,
Und hinterhält ihm sein gerechtes Erbe?
*Der Herzog fleht' ihn um sein Mütterliches,
Er habe seine Jahre voll, es wäre
Nun Zeit, auch Land und Leute zu regieren.   1345
Was ward ihm Bescheid? Ein Kränzlein setzt' ihm
Der Kaiser auf: das sei die Zier der Jugend."
AUF DER MAUER. Ihr habts gehört. Recht und Gerechtigkeit
Erwartet nicht vom Kaiser! Helft euch selbst!
REDING. Nichts andres bleibt uns übrig. Nun gebt Rat, 1350
Wie wir es klug zum frohen Ende leiten.
WALTER FÜRST (*tritt in den Ring*).

Abtreiben wollen wir verhaßten Zwang,
Die alten Rechte, wie wir sie ererbt
Von unsern Vätern, wollen wir bewahren,
Nicht ungezügelt nach dem Neuen greifen.   1355
*Dem Kaiser bleibe, was des Kaisers ist,
Wer einen Herrn hat, dien ihm pflichtgemäß.
MEIER. Ich trage Gut von Österreich zu Lehen.
WALTER FÜRST. Ihr fahret fort, Östreich die Pflicht zu leisten.
*JOST VON WEILER. Ich steure an die Herrn von Rappersweil.
WALTER FÜRST. Ihr fahret fort, zu zinsen und zu steuern. 1361
*RÖSSELMANN. Der großen Frau zu Zürch bin ich vereidet.
WALTER FÜRST. Ihr gebt dem Kloster, was des Klosters ist.
STAUFFACHER. Ich trage keine Lehen als des Reichs.
WALTER FÜRST. Was sein muß, das geschehe, doch nicht
    drüber.   1365
Die Vögte wollen wir mit ihren Knechten
Verjagen und die festen Schlösser brechen,
Doch, wenn es sein mag, ohne Blut. Es sehe
Der Kaiser, daß wir notgedrungen nur
Der Ehrfurcht fromme Pflichten abgeworfen.   1370
Und sieht er uns in unsern Schranken bleiben,
*Vielleicht besiegt er staatsklug seinen Zorn,
*Denn billge Furcht erwecket sich ein Volk,
Das mit dem Schwerte in der Faust sich *mäßigt*.
REDING. Doch lasset hören! *Wie* vollenden wirs?   1375
Es hat der Feind die Waffen in der Hand,
Und nicht fürwahr in Frieden wird er weichen.
STAUFFACHER. Er wirds, wenn er in Waffen uns erblickt,
Wir überraschen ihn, eh er sich rüstet.
MEIER. Ist bald gesprochen, aber schwer getan.   1380
Uns ragen in dem Land zwei feste Schlösser,
Die geben Schirm dem Feind und werden furchtbar,
Wenn uns der König in das Land sollt fallen.
Roßberg und Sarnen muß bezwungen sein,
Eh man ein Schwert erhebt in den drei Landen.   1385
*STAUFFACHER. Säumt man so lang, so wird der Feind ge-
    warnt,

Zuviele sinds, die das Geheimnis teilen.

MEIER. In den Waldstätten findt sich kein Verräter.

RÖSSELMANN. Der Eifer auch, der gute, kann verraten.

WALTER FÜRST. Schiebt man es auf, so wird der Twing
    vollendet   1390
    In Altdorf, und der Vogt befestigt sich.

MEIER. Ihr denkt an *euch.*

SIGRIST.   Und ihr seid ungerecht.

MEIER (*auffahrend*). Wir ungerecht! Das darf uns Uri bieten!

REDING. Bei eurem Eide, Ruh!

MEIER.   Ja, wenn sich Schwyz
    Versteht mit Uri, müssen *wir* wohl schweigen.   1395

*REDING. Ich muß euch weisen vor der Landsgemeinde,
    Daß ihr mit heftgem Sinn den Frieden stört!
    Stehn wir nicht alle für dieselbe Sache?

*WINKELRIED. Wenn wirs verschieben bis zum Fest des
    Herrn,
    Dann bringts die Sitte mit, daß alle Sassen   1400
    Dem Vogt Geschenke bringen auf das Schloß,
    So können zehen Männer oder zwölf
    Sich unverdächtig in der Burg versammeln,
    Die führen heimlich spitzge Eisen mit,
    Die man geschwind kann an die Stäbe stecken,   1405
    Denn niemand kommt mit Waffen in die Burg.
    Zunächst im Wald hält dann der große Haufe,
    Und wenn die andern glücklich sich des Tors
    Ermächtiget, so wird ein Horn geblasen,
    Und jene brechen aus dem Hinterhalt,   1410
    So wird das Schloß mit leichter Arbeit unser.

MELCHTHAL. Den Roßberg übernehm ich zu ersteigen,
    *Denn eine Dirn des Schlosses ist mir hold,
    Und leicht betör ich sie, zum nächtlichen
    Besuch die schwanke Leiter mir zu reichen,   1415
    Bin ich droben erst, zieh ich die Freunde nach.

REDING. Ists aller Wille, daß verschoben werde?

              (*Die Mehrheit erhebt die Hand*)

STAUFFACHER (*zählt die Stimmen*).
  Es ist ein Mehr von zwanzig gegen zwölf!

WALTER FÜRST. Wenn am bestimmten Tag die Burgen fallen,
  So geben wir von einem Berg zum andern   1420
  Das Zeichen mit dem Rauch, der Landsturm wird
  Aufgeboten, schnell, im Hauptort jedes Landes,
  Wenn dann die Vögte sehn der Waffen Ernst,
  *Glaubt mir, sie werden sich des Streits begeben
  Und gern ergreifen friedliches Geleit,   1425
  *Aus unsern Landesmarken zu entweichen.

*STAUFFACHER. Nur mit dem Geßler fürcht ich schweren Stand,
  Furchtbar ist er mit Reisigen umgeben,
  Nicht ohne Blut räumt er das Feld, ja selbst
  Vertrieben bleibt er furchtbar noch dem Land,   1430
  Schwer ists und fast gefährlich, ihn zu schonen.

BAUMGARTEN. Wos halsgefährlich ist, da stellt *mich* hin,
  Dem Tell verdank ich mein gerettet Leben.
  Gern schlag ichs in die Schanze für das Land,
  Mein Ehr hab ich beschützt, mein Herz befriedigt.   1435

REDING. Die Zeit bringt Rat. Erwartets in Geduld.
  Man muß dem Augenblick auch was vertrauen.
  *– Doch seht, indes wir nächtlich hier noch tagen,
  *Stellt auf den höchsten Bergen schon der Morgen
  Die glühnde Hochwacht aus – Kommt, laßt uns scheiden,
  Eh uns des Tages Leuchten überrascht.   1441

WALTER FÜRST.
  Sorgt nicht, die Nacht weicht langsam aus den Tälern.

(*Alle haben unwillkürlich die Hüte abgenommen und betrachten
mit stiller Sammlung die Morgenröte*)

RÖSSELMANN. Bei diesem Licht, das uns zuerst begrüßt
  Von allen Völkern, die tief unter uns
  Schweratmend wohnen in dem Qualm der Städte,   1445
  Laßt uns den Eid des neuen Bundes schwören.
  *– Wir wollen sein ein einzig Volk von Brüdern,
  In keiner Not uns trennen und Gefahr.

    (*Alle sprechen es nach mit erhobenen drei Fingern*)

– Wir wollen frei sein, wie die Väter waren,
Eher den Tod, als in der Knechtschaft leben. (*Wie oben*) 1450
– Wir wollen trauen auf den höchsten Gott
Und uns nicht fürchten vor der Macht der Menschen.

(*Wie oben. Die Landleute umarmen einander*)

STAUFFACHER. Jetzt gehe jeder seines Weges still
  Zu seiner Freundschaft und Genoßsame,
  Wer Hirt ist, wintre ruhig seine Herde   1455
  Und werb im stillen Freunde für den Bund,
  – *Was* noch bis dahin muß erduldet werden,
  Erduldets! Laßt die Rechnung der Tyrannen
  Anwachsen, bis *ein* Tag die allgemeine
  Und die besondre Schuld auf einmal zahlt.   1460
  Bezähme jeder die gerechte Wut,
  Und spare für das Ganze seine Rache,
  Denn Raub begeht am allgemeinen Gut,
  Wer selbst sich hilft in seiner eignen Sache.

(*Indem sie zu drei verschiednen Seiten in größter Ruhe abgehen,
fällt das Orchester mit einem prachtvollen Schwung ein, die leere
Szene bleibt noch eine Zeitlang offen und zeigt das Schauspiel der
aufgehenden Sonne über den Eisgebirgen*)

DRITTER AUFZUG

Erste Szene

Hof vor Tells Hause

TELL *ist mit der Zimmeraxt*, HEDWIG *mit einer häuslichen Arbeit beschäftigt*. WALTER *und* WILHELM *in der Tiefe spielen mit einer kleinen Armbrust*

WALTER (*singt*). Mit dem Pfeil, dem Bogen,   1465
        Durch Gebirg und Tal
        Kommt der Schütz gezogen
        Früh am Morgenstrahl.

        Wie im Reich der Lüfte
        König ist der Weih, –   1470
        Durch Gebirg und Klüfte
        Herrscht der Schütze frei.

        Ihm gehört das Weite,
        Was sein Pfeil erreicht,
        Das ist seine Beute,   1475
        Was da kreucht und fleugt.

        (*Kommt gesprungen*)

  Der Strang ist mir entzwei. Mach mir ihn, Vater.
TELL. Ich nicht. Ein rechter Schütze hilft sich selbst.

        (*Knaben entfernen sich*)

HEDWIG. Die Knaben fangen zeitig an, zu schießen.
TELL. Früh übt sich, was ein Meister werden will.   1480
HEDWIG. Ach wollte Gott, sie lerntens nie!
TELL. Sie sollen alles lernen. Wer durchs Leben
  Sich frisch will schlagen, muß zu Schutz und Trutz
  Gerüstet sein.
HEDWIG.   Ach, es wird keiner seine Ruh
  Zu Hause finden.

TELL.   Mutter, ich kanns auch nicht;   1485
  *Zum Hirten hat Natur mich nicht gebildet,
   Rastlos muß ich ein flüchtig Ziel verfolgen,
  *Dann erst genieß ich meines Lebens recht,
   Wenn ich mirs jeden Tag aufs neu erbeute.
HEDWIG. Und an die Angst der Hausfrau denkst du nicht,
   Die sich indessen, deiner wartend, härmt;   1491
  *Denn mich erfüllts mit Grausen, was die Knechte
   Von euren Wagefahrten sich erzählen.
   Bei jedem Abschied zittert mir das Herz,
   Daß du mir nimmer werdest wiederkehren.   1495
   Ich sehe dich im wilden Eisgebirg,
   Verirrt, von einer Klippe zu der andern
   Den Fehlsprung tun, seh, wie die Gemse dich
   Rückspringend mit sich in den Abgrund reißt,
  *Wie eine Windlawine dich verschüttet,   1500
   Wie unter dir der trügerische Firn
   Einbricht und du hinabsinkst, ein lebendig
   Begrabner, in die schauerliche Gruft –
   Ach, den verwegnen Alpenjäger hascht
   Der Tod in hundert wechselnden Gestalten,   1505
   Das ist ein unglückseliges Gewerb,
   Das halsgefährlich führt am Abgrund hin!
TELL. Wer frisch umherspäht mit gesunden Sinnen,
   Auf Gott vertraut und die gelenke Kraft,
   Der ringt sich leicht aus jeder Fahr und Not: 1510
   Den schreckt der Berg nicht, der darauf geboren.

          (*Er hat seine Arbeit vollendet, legt das Gerät hinweg*)

   Jetzt, mein ich, hält das Tor auf Jahr und Tag.
   Die Axt im Haus erspart den Zimmermann. (*Nimmt den Hut*)
HEDWIG. Wo gehst du hin?
TELL.   Nach Altdorf, zu dem Vater.
HEDWIG. Sinnst du auch nichts Gefährliches? Gesteh mirs.
TELL. Wie kommst du darauf, Frau?   1516
  *HEDWIG.   Es spinnt sich etwas
   Gegen die Vögte – Auf dem Rütli ward

Getagt, ich weiß, und du bist auch im Bunde.

TELL. Ich war nicht mit dabei – doch werd ich mich
Dem Lande nicht entziehen, wenn es ruft.   1520

HEDWIG. Sie werden dich hinstellen, wo Gefahr ist,
Das Schwerste wird dein Anteil sein, wie immer.

TELL. Ein jeder wird besteuert nach Vermögen.

*HEDWIG. Den Unterwaldner hast du auch im Sturme
Über den See geschafft – Ein Wunder wars,   1525
Daß ihr entkommen – Dachtest du denn gar nicht
An Kind und Weib?

TELL.   Lieb Weib, ich dacht an euch,
Drum rettet ich den Vater seinen Kindern.

HEDWIG. Zu schiffen in dem wütgen See! Das heißt
*Nicht Gott vertrauen! Das heißt Gott versuchen.   1530

TELL. Wer gar zuviel bedenkt, wird wenig leisten.

*HEDWIG. Ja, du bist gut und hilfreich, dienest allen,
Und wenn du selbst in Not kommst, hilft dir keiner.

TELL. Verhüt es Gott, daß ich nicht Hilfe brauche.

(Er nimmt die Armbrust und Pfeile)

HEDWIG. Was willst du mit der Armbrust? Laß sie hier.   1535

TELL. Mir fehlt der Arm, wenn mir die Waffe fehlt.

(Die Knaben kommen zurück)

WALTER. Vater, wo gehst du hin?

TELL.   Nach Altdorf, Knabe,
*Zum Ehni – Willst du mit?

WALTER.   Ja freilich will ich.

HEDWIG.
*Der Landvogt ist jetzt dort. Bleib weg von Altdorf.

TELL. Er *geht*, noch heute.

HEDWIG.   Drum laß ihn erst fort sein.   1540
*Gemahn ihn nicht an dich, du weißt, er grollt uns.

TELL. Mir soll sein böser Wille nicht viel schaden,
Ich tue recht und scheue keinen Feind.

*HEDWIG. Die recht tun, eben die haßt er am meisten.

TELL. Weil er nicht an sie kommen kann – Mich wird   1545
Der Ritter wohl in Frieden lassen, mein ich.

HEDWIG. So, weißt du das?

TELL.   Es ist nicht lange her,
  Da ging ich jagen durch die wilden Gründe
*Des Schächentals auf menschenleerer Spur,
  Und da ich einsam einen Felsensteig   1550
  Verfolgte, wo nicht auszuweichen war,
  Denn über mir hing schroff die Felswand her,
  Und unten rauschte fürchterlich der Schächen,

*(*Die Knaben drängen sich rechts und links an ihn und sehen mit
          gespannter Neugier an ihm hinauf*)

  Da kam der Landvogt gegen mich daher,
  Er ganz allein mit mir, der auch allein war,   1555
*Bloß Mensch zu Mensch, und neben uns der Abgrund.
  Und als der Herre mein ansichtig ward
  Und mich erkannte, den er kurz zuvor
  Um kleiner Ursach willen schwer gebüßt,
  Und sah mich mit dem stattlichen Gewehr   1560
  Daher geschritten kommen, da verblaßt' er,
  Die Knie versagten ihm, ich sah es kommen,
  Daß er jetzt an die Felswand würde sinken.
  – Da jammerte mich sein, ich trat zu ihm
  Bescheidentlich und sprach: Ich bins, Herr Landvogt. 1565
  Er aber konnte keinen armen Laut
  Aus seinem Munde geben – Mit der Hand nur
  Winkt' er mir schweigend, meines Wegs zu gehn,
  Da ging ich fort und sandt ihm sein Gefolge.

HEDWIG. Er hat vor dir gezittert – Wehe dir!   1570
  Daß du ihn schwach gesehn, vergibt er nie.

TELL. Drum meid ich ihn, und er wird *mich* nicht suchen.

*HEDWIG. Bleib heute nur dort weg. Geh lieber jagen.

TELL. Was fällt dir ein?

HEDWIG.   Mich ängstigts. Bleibe weg.

TELL. Wie kannst du dich so ohne Ursach quälen?   1575

HEDWIG. *Weils* keine Ursach hat – Tell, bleibe hier.

TELL. Ich habs versprochen, liebes Weib, zu kommen.

HEDWIG. *Mußt* du, so geh – Nur lasse mir den Knaben!

WALTER. Nein, Mütterchen. Ich gehe mit dem Vater.
HEDWIG. Wälty, verlassen willst du deine Mutter?   1580
WALTER. Ich bring dir auch was Hübsches mit vom Ehni.

(*Geht mit dem Vater*)

WILHELM. Mutter, ich bleibe bei dir!
HEDWIG (*umarmt ihn*).   Ja, du bist
    Mein liebes Kind, du bleibst mir noch allein!

(*Sie geht an das Hoftor und folgt den Abgehenden lange mit den
Augen*)

Zweite Szene

*Eine eingeschlossene wilde Waldgegend, Staubbäche stürzen von
den Felsen*

BERTA *im Jagdkleid. Gleich darauf* RUDENZ

*BERTA. Er folgt mir. Endlich kann ich mich erklären.
RUDENZ (*tritt rasch ein*).
    *Fräulein, jetzt endlich find ich Euch allein,   1585
    Abgründe schließen rings umher uns ein,
    In dieser Wildnis fürcht ich keinen Zeugen,
    Vom Herzen wälz ich dieses lange Schweigen –
BERTA. Seid Ihr gewiß, daß uns die Jagd nicht folgt?
RUDENZ. Die Jagd ist dort hinaus – Jetzt oder nie!   1590
    Ich muß den teuren Augenblick ergreifen –
    Entschieden sehen muß ich mein Geschick,
    Und sollt es mich auf ewig von Euch scheiden.
    – O waffnet Eure gütgen Blicke nicht
    Mit dieser finstern Strenge – *Wer* bin ich,   1595
    Daß ich den kühnen Wunsch zu Euch erhebe?
    Mich hat der Ruhm noch nicht genannt, ich darf
    *Mich in die Reih nicht stellen mit den Rittern,
    Die siegberühmt und glänzend Euch umwerben.
    Nichts hab ich als mein Herz voll Treu und Liebe –   1600

BERTA (*ernst und streng*).
*Dürft Ihr von Liebe reden und von Treue,
Der treulos wird an seinen nächsten Pflichten?

(*Rudenz tritt zurück*)

Der Sklave Österreichs, der sich dem Fremdling
Verkauft, dem Unterdrücker seines Volks?
RUDENZ. Von Euch, mein Fräulein, hör ich diesen Vorwurf?
Wen such ich denn als Euch auf jener Seite?   1606
BERTA. Mich denkt Ihr auf der Seite des Verrats
Zu finden? Eher wollt ich meine Hand
*Dem Geßler selbst, dem Unterdrücker schenken,
*Als dem naturvergeßnen Sohn der Schweiz,   1610
Der sich zu seinem Werkzeug machen kann!
RUDENZ. O Gott, was muß ich hören!
BERTA.   Wie? Was liegt
Dem guten Menschen näher als die Seinen?
Gibts schönre Pflichten für ein edles Herz,
Als ein Verteidiger der Unschuld sein,   1615
Das Recht des Unterdrückten zu beschirmen?
*– Die Seele blutet mir um Euer Volk,
Ich leide *mit* ihm, denn ich muß es lieben,
Das so bescheiden ist und doch voll Kraft,
Es zieht mein ganzes Herz mich zu ihm hin,   1620
Mit jedem Tage lern ichs mehr verehren.
– Ihr aber, den Natur und Ritterpflicht
Ihm zum geborenen Beschützer gaben,
Und ders *verläßt*, der treulos übertritt
Zum Feind und Ketten schmiedet seinem Land,   1625
Ihr seids, der mich verletzt und kränkt; ich muß
*Mein Herz bezwingen, daß ich Euch nicht hasse.
*RUDENZ. Will ich denn nicht das Beste meines Volks?
Ihm unter Östreichs mächtgem Szepter nicht
Den Frieden –
BERTA.   Knechtschaft wollt Ihr ihm bereiten!   1630
*Die Freiheit wollt Ihr aus dem letzten Schloß,
Das ihr noch auf der Erde blieb, verjagen.

Das Volk versteht sich besser auf sein Glück,
Kein Schein verführt sein sicheres Gefühl;
Euch haben sie das Netz ums Haupt geworfen –   1635
RUDENZ. Berta! Ihr haßt mich, Ihr verachtet mich!
BERTA. Tät ichs, mir wäre besser – Aber den
Verachtet *sehen* und verachtungswert,
Den man gern lieben möchte –
RUDENZ.   Berta! Berta!
Ihr zeiget mir das höchste Himmelsglück,   1640
Und stürzt mich tief in *einem* Augenblick.
BERTA. Nein, nein, das Edle ist nicht ganz erstickt
In Euch! Es schlummert nur, ich will es wecken,
Ihr müßt Gewalt ausüben an Euch selbst,
Die angestammte Tugend zu ertöten,   1645
Doch wohl Euch, sie ist mächtiger als Ihr,
Und trotz Euch selber seid Ihr gut und edel!
RUDENZ. Ihr glaubt an mich! O Berta, alles läßt
Mich Eure Liebe sein und werden!
BERTA.   Seid,
Wozu die herrliche Natur Euch machte!   1650
Erfüllt den Platz, wohin sie Euch gestellt,
Zu Eurem Volke steht und Eurem Lande,
Und kämpft für Euer heilig Recht.
RUDENZ.   Weh mir!
Wie kann ich Euch erringen, Euch besitzen,
Wenn ich der Macht des Kaisers widerstrebe?   1655
Ists der Verwandten mächtger Wille nicht,
Der über Eure Hand tyrannisch waltet?
*BERTA. In den Waldstätten liegen meine Güter,
Und ist der Schweizer frei, so bin auch ichs.
RUDENZ. Berta! welch einen Blick tut Ihr mir auf!   1660
BERTA. Hofft nicht, durch Östreichs Gunst mich zu erringen;
Nach meinem Erbe strecken sie die Hand,
Das will man mit dem großen Erb vereinen.
*Dieselbe Ländergier, die Eure Freiheit
Verschlingen will, sie drohet auch der meinen!   1665
– O Freund, zum Opfer bin ich ausersehn,

*Vielleicht um einen Günstling zu belohnen –
*Dort wo die Falschheit und die Ränke wohnen,
Hin an den Kaiserhof will man mich ziehn,
*Dort harren mein verhaßter Ehe Ketten,   1670
Die Liebe nur – die Eure kann mich retten!

RUDENZ. Ihr könntet Euch entschließen, hier zu leben,
In meinem Vaterlande mein zu sein?
O Berta, all mein Sehnen in das Weite,
Was war es, als ein Streben nur nach Euch?   1675
Euch sucht ich einzig auf dem Weg des Ruhms,
Und all mein Ehrgeiz war nur meine Liebe.
Könnt Ihr mit mir Euch in dies stille Tal
Einschließen und der Erde Glanz entsagen –
O dann ist meines Strebens Ziel gefunden,   1680
Dann mag der Strom der wildbewegten Welt
Ans sichre Ufer dieser Berge schlagen –
Kein flüchtiges Verlangen hab ich mehr
Hinauszusenden in des Lebens Weiten –
Dann mögen diese Felsen um uns her   1685
Die undurchdringlich feste Mauer breiten,
Und dies verschloßne selge Tal allein
*Zum Himmel offen und gelichtet sein!

BERTA. Jetzt bist du ganz, wie dich mein ahnend Herz
Geträumt, mich hat mein Glaube nicht betrogen!   1690

RUDENZ. Fahr hin, du eitler Wahn, der mich betört!
Ich soll das Glück in meiner Heimat finden.
Hier wo der Knabe fröhlich aufgeblüht,
Wo tausend Freudespuren mich umgeben,
Wo alle Quellen mir und Bäume leben,   1695
Im Vaterland willst du die Meine werden!
Ach, wohl hab ich es stets geliebt! Ich fühls,
Es fehlte mir zu jedem Glück der Erden.

*BERTA. Wo wär die selge Insel aufzufinden,
Wenn sie nicht hier ist, in der Unschuld Land?   1700
*Hier, wo die alte Treue heimisch wohnt,
Wo sich die Falschheit noch nicht hingefunden,
Da trübt kein Neid die Quelle unsers Glücks,

Und ewig hell entfliehen uns die Stunden.
– Da seh ich *dich* im echten Männerwert,   1705
Den Ersten von den Freien und den Gleichen,
Mit reiner, freier Huldigung verehrt,
Groß, wie ein König wirkt in seinen Reichen.
RUDENZ. Da seh ich dich, die Krone aller Frauen,
In weiblich reizender Geschäftigkeit,   1710
In meinem Haus den Himmel mir erbauen,
Und, wie der Frühling seine Blumen streut,
Mit schöner Anmut mir das Leben schmücken
Und alles rings beleben und beglücken!
BERTA. Sieh, teurer Freund, warum ich trauerte,   1715
Als ich dies höchste Lebensglück dich selbst
Zerstören sah – Weh mir! Wie stünds um mich,
Wenn ich dem stolzen Ritter müßte folgen,
*Dem Landbedrücker auf sein finstres Schloß!
– Hier ist kein Schloß. Mich scheiden keine Mauern   1720
Von einem Volk, das ich beglücken kann!
RUDENZ. Doch wie mich retten – wie die Schlinge lösen,
Die ich mir töricht selbst ums Haupt gelegt?
BERTA. Zerreiße sie mit männlichem Entschluß!
*Was auch draus werde – Steh zu deinem Volk!   1725
Es ist dein angeborner Platz. (*Jagdhörner in der Ferne*)
Die Jagd
Kommt näher – Fort, wir müssen scheiden – Kämpfe
Fürs Vaterland, du kämpfst für deine Liebe!
Es ist *ein* Feind, vor dem wir alle zittern,
Und *eine* Freiheit macht uns alle frei! (*Gehen ab*)   1730

Dritte Szene

Wiese bei Altdorf. Im Vordergrund Bäume, in der Tiefe der Hut
auf einer Stange. Der Prospekt wird begrenzt durch den Bann-
berg, über welchem ein Schneegebirg emporragt

FRIESSHARDT *und* LEUTHOLD *halten Wache*

FRIESSHARDT. Wir passen auf umsonst. Es will sich niemand
    Heran begeben und dem Hut sein' Reverenz
    *Erzeigen. 's war doch sonst wie Jahrmarkt hier,
    Jetzt ist der ganze Anger wie verödet,
    *Seitdem der Popanz auf der Stange hängt.   1735
LEUTHOLD. Nur schlecht Gesindel läßt sich sehn und
    schwingt
    Uns zum Verdrieße die zerlumpten Mützen.
    Was rechte Leute sind, die machen lieber
    *Den langen Umweg um den halben Flecken,
    *Eh sie den Rücken beugten vor dem Hut.   1740
FRIESSHARDT. Sie müssen über diesen Platz, wenn sie
    Vom Rathaus kommen in der Mittagstunde.
    Da meint ich schon, 'nen guten Fang zu tun,
    Denn keiner dachte dran, den Hut zu grüßen.
    Da siehts der Pfaff, der Rösselmann – kam just   1745
    Von einem Kranken her – und stellt sich hin
    *Mit dem Hochwürdigen, grad vor die Stange –
    Der Sigrist mußte mit dem Glöcklein schellen,
    Da fielen all aufs Knie, ich selber mit,
    Und grüßten die Monstranz, doch nicht den Hut. –   1750
*LEUTHOLD. Höre, Gesell, es fängt mir an zu deuchten,
    Wir stehen hier am Pranger vor dem Hut,
    's ist doch ein Schimpf für einen Reitersmann,
    Schildwach zu stehn vor einem leeren Hut –
    Und jeder rechte Kerl muß uns verachten.   1755
    – Die Reverenz zu machen einem Hut,
    *Es ist doch traun! ein närrischer Befehl!
FRIESSHARDT. Warum nicht einem leeren, hohlen Hut?

*Bückst du dich doch vor manchem hohlen Schädel.

(HILDEGARD, MECHTHILD *und* ELSBET *treten auf mit
Kindern und stellen sich um die Stange*)

*LEUTHOLD. Und du bist auch so ein dienstfertger Schurke,
Und brächtest wackre Leute gern ins Unglück.   1761
Mag, wer da will, am Hut vorübergehn,
Ich drück die Augen zu und seh nicht hin.

MECHTHILD.
Da hängt der Landvogt – Habt Respekt, ihr Buben.

ELSBET. Wollts Gott, er ging, und ließ uns seinen Hut,   1765
Es sollte drum nicht schlechter stehn ums Land!

FRIESSHARDT (*verscheucht sie*).
*Wollt ihr vom Platz? Verwünschtes Volk der Weiber!
Wer fragt nach euch? Schickt eure Männer her,
Wenn sie der Mut sticht, dem Befehl zu trotzen.

(*Weiber gehen*)
(TELL *mit der Armbrust tritt auf, den Knaben an der Hand
führend. Sie gehen an dem Hut vorbei gegen die vordere
Szene, ohne darauf zu achten*)

WALTER (*zeigt nach dem Bannberg*).
Vater, ists wahr, daß auf dem Berge dort   1770
Die Bäume bluten, wenn man einen Streich
Drauf führte mit der Axt?

TELL.   Wer sagt das, Knabe?

WALTER. Der Meister Hirt erzählts – Die Bäume seien
*Gebannt, sagt er, und wer sie schädige,
Dem wachse seine Hand heraus zum Grabe.   1775

*TELL. Die Bäume sind gebannt, das ist die Wahrheit.
– Siehst du die Firnen dort, die weißen Hörner,
Die hoch bis in den Himmel sich verlieren?

WALTER. Das sind die Gletscher, die des Nachts so donnern,
*Und uns die Schlaglawinen niedersenden.   1780

TELL. So ists, und die Lawinen hätten längst
Den Flecken Altdorf unter ihrer Last
Verschüttet, wenn der Wald dort oben nicht

*Als eine Landwehr sich dagegenstellte.

WALTER (*nach einigem Besinnen*).
   Gibts Länder, Vater, wo *nicht* Berge sind?   1785

TELL. Wenn man hinuntersteigt von unsern Höhen,
   Und immer tiefer steigt, den Strömen nach,
   *Gelangt man in ein großes, ebnes Land,
   Wo die Waldwasser nicht mehr brausend schäumen,
   Die Flüsse ruhig und gemächlich ziehn;   1790
   Da sieht man frei nach allen Himmelsträumen,
   Das Korn wächst dort in langen, schönen Auen,
   Und wie ein Garten ist das Land zu schauen.

WALTER. Ei, Vater, warum steigen wir denn nicht
   Geschwind hinab in dieses schöne Land,   1795
   *Statt daß wir uns hier ängstigen und plagen?

TELL. Das Land ist schön und gütig, wie der Himmel,
   Doch die's bebauen, *sie* genießen nicht
   Den Segen, den sie pflanzen.

WALTER.   Wohnen sie
   *Nicht frei wie du auf ihrem eignen Erbe?   1800

TELL. Das Feld gehört dem Bischof und dem König.

WALTER. So dürfen sie doch frei in Wäldern jagen?

TELL. Dem Herrn gehört das Wild und das Gefieder.

WALTER. Sie dürfen doch frei fischen in dem Strom?

*TELL. Der Strom, das Meer, das Salz gehört dem König.

WALTER. Wer *ist* der König denn, den alle fürchten?   1806

TELL. Es ist der *eine*, der sie schützt und nährt.

WALTER. Sie können sich nicht mutig selbst beschützen?

*TELL. Dort darf der Nachbar nicht dem Nachbar trauen.

*WALTER. Vater, es wird mir eng im weiten Land,   1810
   Da wohn ich lieber unter den Lawinen.

TELL. Ja, wohl ists besser, Kind, die Gletscherberge
   Im Rücken haben als die bösen Menschen.

        (*Sie wollen vorübergehen*)

WALTER. Ei, Vater, sieh den Hut dort auf der Stange.

*TELL. Was kümmert uns der Hut? Komm, laß uns
   gehen.   1815

(Indem er abgehen will, tritt ihm Frießhardt mit vorgehaltner Pike entgegen)

FRIESSHARDT. In des Kaisers Namen! Haltet an und steht!
TELL *(greift in die Pike)*.
  Was wollt Ihr? Warum haltet Ihr mich auf?
FRIESSHARDT. Ihr habts Mandat verletzt, Ihr müßt uns folgen.
LEUTHOLD. Ihr habt dem Hut nicht Reverenz bewiesen.
TELL. Freund, laß mich gehen.
FRIESSHARDT.   Fort, fort ins Gefängnis! 1820
WALTER. Den Vater ins Gefängnis! Hilfe! Hilfe!

            *(In die Szene rufend)

  Herbei, ihr Männer, gute Leute, helft,
  Gewalt, Gewalt, sie führen ihn gefangen.

(RÖSSELMANN der Pfarrer und PETERMANN der Sigrist kommen herbei, mit drei andern Männern)

SIGRIST. Was gibts?
RÖSSELMANN.   Was legst du Hand an diesen Mann?
FRIESSHARDT. Er ist ein Feind des Kaisers, ein Verräter! 1825
TELL *(faßt ihn heftig)*.
  Ein Verräter, ich!
RÖSSELMANN.   Du irrst dich, Freund, das ist
  **Der Tell, ein Ehrenmann und guter Bürger.
WALTER *(erblickt WALTER FÜRSTEN und eilt ihm entgegen)*.
  Großvater, hilf, Gewalt geschieht dem Vater.
FRIESSHARDT. Ins Gefängnis, fort!
**WALTER FÜRST *(herbeieilend)*.   Ich leiste Bürgschaft, haltet!
  – Um Gotteswillen, Tell, was ist geschehen?   1830

      (MELCHTHAL und STAUFFACHER kommen)

FRIESSHARDT. Des Landvogts oberherrliche Gewalt
  Verachtet er und will sie nicht erkennen.
**STAUFFACHER. Das hätt der Tell getan?
MELCHTHAL.   Das lügst du, Bube!
LEUTHOLD. Er hat dem Hut nicht Reverenz bewiesen.
WALTER FÜRST. Und darum soll er ins Gefängnis? Freund,

*Nimm meine Bürgschaft an und laß ihn ledig.   1836
FRIESSHARDT. Bürg du für dich und deinen eignen Leib!
*Wir tun, was unsers Amtes – Fort mit ihm!
MELCHTHAL (*zu den Landleuten*).
  *Nein, das ist schreiende Gewalt! Ertragen wirs,
  Daß man ihn fortführt, frech, vor unsern Augen?   1840
*SIGRIST. Wir sind die Stärkern. Freunde, duldets nicht,
  Wir haben einen Rücken an den andern!
FRIESSHARDT. Wer widersetzt sich dem Befehl des Vogts?
NOCH DREI LANDLEUTE (*herbeieilend*).
  Wir helfen euch. Was gibts? Schlagt sie zu Boden.

(HILDEGARD, MECHTHILD *und* ELSBET *kommen zurück*)

*TELL. Ich helfe mir schon selbst. Geht, gute Leute,   1845
  Meint ihr, wenn ich die Kraft gebrauchen wollte,
  Ich würde mich vor ihren Spießen fürchten?
MELCHTHAL (*zu Friesshardt*).
  Wags, ihn aus unsrer Mitte wegzuführen!
WALTER FÜRST UND STAUFFACHER.
  Gelassen! Ruhig!
FRIESSHARDT (*schreit*). Aufruhr und Empörung!

(*Man hört Jagdhörner*)

WEIBER. Da kommt der Landvogt!
FRIESSHARDT (*erhebt die Stimme*).   Meuterei! Empörung!
STAUFFACHER.
  Schrei, bis du berstest, Schurke!   1851
RÖSSELMANN UND MELCHTHAL.   Willst du schweigen?
FRIESSHARDT (*ruft noch lauter*).
  Zu Hilf, zu Hilf den Dienern des Gesetzes.
WALTER FÜRST.
  Da ist der Vogt! Weh uns, was wird das werden!

(GESSLER *zu Pferd, den Falken auf der Faust,* RUDOLF
DER HARRAS, BERTA *und* RUDENZ, *ein großes Gefolge von
bewaffneten* KNECHTEN, *welche einen Kreis von Piken um
die ganze Szene schließen*)

RUDOLF DER HARRAS.
  Platz, Platz dem Landvogt!
GESSLER.   Treibt sie auseinander!
  Was läuft das Volk zusammen? Wer ruft Hilfe?   1855

        (*Allgemeine Stille*)

  Wer wars? Ich will es wissen. (*Zu Frießhardt*)
                     Du tritt vor!
  *Wer bist du, und was hältst du diesen Mann?

        (*Er gibt den Falken einem Diener*)

*FRIESSHARDT. Gestrenger Herr, ich bin dein Waffenknecht
  Und wohlbestellter Wächter bei dem Hut.
  Diesen Mann ergriff ich über frischer Tat,   1860
  Wie er dem Hut den Ehrengruß versagte.
  Verhaften wollt ich ihn, wie du befahlst,
  Und mit Gewalt will ihn das Volk entreißen.
GESSLER (*nach einer Pause*).
  Verachtest du *so* deinen Kaiser, Tell,
  Und *mich*, der hier an seiner Statt gebietet,   1865
  Daß du die Ehr versagst dem Hut, den ich
  Zur Prüfung des Gehorsams aufgehangen?
  *Dein böses Trachten hast du mir verraten.
*TELL. Verzeiht mir, lieber Herr! Aus Unbedacht,
  Nicht aus Verachtung Eurer ists geschehn,   1870
  *Wär ich besonnen, hieß ich nicht der Tell,
  Ich bitt um Gnad, es soll nicht mehr begegnen.
GESSLER (*nach einigem Stillschweigen*).
  Du bist ein Meister auf der Armbrust, Tell,
  Man sagt, du nähmst es auf mit jedem Schützen?
WALTER TELL.
  *Und das muß wahr sein, Herr – 'nen Apfel schießt   1875
  Der Vater dir vom Baum auf hundert Schritte.
GESSLER. Ist das dein Knabe, Tell?
TELL.   Ja, lieber Herr.
GESSLER. Hast du der Kinder mehr?
TELL.   Zwei Knaben, Herr.

GESSLER. Und welcher ists, den du am meisten liebst?
TELL. Herr, beide sind sie mir gleich liebe Kinder.   1880
GESSLER. Nun, Tell! weil du den Apfel triffst vom Baume
    Auf hundert Schritte, so wirst du deine Kunst
    Vor mir bewähren müssen – Nimm die Armbrust –
   *Du hast sie gleich zur Hand – und mach dich fertig,
    Einen Apfel von des Knaben Kopf zu schießen –   1885
    Doch will ich raten, ziele gut, daß du
    Den Apfel treffest auf den ersten Schuß,
    Denn fehlst du ihn, so ist dein Kopf verloren.

           (*Alle geben Zeichen des Schreckens*)

TELL. Herr – Welches Ungeheure sinnet Ihr
    Mir an – Ich soll vom Haupte meines Kindes –   1890
   *– Nein, nein doch, lieber Herr, das kömmt Euch nicht
    Zu Sinn – Verhüts der gnädge Gott – das könnt Ihr
    Im Ernst von einem Vater nicht begehren!
GESSLER. Du wirst den Apfel schießen von dem Kopf
    Des Knaben – Ich begehrs und wills.
TELL.   Ich soll   1895
    Mit meiner Armbrust auf das liebe Haupt
    Des eignen Kindes zielen – Eher sterb ich!
GESSLER. Du schießest oder stirbst *mit* deinem Knaben.
TELL. Ich soll der Mörder werden meines Kinds!
    Herr, Ihr habt keine Kinder – wisset nicht,   1900
    Was sich bewegt in eines Vaters Herzen.
GESSLER. Ei, Tell, du bist ja plötzlich so besonnen!
    Man sagte mir, daß du ein Träumer seist
   *Und dich entfernst von andrer Menschen Weise.
    Du liebst das Seltsame – drum hab ich jetzt   1905
   *Ein eigen Wagstück für dich ausgesucht.
    Ein andrer wohl bedächte sich – *Du* drückst
    Die Augen zu, und greifst es herzhaft an.
BERTA. Scherzt nicht, o Herr! mit diesen armen Leuten!
    Ihr seht sie bleich und zitternd stehn – So wenig   1910
   *Sind sie Kurzweils gewohnt aus Eurem Munde.

GESSLER. Wer sagt Euch, daß ich scherze?

(*Greift nach einem Baumzweige, der über ihn herhängt*)

                              Hier ist der Apfel.
Man mache Raum – Er nehme seine Weite,
Wies Brauch ist – Achtzig Schritte geb ich ihm –
*Nicht weniger, noch mehr – Er rühmte sich,   1915
Auf ihrer hundert seinen Mann zu treffen –
Jetzt, Schütze, triff, und fehle nicht das Ziel!

RUDOLF DER HARRAS.
*Gott, das wird ernsthaft – Falle nieder, Knabe,
Es gilt, und fleh den Landvogt um dein Leben.

WALTER FÜRST (*beiseite zu Melchthal, der kaum seine Ungeduld
bezwingt*). Haltet an Euch, ich fleh Euch drum, bleibt
ruhig.   1920

BERTA (*zum Landvogt*).
Laßt es genug sein, Herr! Unmenschlich ists,
Mit eines Vaters Angst also zu spielen.
Wenn dieser arme Mann auch Leib und Leben
*Verwirkt durch seine leichte Schuld, bei Gott!
Er hätte jetzt zehnfachen Tod empfunden.   1925
Entlaßt ihn ungekränkt in seine Hütte,
Er hat Euch kennen lernen; dieser Stunde
Wird er und seine Kindeskinder denken.

GESSLER. Öffnet die Gasse – Frisch! Was zauderst du?
Dein Leben ist verwirkt, ich kann dich töten,   1930
Und sieh, ich lege gnädig dein Geschick
In deine eigne kunstgeübte Hand.
Der kann nicht klagen über harten Spruch,
Den man zum Meister seines Schicksals macht.
Du rühmst dich deines sichern Blicks. Wohlan!   1935
Hier gilt es, *Schütze*, deine Kunst zu zeigen,
*Das Ziel ist würdig und der Preis ist groß!
Das Schwarze treffen in der Scheibe, *das*
Kann auch ein andrer! *der* ist mir der Meister,
Der seiner Kunst gewiß ist überall,   1940
*Dem 's Herz nicht in die Hand tritt noch ins Auge.

WALTER FÜRST (*wirft sich vor ihm nieder*).
  Herr Landvogt, wir erkennen Eure Hoheit,
  *Doch lasset Gnad vor Recht ergehen, nehmt
  Die Hälfte meiner Habe, nehmt sie ganz,
  Nur dieses Gräßliche erlasset einem Vater!   1945
WALTER TELL. Großvater, knie nicht vor dem falschen Mann!
  *Sagt, wo ich hinstehn soll. Ich fürcht mich nicht,
  Der Vater trifft den Vogel ja im Flug,
  *Er wird nicht fehlen auf das Herz des Kindes.
STAUFFACHER.
  Herr Landvogt, rührt Euch nicht des Kindes Unschuld?
RÖSSELMANN. O denkt, daß ein Gott im Himmel ist,   1951
  Dem Ihr müßt Rede stehn für Eure Taten.
GESSLER (*zeigt auf den Knaben*).
  *Man bind ihn an die Linde dort!
WALTER TELL.   Mich binden!
  Nein, ich will nicht gebunden sein. Ich will
  Still halten, wie ein Lamm, und auch nicht atmen.   1955
  Wenn ihr mich bindet, nein, so kann ichs nicht,
  So werd ich toben gegen meine Bande.
RUDOLF DER HARRAS.
  Die Augen nur laß dir verbinden, Knabe.
WALTER TELL. Warum die Augen? Denket Ihr, ich fürchte
  Den Pfeil von Vaters Hand? Ich will ihn fest   1960
  *Erwarten, und nicht zucken mit den Wimpern.
  – Frisch, Vater, zeigs, daß du ein Schütze bist!
  Er glaubt dirs nicht, er denkt uns zu verderben –
  *Dem Wütrich zum Verdrusse, schieß und triff.

    (*Er geht an die Linde, man legt ihm den Apfel auf*)

MELCHTHAL (*zu den Landleuten*).
  Was? Soll der Frevel sich vor unsern Augen   1965
  Vollenden? Wozu haben wir geschworen?
STAUFFACHER. Es ist umsonst. Wir haben keine Waffen,
  Ihr seht den Wald von Lanzen um uns her.
*MELCHTHAL. O hätten wirs mit frischer Tat vollendet,
  Verzeihs Gott denen, die zum Aufschub rieten!   1970

GESSLER (*zum Tell*).

Ans Werk! Man führt die Waffen nicht vergebens.
Gefährlich ists, ein Mordgewehr zu tragen,
Und auf den Schützen springt der Pfeil zurück.
Dies stolze Recht, das sich der Bauer nimmt,
Beleidiget den höchsten Herrn des Landes. 1975
Gewaffnet sei niemand, als wer gebietet.
Freuts euch, den Pfeil zu führen und den Bogen,
Wohl, so will *ich* das Ziel euch dazu geben.

*TELL (*spannt die Armbrust und legt den Pfeil auf*).

Öffnet die Gasse! Platz!

STAUFFACHER.

Was, Tell? Ihr wolltet – Nimmermehr – Ihr zittert, 1980
Die Hand erbebt Euch, Eure Kniee wanken –

TELL (*läßt die Armbrust sinken*).

Mir schwimmt es vor den Augen!

WEIBER.   Gott im Himmel!

TELL (*zum Landvogt*).

Erlasset mir den Schuß. Hier ist mein Herz!

(*Er reißt die Brust auf*)

Ruft Eure Reisigen und stoßt mich nieder.

GESSLER. Ich will dein Leben nicht, ich will den Schuß. 1985
– Du kannst ja alles, Tell, an nichts verzagst du,
Das Steuerruder führst du wie den Bogen,
Dich schreckt kein Sturm, wenn es zu retten gilt,
Jetzt, Retter, hilf dir selbst – du rettest alle!

*(*Tell steht in fürchterlichem Kampf, mit den Händen zuckend
und die rollenden Augen bald auf den Landvogt, bald zum
Himmel gerichtet. – Plötzlich greift er in seinen Köcher,
nimmt einen zweiten Pfeil heraus und steckt ihn in seinen
Goller. Der Landvogt bemerkt alle diese Bewegungen*)

WALTER TELL (*unter der Linde*).

Vater, schieß zu, ich fürcht mich nicht.

TELL.   Es muß! 1990

(*Er rafft sich zusammen und legt an*)

RUDENZ (*der die ganze Zeit über in der heftigsten Spannung
    gestanden und mit Gewalt an sich gehalten, tritt hervor*).
  *Herr Landvogt, weiter werdet Ihrs nicht treiben,
  Ihr werdet *nicht* – Es war nur eine Prüfung –
  Den Zweck habt Ihr erreicht – Zu weit getrieben
  Verfehlt die Strenge ihres weisen Zwecks,
  Und allzu straff gespannt zerspringt der Bogen.   1995
GESSLER. Ihr schweigt, bis man Euch aufruft.
RUDENZ.   Ich *will* reden,
  Ich darfs! Des Königs Ehre ist mir heilig,
  Doch solches Regiment muß Haß erwerben.
  Das ist des Königs Wille nicht – Ich darfs
  Behaupten – Solche Grausamkeit verdient   2000
  Mein Volk nicht, dazu habt Ihr keine Vollmacht.
GESSLER. Ha, Ihr erkühnt Euch!
RUDENZ.   Ich hab still geschwiegen
  Zu allen schweren Taten, die ich sah;
  Mein sehend Auge hab ich zugeschlossen,
  Mein überschwellend und empörtes Herz   2005
  Hab ich hinabgedrückt in meinen Busen.
  Doch länger schweigen wär Verrat zugleich
  An meinem Vaterland und an dem Kaiser.
BERTA (*wirft sich zwischen ihn und den Landvogt*).
  O Gott, Ihr reizt den Wütenden noch mehr.
RUDENZ. Mein Volk verließ ich, meinen Blutsverwandten
  Entsagt ich, alle Bande der Natur   2011
  Zerriß ich, um an Euch mich anzuschließen –
  Das Beste aller glaubt ich zu befördern,
  Da ich des Kaisers Macht befestigte –
  Die Binde fällt von meinen Augen – Schaudernd   2015
  Seh ich an einen Abgrund mich geführt –
  Mein freies Urteil habt Ihr irrgeleitet,
  Mein redlich Herz verführt – Ich war daran,
  Mein Volk in bester Meinung zu verderben.
GESSLER. Verwegner, diese Sprache deinem Herrn?   2020
RUDENZ. Der Kaiser ist mein Herr, nicht Ihr – Frei bin ich
  Wie Ihr geboren, und ich messe mich

Mit Euch in jeder ritterlichen Tugend.
Und stündet Ihr nicht hier in Kaisers Namen,
Den ich verehre, selbst wo man ihn schändet,   2025
Den Handschuh wärf ich vor Euch hin, Ihr solltet
Nach ritterlichem Brauch mir Antwort geben.
– Ja, winkt nur Euren Reisigen – Ich stehe
Nicht wehrlos da, wie *die* – (*auf das Volk zeigend*).
                    Ich hab ein Schwert,
Und wer mir naht –
STAUFFACHER (*ruft*).   Der Apfel ist gefallen!   2030

*(*Indem sich alle nach dieser Seite gewendet und Berta zwischen
Rudenz und den Landvogt sich geworfen, hat Tell den Pfeil
abgedrückt*)

RÖSSELMANN. Der Knabe lebt!
VIELE STIMMEN.   Der Apfel ist getroffen!

(*Walter Fürst schwankt und droht zu sinken, Berta hält ihn*)

*GESSLER (*erstaunt*). Er hat geschossen? Wie? der Rasende!
BERTA. Der Knabe lebt! kommt zu Euch, guter Vater!
WALTER TELL (*kommt mit dem Apfel gesprungen*).
Vater, hier ist der Apfel – Wußt ichs ja,
Du würdest deinen Knaben nicht verletzen.   2035

(*Tell stand mit vorgebognem Leib, als wollt er dem Pfeil
folgen – die Armbrust entsinkt seiner Hand – wie er den
Knaben kommen sieht, eilt er ihm mit ausgebreiteten Armen
entgegen und hebt ihn mit heftiger Inbrunst zu seinem Herzen
hinauf, in dieser Stellung sinkt er kraftlos zusammen. Alle
stehen gerührt*)

BERTA. O gütger Himmel!
WALTER FÜRST (*zu Vater und Sohn*). Kinder! meine Kinder!
STAUFFACHER. Gott sei gelobt!
LEUTHOLD.   Das war ein Schuß! Davon
Wird man noch reden in den spätsten Zeiten.
RUDOLF DER HARRAS.
Erzählen wird man von dem Schützen Tell,

Solang die Berge stehn auf ihrem Grunde. 2040

(*Reicht dem Landvogt den Apfel*)

GESSLER. Bei Gott, der Apfel mitten durchgeschossen!
Es war ein Meisterschuß, ich muß ihn loben.
RÖSSELMANN. Der Schuß war gut, doch wehe dem, der ihn
Dazu getrieben, daß er Gott versuchte.
STAUFFACHER.
Kommt zu Euch, Tell, steht auf, Ihr habt Euch männlich
Gelöst, und frei könnt Ihr nach Hause gehen. 2046
RÖSSELMANN.
Kommt, kommt und bringt der Mutter ihren Sohn.

(*Sie wollen ihn wegführen*)

GESSLER. Tell, höre!
*TELL (*kommt zurück*). Was befehlt Ihr, Herr?
GESSLER. Du stecktest
Noch einen zweiten Pfeil zu dir – Ja, ja,
Ich sah es wohl – Was meintest du damit? 2050
TELL (*verlegen*). Herr, das ist also bräuchlich bei den Schützen.
GESSLER. Nein, Tell, die Antwort laß ich dir nicht gelten,
Es wird was anders wohl bedeutet haben.
Sag mir die Wahrheit frisch und fröhlich, Tell:
Was es auch sei, dein Leben sichr ich dir. 2055
Wozu der zweite Pfeil?
TELL. Wohlan, o Herr,
Weil Ihr mich meines Lebens habt gesichert,
So will ich Euch die Wahrheit gründlich sagen.

(*Er zieht den Pfeil aus dem Goller und sieht den Landvogt mit
einem furchtbaren Blick an*)

*Mit diesem zweiten Pfeil durchschoß ich – Euch,
Wenn ich mein liebes Kind getroffen hätte, 2060
Und Eurer – wahrlich! hätt ich nicht gefehlt.
GESSLER. Wohl, Tell! Des Lebens hab ich dich gesichert,
Ich gab mein Ritterwort, das will ich halten –
Doch weil ich deinen bösen Sinn erkannt,

Will ich dich führen lassen und verwahren, 2065
*Wo weder Mond noch Sonne dich bescheint,
Damit ich sicher sei vor deinen Pfeilen.
Ergreift ihn, Knechte! Bindet ihn! (*Tell wird gebunden*)
STAUFFACHER. Wie, Herr?
So könntet Ihr an einem Manne handeln,
An dem sich Gottes Hand sichtbar verkündigt? 2070
GESSLER. Laß sehn, ob sie ihn zweimal retten wird.
– Man bring ihn auf mein Schiff, ich folge nach
Sogleich, ich selbst will ihn nach Küßnacht führen.
*RÖSSELMANN. Ihr wollt ihn außer Lands gefangen führen?
*LANDLEUTE. Das dürft Ihr nicht, das darf der Kaiser nicht,
Das widerstreitet unsern Freiheitsbriefen! 2076
GESSLER. Wo sind sie? Hat der Kaiser sie bestätigt?
Er hat sie nicht bestätigt – Diese Gunst
Muß erst erworben werden durch Gehorsam.
Rebellen seid ihr alle gegen Kaisers 2080
Gericht und nährt verwegene Empörung.
Ich kenn euch alle – ich durchschau euch ganz –
Den nehm ich jetzt heraus aus eurer Mitte,
Doch alle seid ihr teilhaft seiner Schuld.
Wer klug ist, lerne schweigen und gehorchen. 2085

(*Er entfernt sich, Berta, Rudenz, Harras und Knechte folgen,
Frießhardt und Leuthold bleiben zurück*)

WALTER FÜRST (*in heftigem Schmerz*).
Es ist vorbei, er hats beschlossen, mich
Mit meinem ganzen Hause zu verderben!
STAUFFACHER (*zum Tell*).
O warum mußtet Ihr den Wütrich reizen!
TELL. Bezwinge sich, wer meinen Schmerz gefühlt!
STAUFFACHER. O nun ist alles, alles hin! Mit Euch 2090
Sind wir gefesselt alle und gebunden!
LANDLEUTE (*umringen den Tell*).
Mit Euch geht unser letzter Trost dahin!
LEUTHOLD (*nähert sich*).
*Tell, es erbarmt mich – doch ich muß gehorchen.

TELL. Lebt wohl! *composed.*

WALTER TELL (*sich mit heftigem Schmerz an ihn schmiegend*).
        O Vater! Vater! Lieber Vater!

TELL (*hebt die Arme zum Himmel*).
    Dort droben ist dein Vater! den ruf an!   2095

STAUFFACHER. Tell, sag ich Eurem Weibe nichts von Euch?

TELL (*hebt den Knaben mit Inbrunst an seine Brust*).
    Der Knab ist unverletzt, mir wird Gott helfen.

    (*Reißt sich schnell los und folgt den Waffenknechten*)

VIERTER AUFZUG

Erste Szene

Östliches Ufer des Vierwaldstättensees
Die seltsam gestalteten schroffen Felsen im Westen schließen den
Prospekt. Der See ist bewegt, heftiges Rauschen und Tosen,
dazwischen Blitze und Donnerschläge

KUNZ VON GERSAU. FISCHER *und* FISCHERKNABE

KUNZ. Ich sahs mit Augen an, Ihr könnt mirs glauben,
  's ist alles so geschehn, wie ich Euch sagte.
FISCHER. Der Tell gefangen abgeführt nach Küßnacht,   2100
  Der beste Mann im Land, der bravste Arm,
  *Wenns einmal gelten sollte für die Freiheit.
KUNZ. Der Landvogt führt ihn selbst den See herauf;
  Sie waren eben dran sich einzuschiffen,
  Als ich von Flüelen abfuhr, doch der Sturm,   2105
  Der eben jetzt im Anzug ist und der
  Auch mich gezwungen, eilends hier zu landen,
  Mag ihre Abfahrt wohl verhindert haben.
FISCHER. Der Tell in Fesseln, in des Vogts Gewalt!
  O glaubt, er wird ihn tief genug vergraben,   2110
  Daß er des Tages Licht nicht wieder sieht!
  *Denn fürchten muß er die gerechte Rache
  Des freien Mannes, den er schwer gereizt!
KUNZ. Der Altlandammann auch, der edle Herr
  Von Attinghausen, sagt man, lieg am Tode.   2115
FISCHER. So bricht der letzte Anker unsrer Hoffnung!
  Der war es noch allein, der seine Stimme
  Erheben durfte für des Volkes Rechte!
KUNZ. Der Sturm nimmt überhand. Gehabt Euch wohl,
  Ich nehme Herberg in dem Dorf, denn heut   2120
  Ist doch an keine Abfahrt mehr zu denken. (*Geht ab*)
FISCHER. Der Tell gefangen und der Freiherr tot!

79

Erheb die freche Stirne, Tyrannei,
*Wirf alle Scham hinweg. Der Mund der Wahrheit
Ist stumm, das sehnde Auge ist geblendet,   2125
Der Arm, der retten sollte, ist gefesselt!
KNABE. Es hagelt schwer, kommt in die Hütte, Vater, *3rd stan*
Es ist nicht kommlich, hier im Freien hausen.
*FISCHER. Raset, ihr Winde, flammt herab, ihr Blitze!
Ihr Wolken, berstet, gießt herunter, Ströme   2130
Des Himmels, und ersäuft das Land! Zerstört
Im Keim die ungeborenen Geschlechter!
Ihr wilden Elemente werdet Herr,
Ihr Bären kommt, ihr alten Wölfe wieder
Der großen Wüste, euch gehört das Land,   2135
Wer wird hier leben wollen ohne Freiheit!
KNABE. Hört, wie der Abgrund tost, der Wirbel brüllt,
So hats noch nie gerast in diesem Schlunde!
FISCHER. Zu zielen auf des eignen Kindes Haupt,
Solches ward keinem Vater noch geboten!   2140
*Und die Natur soll nicht in wildem Grimm
Sich drob empören – O mich solls nicht wundern,
Wenn sich die Felsen bücken in den See,
Wenn jene Zacken, jene Eisestürme,
Die nie auftauten seit dem Schöpfungstag,   2145
Von ihren hohen Kulmen niederschmelzen,
Wenn die Berge brechen, wenn die alten Klüfte
Einstürzen, eine zweite Sündflut alle
Wohnstätten der Lebendigen verschlingt!

(*Man hört läuten*)

KNABE. Hört Ihr, sie läuten droben auf dem Berg,   2150
Gewiß hat man ein Schiff in Not gesehn,
Und zieht die Glocke, daß gebetet werde.

(*Steigt auf eine Anhöhe*)

FISCHER. Wehe dem Fahrzeug, das, jetzt unterwegs,
In dieser furchtbarn Wiege wird gewiegt!
Hier ist das Steuer unnütz und der Steurer,   2155

Der Sturm ist Meister, Wind und Welle spielen
Ball mit dem Menschen – Da ist nah und fern
*Kein Busen, der ihm freundlich Schutz gewährte!
*Handlos und schroff ansteigend starren ihm
Die Felsen, die unwirtlichen, entgegen   2160
Und weisen ihm nur ihre steinern schroffe Brust.
KNABE (*deutet links*).
    Vater, ein Schiff, es kommt von Flüelen her.
FISCHER. Gott helf den armen Leuten! Wenn der Sturm
    *In dieser Wasserkluft sich erst verfangen,
    Dann rast er um sich mit des Raubtiers Angst,   2165
    Das an des Gitters Eisenstäbe schlägt;
    Die Pforte sucht er heulend sich vergebens,
    Denn ringsum schränken ihn die Felsen ein,
    Die himmelhoch den engen Paß vermauren.

        (*Er steigt auf die Anhöhe*)

*KNABE. Es ist das Herrenschiff von Uri, Vater,   2170
    Ich kenns am roten Dach und an der Fahne.
*FISCHER. Gerichte Gottes! Ja, er ist es selbst,
    Der Landvogt, der da fährt – Dort schifft er hin,
    Und führt im Schiffe sein Verbrechen mit!
    Schnell hat der Arm des Rächers ihn gefunden,   2175
    Jetzt kennt er über sich den stärkern Herrn,
    Diese Wellen geben nicht auf seine Stimme,
    Diese Felsen bücken ihre Häupter nicht
    Vor seinem Hute – Knabe, bete nicht,
    Greif nicht dem Richter in den Arm!   2180
KNABE. Ich bete für den Landvogt nicht – Ich bete
    Für den Tell, der auf dem Schiff sich mit befindet.
FISCHER. O Unvernunft des blinden Elements!
    Mußt du, um *einen* Schuldigen zu treffen,
    Das Schiff mitsamt dem Steuermann verderben!   2185
KNABE. Sieh, sieh, sie waren glücklich schon vorbei
    *Am Buggisgrat, doch die Gewalt des Sturms,
    Der von dem Teufelsmünster widerprallt,
    Wirft sie zum großen Axenberg zurück.

– Ich seh sie nicht mehr.

FISCHER.   Dort ist das Hakmesser,
Wo schon der Schiffe mehrere gebrochen.
Wenn sie nicht weislich dort vorüberlenken,
*So wird das Schiff zerschmettert an der Fluh,
*Die sich gähstotzig absenkt in die Tiefe.
– Sie haben einen guten Steuermann   2195
Am Bord, könnt *einer* retten, wärs der Tell,
Doch dem sind Arm und Hände ja gefesselt.

*(WILHELM TELL *mit der Armbrust. Er kommt mit raschen
Schritten, blickt erstaunt umher und zeigt die heftigste Beweg-
ung. Wenn er mitten auf der Szene ist, wirft er sich nieder, die
Hände zu der Erde und dann zum Himmel ausbreitend*)

KNABE (*bemerkt ihn*).
Sieh, Vater, wer der Mann ist, der dort kniet?

FISCHER. Er faßt die Erde an mit seinen Händen,
Und scheint wie außer sich zu sein.   2200

KNABE (*kommt vorwärts*).
Was seh ich! Vater! Vater, kommt und seht!

FISCHER (*nähert sich*).
Wer ist es? – Gott im Himmel! Was! der Tell?
Wie kommt Ihr hieher? Redet!

KNABE.   Wart Ihr nicht
Dort auf dem Schiff gefangen und gebunden?

FISCHER. Ihr wurdet nicht nach Küßnacht abgeführt?   2205

TELL (*steht auf*). Ich bin befreit.

FISCHER UND KNABE.   Befreit! O Wunder Gottes!

KNABE. Wo kommt Ihr her?

TELL.   Dort aus dem Schiffe.

FISCHER.   Was?

KNABE (*zugleich*).
Wo ist der Landvogt?

TELL.   Auf den Wellen treibt er.

FISCHER. Ist möglich? Aber *Ihr*? Wie seid Ihr hier?
Seid Euren Banden und dem Sturm entkommen?   2210

TELL. Durch Gottes gnädge Fürsehung – Hört an!

FISCHER UND KNABE. O redet, redet!

TELL.   Was in Altdorf sich
  Begeben, wißt Ihrs?

FISCHER.   Alles weiß ich, redet!

TELL. Daß mich der Landvogt fahen ließ und binden,
  Nach seiner Burg zu Küßnacht wollte führen.   2215

FISCHER. Und sich mit Euch zu Flüelen eingeschifft!
  Wir wissen alles, sprecht, wie Ihr entkommen?

TELL. Ich lag im Schiff, mit Stricken fest gebunden,
  Wehrlos, ein aufgegebner Mann – nicht hofft ich,
  *Das frohe Licht der Sonne mehr zu sehn,   2220
  Der Gattin und der Kinder liebes Antlitz,
  Und trostlos blickt ich in die Wasserwüste –

FISCHER. O armer Mann!

*TELL.   So fuhren wir dahin,
  Der Vogt, Rudolf der Harras und die Knechte.
  Mein Köcher aber mit der Armbrust lag   2225
  *Am hintern Gransen bei dem Steuerruder.
  Und als wir an die Ecke jetzt gelangt
  *Beim kleinen Axen, da verhängt' es Gott,
  Daß solch ein grausam mördrisch Ungewitter
  *Gählings herfürbrach aus des Gotthards Schlünden,   2230
  Daß allen Ruderern das Herz entsank,
  Und meinten alle, elend zu ertrinken.
  Da hört ichs, wie der Diener einer sich
  Zum Landvogt wendet' und die Worte sprach:
  „Ihr sehet Eure Not und unsre, Herr,   2235
  Und daß wir all am Rand des Todes schweben –
  Die Steuerleute aber wissen sich
  *Für großer Furcht nicht Rat und sind des Fahrens
  *Nicht wohl berichtet – Nun aber ist der Tell
  Ein starker Mann und weiß ein Schiff zu steuern,   2240
  *Wie, wenn wir sein jetzt brauchten in der Not?"
  Da sprach der Vogt zu mir: „Tell, wenn du dirs
  Getrautest, uns zu helfen aus dem Sturm,
  So möcht ich dich der Bande wohl entledgen".
  Ich aber sprach: „Ja, Herr, mit Gottes Hilfe   2245

*Getrau ich mirs, und helf uns wohl hiedannen".
So ward ich meiner Bande los und stand
Am Steuerruder und fuhr redlich hin.
Doch schielt ich seitwärts, wo mein Schießzeug lag,
Und an dem Ufer merkt ich scharf umher,   2250
Wo sich ein Vorteil auftät zum Entspringen.
Und wie ich eines Felsenriffs gewahre,
Das abgeplattet vorsprang in den See –
FISCHER. Ich kenns, es ist am Fuß des großen Axen,
Doch nicht für möglich acht ichs – so gar steil   2255
Gehts an – vom Schiff es springend abzureichen –
*TELL. Schrie ich den Knechten, handlich zuzugehn,
Bis daß wir vor die Felsenplatte kämen,
Dort, rief ich, sei das Ärgste überstanden –
Und als wir sie frischrudernd bald erreicht,   2260
Fleh ich die Gnade Gottes an, und drücke,
Mit allen Leibeskräften angestemmt,
Den hintern Gransen an die Felswand hin –
Jetzt schnell mein Schießzeug fassend, schwing ich selbst
Hochspringend auf die Platte mich hinauf,   2265
Und mit gewaltgem Fußstoß hinter mich
Schleudr ich das Schifflein in den Schlund der Wasser –
Dort mags, wie Gott will, auf den Wellen treiben!
So bin ich hier, gerettet aus des Sturms
Gewalt und aus der schlimmeren der Menschen.   2270
FISCHER. Tell, Tell, ein sichtbar Wunder hat der Herr
An Euch getan, kaum glaub ichs meinen Sinnen –
Doch saget! Wo gedenket Ihr jetzt hin?
Denn Sicherheit ist nicht für Euch, wofern
Der Landvogt lebend diesem Sturm entkommt.   2275
TELL. Ich hört ihn sagen, da ich noch im Schiff
Gebunden lag, er woll bei Brunnen landen,
Und über Schwyz nach seiner Burg mich führen.
FISCHER. Will er den Weg dahin zu Lande nehmen?
TELL. Er denkts.
FISCHER.   O so verbergt Euch ohne Säumen,   2280
*Nicht zweimal hilft Euch Gott aus seiner Hand.

*TELL. Nennt mir den nächsten Weg nach Arth und Küß-
    nacht.
FISCHER. Die offne Straße zieht sich über Steinen,
    Doch einen kürzern Weg und heimlichern
    Kann Euch mein Knabe über Lowerz führen.   2285
TELL (*gibt ihm die Hand*).
    Gott lohn Euch Eure Guttat. Lebet wohl.

        (*Geht und kehrt wieder um*)

  *– Habt Ihr nicht auch im Rütli mit geschworen?
    Mir deucht, man nannt Euch mir –
FISCHER.   Ich war dabei,
    Und hab den Eid des Bundes mit beschworen.
TELL. So eilt nach Bürglen, tut die Lieb mir an,   2290
    Mein Weib verzagt um mich, verkündet ihr,
    Daß ich gerettet sei und wohl geborgen.
FISCHER. Doch wohin sag ich ihr, daß Ihr geflohn?
*TELL. Ihr werdet meinen Schwäher bei ihr finden
    Und andre, die im Rütli mitgeschworen –   2295
    Sie sollen wacker sein und gutes Muts,
    Der Tell sei *frei* und seines Armes mächtig,
    Bald werden sie ein Weiteres von mir hören.
FISCHER. Was habt Ihr im Gemüt? Entdeckt mirs frei.
*TELL. Ist es *getan*, wirds auch zur Rede kommen. (*Geht ab*)
FISCHER. Zeig ihm den Weg, Jenni – Gott steh ihm bei!   2301
    Er führts zum Ziel, was er auch unternommen. (*Geht ab*)

Zweite Szene

Edelhof zu Attinghausen

*DER FREIHERR, *in einem Armsessel, sterbend.* WALTER
FÜRST, STAUFFACHER, MELCHTHAL *und* BAUMGARTEN
um ihn beschäftigt. WALTER TELL *knieend vor dem Sterbenden*

WALTER FÜRST. Es ist vorbei mit ihm, er ist hinüber.
STAUFFACHER. Er liegt nicht wie ein Toter – Seht, die Feder
    Auf seinen Lippen regt sich! Ruhig ist   2305

Sein Schlaf, und friedlich lächeln seine Züge.

(*Baumgarten geht an die Türe und spricht mit jemand*)

WALTER FÜRST (*zu Baumgarten*). Wer ists?
BAUMGARTEN (*kommt zurück*).
　　　　　　　　　　*Es ist Frau Hedwig, Eure Tochter,
Sie will Euch sprechen, will den Knaben sehn.

(*Walter Tell richtet sich auf*)

WALTER FÜRST. Kann ich sie trösten? Hab ich selber Trost?
　　Häuft alles Leiden sich auf meinem Haupt?　　　　　　2310
HEDWIG (*hereindringend*).
　　Wo ist mein Kind? Laßt mich, ich muß es sehn –
STAUFFACHER. Faßt Euch, bedenkt, daß Ihr im Haus des
　　Todes –
HEDWIG (*stürzt auf den Knaben*). Mein Wälty! O er lebt mir.
WALTER TELL (*hängt an ihr*).　　　　　　　　Arme Mutter!
HEDWIG. Ists auch gewiß? Bist du mir unverletzt?

(*Betrachtet ihn mit ängstlicher Sorgfalt*)

　　Und ist es möglich? Konnt er auf dich zielen?　　　　2315
　　Wie konnt ers? O er hat kein Herz – Er konnte
　　Den Pfeil abdrücken auf sein eignes Kind!
WALTER FÜRST. Er tats mit Angst, mit schmerzzerrißner Seele,
　　Gezwungen tat ers, denn es galt das Leben.
*HEDWIG. O hätt er eines Vaters Herz, eh ers　　　　　　2320
　　Getan, er wäre tausendmal gestorben!
STAUFFACHER. Ihr solltet Gottes gnädge Schickung preisen,
　　Die es so gut gelenkt –
HEDWIG.　　　　　　Kann ich vergessen,
　　Wies hätte kommen *können* – Gott des Himmels!
　　Und lebt ich achtzig Jahr – Ich seh den Knaben ewig　　2325
　　Gebunden stehn, den Vater auf ihn zielen,
　　Und ewig fliegt der Pfeil mir in das Herz.
MELCHTHAL. Frau, wüßtet Ihr, wie ihn der Vogt gereizt!
*HEDWIG. O rohes Herz der Männer! Wenn ihr Stolz
　　Beleidigt wird, dann achten sie nichts mehr,　　　　　2330

Sie setzen in der blinden Wut des Spiels
Das Haupt des Kindes und das Herz der Mutter!
BAUMGARTEN. Ist Eures Mannes Los nicht hart genug,
   Daß Ihr mit schwerem Tadel ihn noch kränkt?
   Für *seine* Leiden habt Ihr kein Gefühl?   2335
HEDWIG
   (*kehrt sich nach ihm um und sieht ihn mit einen großen Blick an*).
   *Hast *du* nur Tränen für des Freundes Unglück?
   – Wo waret ihr, da man den Trefflichen
   In Bande schlug? Wo war *da* eure Hilfe?
   Ihr sahet zu, ihr ließt das Gräßliche geschehn,
   Geduldig littet ihrs, daß man den Freund   2340
   Aus eurer Mitte führte – Hat der Tell
   Auch so an *euch* gehandelt? Stand er auch
   Bedauernd da, als hinter dir die Reiter
   Des Landvogts drangen, als der wütge See
   Vor dir erbrauste? Nicht mit müßgen Tränen   2345
   Beklagt' er dich, in den Nachen sprang er, Weib
   Und Kind vergaß er und befreite dich –
WALTER FÜRST. Was konnten wir zu seiner Rettung wagen,
   Die kleine Zahl, die unbewaffnet war!
HEDWIG (*wirft sich an seine Brust*).
   *O Vater! Und auch du hast ihn verloren!   2350
   Das Land, wir alle haben ihn verloren!
   Uns allen fehlt er, ach! wir fehlen ihm!
   Gott rette seine Seele vor Verzweiflung.
   *Zu ihm hinab ins öde Burgverlies
   Dringt keines Freundes Trost – Wenn er erkrankte!   2355
   Ach, in des Kerkers feuchter Finsternis
   *Muß er erkranken – Wie die Alpenrose
   Bleicht und verkümmert in der Sumpfesluft,
   So ist für *ihn* kein Leben als im Licht
   Der Sonne, in dem Balsamstrom der Lüfte.   2360
   Gefangen! Er! Sein Atem ist die Freiheit.
   Er kann nicht leben in dem Hauch der Grüfte.
STAUFFACHER. Beruhigt Euch. Wir alle wollen handeln,
   Um seinen Kerker aufzutun.

F

88

WILHELM TELL

HEDWIG. Was könnt *ihr* schaffen ohne ihn? – Solang   2365
　Der Tell noch frei war, ja, *da* war noch Hoffnung,
　Da hatte noch die Unschuld einen Freund,
　Da hatte einen Helfer der Verfolgte,
　*Euch alle rettete der Tell – Ihr alle
　Zusammen könnt nicht *seine* Fesseln lösen!   2370

(Der Freiherr erwacht)

BAUMGARTEN. Er regt sich, still!
ATTINGHAUSEN *(sich aufrichtend)*. Wo ist er?
STAUFFACHER.　　　　　　　　　　　Wer?
ATTINGHAUSEN.　　　　　　　　　　　　　Er fehlt mir,
　Verläßt mich in dem letzten Augenblick!
STAUFFACHER. Er meint den Junker – Schickte man nach ihm?
WALTER FÜRST. Es ist nach ihm gesendet – Tröstet Euch!
　Er hat sein Herz gefunden, er ist unser.   2375
ATTINGHAUSEN. Hat er gesprochen für sein Vaterland?
STAUFFACHER. Mit Heldenkühnheit.
ATTINGHAUSEN.　　　　　　　　Warum kommt er nicht,
　Um meinen letzten Segen zu empfangen?
　Ich fühle, daß es schleunig mit mir endet.
STAUFFACHER. Nicht also, edler Herr! Der kurze Schlaf   2380
　Hat Euch erquickt, und hell ist Euer Blick.
ATTINGHAUSEN. Der Schmerz ist Leben, er verließ mich auch,
　Das Leiden ist, so wie die Hoffnung, aus.

(Er bemerkt den Knaben)

　Wer ist der Knabe?
WALTER FÜRST.　　　Segnet ihn, o Herr!
　Er ist mein Enkel und ist vaterlos.   2385

(Hedwig sinkt mit dem Knaben vor dem Sterbenden nieder)

ATTINGHAUSEN. Und vaterlos laß ich euch alle, alle
　Zurück – Weh mir, daß meine letzten Blicke
　Den Untergang des Vaterlands gesehn!
　Mußt ich des Lebens höchstes Maß erreichen,
　Um ganz mit allen Hoffnungen zu sterben!   2390

STAUFFACHER (*zu Walter Fürst*).
  Soll er in diesem finstern Kummer scheiden?
  Erhellen wir ihm nicht die letzte Stunde
  Mit schönem Strahl der Hoffnung? – Edler Freiherr!
  Erhebet Euren Geist! Wir sind nicht ganz
  Verlassen, sind nicht rettungslos verloren.   2395
ATTINGHAUSEN.
  Wer soll euch retten?
WALTER FÜRST.   Wir uns selbst. Vernehmt!
  Es haben die drei Lande sich das Wort
  Gegeben, die Tyrannen zu verjagen.
  Geschlossen ist der Bund, ein heilger Schwur
  Verbindet uns. Es wird gehandelt werden,   2400
  Eh noch das Jahr den neuen Kreis beginnt,
  Euer Staub wird ruhn in einem freien Lande.
ATTINGHAUSEN. O saget mir! Geschlossen ist der Bund?
MELCHTHAL. Am gleichen Tage werden alle drei
  Waldstätte sich erheben. Alles ist   2405
  Bereit, und das Geheimnis wohlbewahrt
 *Bis jetzt, obgleich viel Hunderte es teilen.
  Hohl ist der Boden unter den Tyrannen,
  Die Tage ihrer Herrschaft sind gezählt,
  Und bald ist ihre Spur nicht mehr zu finden.   2410
ATTINGHAUSEN. Die festen Burgen aber in den Landen?
MELCHTHAL. Sie fallen alle an dem gleichen Tag.
ATTINGHAUSEN. Und sind die Edeln dieses Bunds teilhaftig?
*STAUFFACHER. Wir harren ihres Beistands, wenn es gilt,
  Jetzt aber hat der Landmann nur geschworen.   2415
ATTINGHAUSEN

    (*richtet sich langsam in die Höhe, mit großem Erstaunen*).

 *Hat sich der Landmann solcher Tat verwogen,
  Aus eignem Mittel, ohne Hilf der Edeln,
  Hat er der eignen Kraft so viel vertraut –
 *Ja, dann bedarf es unserer nicht mehr,
  Getröstet können wir zu Grabe steigen: 2420
  Es lebt *nach* uns – durch andre Kräfte will

*Das Herrliche der Menschheit sich erhalten.

*(Er legt seine Hand auf das Haupt des Kindes, das vor ihm auf
den Knien liegt)*

Aus diesem Haupte, wo der Apfel lag,
Wird euch die neue beßre Freiheit grünen,
Das Alte stürzt, es ändert sich die Zeit,   2425
Und neues Leben blüht aus den Ruinen.

STAUFFACHER *(zu Walter Fürst)*.
Seht, welcher Glanz sich um sein Aug ergießt!
Das ist nicht das Erlöschen der Natur,
Das ist der Strahl schon eines neuen Lebens.

*ATTINGHAUSEN. Der Adel steigt von seinen alten Burgen
Und schwört den Städten seinen Bürgereid;   2431
Im Üchtland schon, im Thurgau hats begonnen,
Die edle Bern erhebt ihr herrschend Haupt,
Freiburg ist eine sichre Burg der Freien,
Die rege Zürich waffnet ihre Zünfte   2435
Zum kriegerischen Heer – es bricht die Macht
Der Könige sich an ihren ewgen Wällen –

*(Er spricht das Folgende mit dem Ton eines Sehers – seine Rede
steigt bis zur Begeisterung)*

Die Fürsten seh ich und die edeln Herrn
In Harnischen herangezogen kommen,
Ein harmlos Volk von Hirten zu bekriegen.   2440
Auf Tod und Leben wird gekämpft, und herrlich
Wird mancher Paß durch blutige Entscheidung.
*Der Landmann stürzt sich mit der nackten Brust,
Ein freies Opfer, in die Schar der Lanzen,
Er bricht sie, und des Adels Blüte fällt,   2445
Es hebt die Freiheit siegend ihre Fahne.

(Walter Fürsts und Stauffachers Hände fassend)

Drum haltet fest zusammen – fest und ewig –
Kein Ort der Freiheit sei dem andern fremd –
Hochwachten stellet aus auf euren Bergen,

*Daß sich der Bund zum Bunde rasch versammle –   2450
Seid einig – einig – einig –

(*Er fällt in das Kissen zurück – seine Hände halten entseelt noch
die andern gefaßt. Fürst und Stauffacher betrachten ihn noch
eine Zeitlang schweigend, dann treten sie hinweg, jeder seinem
Schmerz überlassen. Unterdessen sind die Knechte still
hereingedrungen, sie nähern sich mit Zeichen eines stillern
oder heftigern Schmerzens, einige knien bei ihm nieder und
weinen auf seine Hand, während dieser stummen Szene wird die
Burgglocke geläutet*)

(RUDENZ *zu den Vorigen*)

RUDENZ (*rasch eintretend*).
  Lebt er? O saget, kann er mich noch hören?
WALTER FÜRST (*deutet hin mit weggewandtem Gesicht*).
  Ihr seid jetzt unser Lehensherr und Schirmer,
  *Und dieses Schloß hat einen andern Namen.
RUDENZ.

  (*erblickt den Leichnam und steht von heftigem Schmerz
ergriffen*)

  O gütger Gott! – Kommt meine Reu zu spät?   2455
  Konnt er nicht wen'ge Pulse länger leben,
  Um mein geändert Herz zu sehn?
  Verachtet hab ich seine treue Stimme,
  Da er noch wandelte im Licht – Er ist
  Dahin, ist fort auf immerdar und läßt mir   2460
  Die schwere unbezahlte Schuld! – O saget!
  Schied er dahin im Unmut gegen mich?
STAUFFACHER. Er hörte sterbend noch, was Ihr getan,
  Und segnete den Mut, mit dem Ihr spracht!
RUDENZ (*kniet an dem Toten nieder*).
  Ja, heilge Reste eines teuren Mannes!   2465
  Entseelter Leichnam! Hier gelob ich dirs
  In deine kalte Totenhand – Zerrissen
  Hab ich auf ewig alle fremden Bande,
  Zurückgegeben bin ich meinem Volk,

Ein Schweizer bin ich und ich will es sein –   2470
Von ganzer Seele – – (*Aufstehend*)
                    Trauert um den Freund,
Den Vater aller, doch verzaget nicht!
Nicht bloß sein Erbe ist mir zugefallen,
Es steigt sein Herz, sein Geist auf mich herab,
Und leisten soll euch meine frische Jugend,   2475
Was euch sein greises Alter schuldig blieb.
*– Ehrwürdger Vater, gebt mir Eure Hand!
Gebt mir die Eurige! Melchthal, auch Ihr!
Bedenkt Euch nicht! O wendet Euch nicht weg!
Empfanget meinen Schwur und mein Gelübde.   2480
WALTER FÜRST. Gebt ihm die Hand. Sein wiederkehrend Herz
Verdient Vertraun.
MELCHTHAL.   Ihr habt den Landmann nichts geachtet.
*Sprecht, wessen soll man sich zu Euch versehn?
*RUDENZ. O denket nicht des Irrtums meiner Jugend!
STAUFFACHER (*zu Melchthal*).
Seid einig, war das letzte Wort des Vaters,   2485
Gedenket dessen!
MELCHTHAL.   Hier ist meine Hand!
Des Bauern Handschlag, edler Herr, ist auch
Ein Manneswort! Was ist der Ritter ohne uns?
*Und unser Stand ist älter als der Eure.
RUDENZ. Ich ehr ihn, und mein Schwert soll ihn beschützen.
MELCHTHAL. *Der* Arm, Herr Freiherr, der die harte Erde 2491
Sich unterwirft und ihren Schoß befruchtet,
Kann auch des Mannes Brust beschützen.
RUDENZ.   Ihr
Sollt *meine* Brust, ich will die *eure* schützen,
So sind wir einer durch den andern stark.   2495
– Doch wozu reden, da das Vaterland
Ein Raub noch ist der fremden Tyrannei?
Wenn erst der Boden rein ist von dem Feind,
*Dann wollen wirs in Frieden schon vergleichen.

        (*Nachdem er einen Augenblick innegehalten*)

Ihr schweigt? Ihr habt mir nichts zu sagen? Wie?   2500
Verdien ichs noch nicht, daß ihr mir vertraut?
So muß ich wider euren Willen mich
In das Geheimnis eures Bundes drängen.
– Ihr habt getagt – geschworen auf dem Rütli –
Ich weiß – weiß alles, was ihr dort verhandelt;   2505
*Und was mir nicht von euch vertrauet ward,
Ich habs bewahrt gleich wie ein heilig Pfand.
Nie war ich meines Landes Feind, glaubt mir,
Und niemals hätt ich gegen euch gehandelt.
– Doch übel tatet ihr, es zu verschieben,   2510
Die Stunde dringt, und rascher Tat bedarfs –
*Der Tell ward schon das Opfer eures Säumens –
STAUFFACHER. Das Christfest abzuwarten schwuren wir.
RUDENZ. *Ich* war nicht dort, ich hab nicht mitgeschworen.
Wartet ihr ab, ich handle.
MELCHTHAL.   Was? Ihr wolltet –   2515
RUDENZ. Des Landes Vätern zähl ich mich jetzt bei,
Und meine erste Pflicht ist, euch zu schützen.
WALTER FÜRST. Der Erde diesen teuren Staub zu geben,
Ist Eure nächste Pflicht und heiligste.
RUDENZ. Wenn wir das Land befreit, dann legen wir   2520
Den frischen Kranz des Siegs ihn auf die Bahre.
– O Freunde! Eure Sache nicht allein,
Ich habe meine eigne auszufechten
Mit dem Tyrannen – Hört und wißt! Verschwunden
Ist meine Berta, heimlich weggeraubt,   2525
Mit kecker Freveltat aus unsrer Mitte!
STAUFFACHER. Solcher Gewalttat hätte der Tyrann
Wider die freie Edle sich verwogen?
*RUDENZ. O meine Freunde! Euch versprach ich Hilfe,
*Und ich zuerst muß sie von euch erflehn.   2530
Geraubt, entrissen ist mir die Geliebte,
Wer weiß, wo sie der Wütende verbirgt,
Welcher Gewalt sie frevelnd sich erkühnen.
Ihr Herz zu zwingen zum verhaßten Band!
Verlaßt mich nicht, o helft mir sie erretten –   2535

Sie liebt euch, o sie hats verdient ums Land,
Daß alle Arme sich für sie bewaffnen –
WALTER FÜRST. Was wollt Ihr unternehmen?
RUDENZ.   Weiß ichs? Ach!
  *In dieser Nacht, die ihr Geschick umhüllt,
   In dieses Zweifels ungeheurer Angst,   2540
   Wo ich nichts Festes zu erfassen weiß,
   Ist mir nur dieses in der Seele klar:
  *Unter den Trümmern der Tyrannenmacht
   Allein kann sie hervorgegraben werden,
   Die Festen alle müssen wir bezwingen,   2545
   Ob wir vielleicht in ihren Kerker dringen.
MELCHTHAL. Kommt, führt uns an. Wir folgen Euch. Warum
   Bis morgen sparen, was wir heut vermögen?
   Frei war der Tell, als wir im Rütli schwuren,
  *Das Ungeheure war noch nicht geschehen.   2550
  *Es bringt die Zeit ein anderes Gesetz,
   Wer ist so feig, der jetzt noch könnte zagen!
RUDENZ (zu Stauffacher und Walter Fürst).
   Indes bewaffnet und zum Werk bereit
   Erwartet ihr der Berge Feuerzeichen,
  *Denn schneller als ein Botensegel fliegt,   2555
   Soll euch die Botschaft unsers Siegs erreichen,
   Und seht ihr leuchten die willkommnen Flammen,
   Dann auf die Feinde stürzt, wie Wetters Strahl,
   Und brecht den Bau der Tyrannei zusammen. (Gehen ab)

Dritte Szene

*Die hohle Gasse bei Küßnacht

Man steigt von hinten zwischen Felsen herunter, und DIE
WANDERER werden, ehe sie auf der Szene erscheinen, schon von
der Höhe gesehen. Felsen umschließen die ganze Szene, auf einem
der vordersten ist ein Vorsprung mit Gesträuch bewachsen

TELL (tritt auf mit der Armbrust).
   Durch diese hohle Gasse muß er kommen,   2560

Es führt kein andrer Weg nach Küßnacht – Hier
Vollend ichs – Die Gelegenheit ist günstig.
*Dort der Holunderstrauch verbirgt mich ihm,
Von dort herab kann ihn mein Pfeil erlangen,
Des Weges Enge wehret den Verfolgern.   2565
Mach deine Rechnung mit dem Himmel, Vogt,
*Fort mußt du, deine Uhr ist abgelaufen.

Ich lebte still und harmlos – Das Geschoß
War auf des Waldes Tiere nur gerichtet,
Meine Gedanken waren rein von Mord –   2570
Du hast aus meinem Frieden mich heraus
Geschreckt, in gärend Drachengift hast du
*Die Milch der frommen Denkart mir verwandelt,
*Zum Ungeheuren hast du mich gewöhnt –
Wer sich des Kindes Haupt zum Ziele setzte,   2575
Der kann auch treffen in das Herz des Feinds.

Die armen Kindlein, die unschuldigen,
Das treue Weib muß ich vor deiner Wut
*Beschützen, Landvogt – Da, als ich den Bogenstrang
Anzog – als mir die Hand erzitterte –   2580
Als du mit grausam teuflischer Lust
Mich zwangst, aufs Haupt des Kindes anzulegen –
Als ich ohnmächtig flehend rang vor dir,
Damals gelobt ich mir in meinem Innern
Mit furchtbarm Eidschwur, den nur Gott gehört,   2585
Daß meines *nächsten* Schusses *erstes* Ziel
Dein Herz sein sollte – Was ich mir gelobt
In jenes Augenblickes Höllenqualen,
Ist eine heilge Schuld, ich will sie zahlen.

Du bist mein Herr und meines Kaisers Vogt,   2590
Doch nicht der Kaiser hätte sich erlaubt,
Was *du* – Er sandte dich in diese Lande,
Um Recht zu sprechen – strenges, denn er zürnet –
Doch nicht, um mit der mörderischen Lust

Dich jedes Greuels straflos zu erfrechen,   2595
Es lebt ein Gott, zu strafen und zu rächen.

*Komm du hervor, du Bringer bittrer Schmerzen,
Mein teures Kleinod jetzt, mein höchster Schatz –
*Ein Ziel will ich dir geben, das bis jetzt
Der frommen Bitte undurchdringlich war –   2600
Doch *dir* soll es nicht widerstehn – Und du,
Vertraute Bogensehne, die so oft
Mir treu gedient hat in der Freude Spielen,
Verlaß mich nicht im fürchterlichen Ernst.
Nur jetzt noch halte fest, du treuer Strang,   2605
Der mir so oft den herben Pfeil beflügelt –
Entränn er jetzo kraftlos meinen Händen,
Ich habe keinen zweiten zu versenden.

(*Wanderer gehen über die Szene*)

*Auf dieser Bank von Stein will ich mich setzen,
Dem Wanderer zur kurzen Ruh bereitet –   2610
*Denn hier ist keine Heimat – Jeder treibt
Sich an dem andern rasch und fremd vorüber
Und fraget nicht nach seinem Schmerz – Hier geht
Der sorgenvolle Kaufmann und der leicht
Geschürzte Pilger – der andächtge Mönch,   2615
Der düstre Räuber und der heitre Spielmann,
Der Säumer mit dem schwer beladnen Roß,
Der ferne herkommt von der Menschen Ländern,
Denn jede Straße führt ans End der Welt.
Sie alle ziehen ihres Weges fort   2620
An ihr Geschäft – und *meines* ist der Mord! (*Setzt sich*)

*Sonst wenn der Vater auszog, liebe Kinder,
Da war ein Freuen, wenn er wiederkam,
Denn niemals kehrt er heim, er bracht euch etwas,
Wars eine schöne Alpenblume, wars   2625
*Ein seltner Vogel oder Ammonshorn,
Wie es der Wandrer findet auf den Bergen –

Jetzt geht er einem andern Weidwerk nach,
Am wilden Weg sitzt er mit Mordgedanken,
Des Feindes Leben ists, worauf er lauert.   2630
– Und doch an *euch* nur denkt er, lieben Kinder,
Auch jetzt – euch zu verteidgen, eure holde Unschuld
Zu schützen vor der Rache des Tyrannen,
Will er zum Morde jetzt den Bogen spannen! (*Steht auf*)

*Ich laure auf ein edles Wild – Läßt sichs   2635
Der Jäger nicht verdrießen, tagelang
Umherzustreifen in des Winters Strenge,
Von Fels zu Fels den Wagesprung zu tun,
Hinanzuklimmen an den glatten Wänden,
Wo er sich anleimt mit dem eignen Blut.   2640
– Um ein armselig Grattier zu erjagen.
Hier gilt es einen köstlicheren Preis,
Das Herz des Todfeinds, der mich will verderben.

(*Man hört von ferne eine heitre Musik, welche sich nähert*)

Mein ganzes Leben lang hab ich den Bogen
*Gehandhabt, mich geübt nach Schützenregel,   2645
Ich habe oft geschossen in das Schwarze
Und manchen schönen Preis mit heimgebracht
Vom Freudenschießen – Aber heute will ich
Den *Meisterschuß* tun und das Beste mir
Im ganzen Umkreis des Gebirgs gewinnen.   2650

(*Eine Hochzeit zieht über die Szene und durch den Hohlweg
hinauf. Tell betrachtet sie, auf seinen Bogen gelehnt,* STÜSSI
der Flurschütz gesellt sich zu ihm)

*STÜSSI. Das ist der Klostermeir von Mörlischachen,
*Der hier den Brautlauf hält – Ein reicher Mann,
*Er hat wohl zehen Senten auf den Alpen.
*Die Braut holt er jetzt ab zu Imisee,
*Und diese Nacht wird hoch geschwelgt zu Küßnacht.   2655
Kommt mit! 's ist jeder Biedermann geladen.
TELL. Ein ernster Gast stimmt nicht zum Hochzeithaus.

STÜSSI. Drückt Euch ein Kummer, werft ihn frisch vom
    Herzen!
    Nehmt mit, was kommt, die Zeiten sind jetzt schwer.
    Drum muß der Mensch die Freude leicht ergreifen.   2660
    Hier wird gefreit und anderswo begraben.
TELL. Und oft kommt gar das eine zu dem andern.
STÜSSI. So geht die Welt nun. Es gibt allerwegen
  *Unglücks genug – Ein Ruffi ist gegangen
    Im Glarner Land und eine ganze Seite   2665
    Vom Glärnisch eingesunken.
TELL.   Wanken auch
    Die Berge selbst? Es steht nichts fest auf Erden.
STÜSSI. Auch anderswo vernimmt man Wunderdinge.
    Da sprach ich einen, der von Baden kam.
    Ein Ritter wollte zu dem König reiten,   2670
    Und unterwegs begegnet ihm ein Schwarm
  *Von Hornissen, die fallen auf sein Roß,
    Daß es für Marter tot zu Boden sinkt,
    Und er zu Fuße ankommt bei dem König.
TELL. Dem Schwachen ist sein Stachel auch gegeben.   2675

    (ARMGARD *kommt mit mehreren Kindern und stellt sich an den*
              Eingang des Hohlwegs)

STÜSSI. Man deutets auf ein großes Landesunglück,
    Auf schwere Taten wider die Natur.
TELL. Dergleichen Taten bringet jeder Tag,
    Kein Wunderzeichen braucht sie zu verkünden.
STÜSSI. Ja, wohl dem, der sein Feld bestellt in Ruh   2680
    Und ungekränkt daheim sitzt bei den Seinen.
*TELL. Es kann der Frömmste nicht in Frieden bleiben,
    Wenn es dem bösen Nachbar nicht gefällt.

    (*Tell sieht oft mit unruhiger Erwartung nach der Höhe des*
              Weges)

STÜSSI. Gehabt Euch wohl – Ihr wartet hier auf jemand?
TELL. Das tu ich.
STÜSSI.   Frohe Heimkehr zu den Euren!   2685

– Ihr seid aus Uri? Unser gnädger Herr
Der Landvogt wird noch heut von dort erwartet.

WANDERER (*kommt*).
  *Den Vogt erwartet heut nicht mehr. Die Wasser
  Sind ausgetreten von dem großen Regen,
  Und alle Brücken hat der Strom zerrissen. (*Tell steht auf*)

ARMGARD (*kommt vorwärts*).
  Der Landvogt kommt nicht!

STÜSSI.   Sucht Ihr was an Ihn?   2691

ARMGARD. Ach freilich!

STÜSSI.   Warum stellet Ihr Euch denn
  In dieser hohlen Gaß ihm in den Weg?

ARMGARD. Hier weicht er mir nicht aus, er muß mich hören.

FRIESSHARDT (*kommt eilfertig den Hohlweg herab und ruft in die
      Szene*).
  Man fahre aus dem Weg – Mein gnädger Herr   2695
  Der Landvogt kommt dicht hinter mir geritten.

          (*Tell geht ab*)

ARMGARD (*lebhaft*). Der Landvogt kommt!

  *(*Sie geht mit ihren Kindern nach der vordern Szene.* GESSLER
  und RUDOLF DER HARRAS *zeigen sich zu Pferd auf der
      Höhe des Wegs*)

STÜSSI (*zum Frießhardt*).   Wie kamt ihr durch das Wasser,
  Da doch der Strom die Brücken fortgeführt?

FRIESSHARDT. Wir haben mit dem See gefochten, Freund,
  Und fürchten uns vor keinem Alpenwasser.   2700

STÜSSI. Ihr wart zu Schiff in dem gewaltgen Sturm?

FRIESSHARDT. Das waren wir. Mein Lebtag denk ich dran –

STÜSSI. O bleibt, erzählt!

FRIESSHARDT.   Laßt mich, ich muß voraus,
  Den Landvogt muß ich in der Burg verkünden. (*Ab*)

STÜSSI. Wärn gute Leute auf dem Schiff gewesen,   2705
  In Grund gesunken wärs mit Mann und Maus,
  Dem Volk kann weder Wasser bei noch Feuer.

          (*Er sieht sich um*)

Wo kam der Weidmann hin, mit dem ich sprach?

(Geht ab)
(Geßler und Rudolf der Harras zu Pferd)

GESSLER. Sagt, was Ihr wollt, ich bin des Kaisers Diener
      Und muß drauf denken, wie ich ihm gefalle.   2710
      Er hat mich nicht ins Land geschickt, dem Volk
    *Zu schmeicheln und ihm sanft zu tun – Gehorsam
      Erwartet er; der Streit ist, ob der Bauer
      Soll Herr sein in dem Lande oder der Kaiser.
ARMGARD. Jetzt ist der Augenblick! Jetzt bring ichs an!   2715

(Nähert sich furchtsam)

GESSLER. Ich hab den Hut nicht aufgesteckt zu Altdorf
    *Des Scherzes wegen, oder um die Herzen
      Des Volks zu prüfen; diese kenn ich längst.
      Ich hab ihn aufgesteckt, daß sie den Nacken
      Mir lernen beugen, den sie aufrecht tragen –   2720
      Das *Unbequeme* hab ich hingepflanzt
      Auf ihren Weg, wo sie vorbeigehn müssen,
      Daß sie drauf stoßen mit dem Aug, und sich
      Erinnern ihres Herrn, den sie vergessen.
RUDOLF DER HARRAS. Das Volk hat aber doch gewisse Rechte –
GESSLER. Die abzuwägen, ist jetzt keine Zeit!   2726
    *– Weitschichtge Dinge sind im Werk und Werden,
      Das Kaiserhaus will wachsen; was der Vater
      Glorreich begonnen, will der Sohn vollenden.
      Dies kleine Volk ist uns ein Stein im Weg –   2730
      So oder so – es muß sich unterwerfen.

*(Sie wollen vorüber. Die Frau wirft sich vor dem Landvogt
      nieder)*

ARMGARD. Barmherzigkeit, Herr Landvogt! Gnade! Gnade!
GESSLER. Was dringt Ihr Euch auf offner Straße mir
      In Weg – Zurück!
ARMGARD.   Mein Mann liegt im Gefängnis,
      Die armen Waisen schrein nach Brot – Habt Mitleid,   2735

Gestrenger Herr, mit unserm großen Elend.

RUDOLF DER HARRAS.
>Wer seid Ihr? Wer ist Euer Mann?

ARMGARD.   Ein armer
  *Wildheuer, guter Herr, von Rigiberge,
  Der überm Abgrund weg das freie Gras
  Abmähet von den schroffen Felsenwänden,   2740
  Wohin das Vieh sich nicht getraut zu steigen –

*RUDOLF DER HARRAS (*zum Landvogt*).
  Bei Gott, ein elend und erbärmlich Leben!
  Ich bitt Euch, gebt ihn los, den armen Mann,
  Was er auch Schweres mag verschuldet haben,
  Strafe genug ist sein entsetzlich Handwerk.   2745

                (*Zu der Frau*)

  Euch soll Recht werden – Drinnen auf der Burg
  Nennt Eure Bitte – Hier ist nicht der Ort.

ARMGARD. Nein, nein, ich weiche nicht von diesem Platz,
  Bis mir der Vogt den Mann zurückgegeben!
  Schon in den sechsten Mond liegt er im Turm   2750
  Und harret auf den Richterspruch vergebens.

GESSLER. Weib, wollt Ihr mir Gewalt antun? Hinweg!

*ARMGARD. Gerechtigkeit, Landvogt! Du bist der Richter
  Im Lande an des Kaisers Statt und Gottes.
  Tu deine Pflicht! So du Gerechtigkeit   2755
  Von Himmel hoffest, so erzeig sie uns.

GESSLER. Fort, schafft das freche Volk mir aus den Augen.

ARMGARD (*greift in die Zügel des Pferdes*).
  Nein, nein, ich habe nichts mehr zu verlieren.
  – Du kommst nicht von der Stelle, Vogt, bis du
  Mir Recht gesprochen – Falte deine Stirne,   2760
  Rolle die Augen, wie du willst – Wir sind
  So grenzenlos unglücklich, daß wir nichts
  Nach deinem Zorn mehr fragen –

GESSLER.   Weib, mach Platz,
  Oder mein Roß geht über dich hinweg.

ARMGARD. Laß es über mich dahingehn – Da –

(*Sie reißt ihre Kinder zu Boden und wirft sich mit ihnen ihm in den Weg*)   Hier lieg ich

Mit meinen Kindern – Laß die armen Waisen   2766
Von deines Pferdes Huf zertreten werden,
Es ist das Ärgste nicht, was du getan –

RUDOLF DER HARRAS.
Weib, seid Ihr rasend?

ARMGARD (*heftiger fortfahrend*). Tratest du doch längst
Das Land des Kaisers unter deine Füße!   2770
– O ich bin nur ein Weib! Wär ich ein Mann,
Ich wüßte wohl was Besseres, als hier
Im Staub zu liegen –

(*Man hört die vorige Musik wieder auf der Höhe des Wegs, aber
gedämpft*)

GESSLER.   Wo sind meine Knechte?
Man reiße sie von hinnen, oder ich
Vergesse mich und tue, was mich reut.   2775

RUDOLF DER HARRAS.
Die Knechte können nicht hindurch, o Herr,
Der Hohlweg ist gesperrt durch eine Hochzeit.

GESSLER. Ein allzu milder Herrscher bin ich noch
Gegen dies Volk – die Zungen sind noch frei,
Es ist noch nicht ganz, wie es soll, gebändigt –   2780
*Doch es soll anders werden, ich gelob es,
Ich will ihn brechen diesen starren Sinn,
Den kecken Geist der Freiheit will ich beugen.
Ein neu Gesetz will ich in diesen Landen
Verkündigen – Ich will –

(*Ein Pfeil durchbohrt ihn, er fährt mit der Hand ans Herz und
will sinken. Mit matter Stimme*)

Gott sei mir gnädig!   2785

RUDOLF DER HARRAS.
Herr Landvogt – Gott was ist das? Woher kam das?

ARMGARD (*auffahrend*).
Mord! Mord! Er taumelt, sinkt! Er ist getroffen!

*Mitten ins Herz hat ihn der Pfeil getroffen!

RUDOLF DER HARRAS (*springt vom Pferde*).
  Welch gräßliches Ereignis – Gott – Herr Ritter –
  Ruft die Erbarmung Gottes an – Ihr seid   2790
  Ein Mann des Todes! –

GESSLER.   Das ist Tells Geschoß.

  (*Ist vom Pferd herab dem Rudolf Harras in die Arme gegleitet
      und wird auf der Bank niedergelassen*)

TELL (*erscheint oben auf der Höhe des Felsens*).
  Du kennst den Schützen, suche keinen andern!
  Frei sind die Hütten, sicher ist die Unschuld
  Vor dir, du wirst dem Lande nicht mehr schaden.

      (*Verschwindet von der Höhe. Volk stürzt herein*)

STÜSSI (*voran*). Was gibt es hier? Was hat sich zugetragen? 2795
ARMGARD. Der Landvogt ist von einem Pfeil durchschossen.
VOLK (*im Hereinstürzen*). Wer ist erschossen?

  *(Indem die vordersten von dem Brautzug auf die Szene
  kommen, sind die hintersten noch auf der Höhe, und die Musik
                    geht fort)*

RUDOLF DER HARRAS.   Er verblutet sich.
  Fort, schaffet Hilfe! Setzt dem Mörder nach!
  – Verlorner Mann, so muß es mit dir enden,
  Doch meine Warnung wolltest du nicht hören!   2800
STÜSSI. Bei Gott! da liegt er bleich und ohne Leben!
VIELE STIMMEN. Wer hat die Tat getan?
RUDOLF DER HARRAS.   Rast dieses Volk,
  Daß es dem Mord Musik macht? Laßt sie schweigen.

  (*Musik bricht plötzlich ab, es kommt noch mehr Volk nach*)

  Herr Landvogt, redet, wenn Ihr könnt – Habt Ihr
  Mir nichts mehr zu vertraun?

  (*Geßler gibt Zeichen mit der Hand, die er mit Heftigkeit wieder-
      holt, da sie nicht gleich verstanden werden*)

                    Wo soll ich hin?   2805

– Nach Küßnacht? – Ich versteh Euch nicht – O werdet
Nicht ungeduldig – Laßt das Irdische,
Denkt jetzt, Euch mit dem Himmel zu versöhnen.

(*Die ganze Hochzeitgesellschaft umsteht den Sterbenden mit
einem fühllosen Grausen*)

STÜSSI. Sieh, wie er bleich wird – Jetzt, jetzt tritt der Tod
*Ihm an das Herz – die Augen sind gebrochen.　　　　　2810
ARMGARD (*hebt ein Kind empor*).
　*Seht, Kinder, wie ein Wüterich verscheidet!
RUDOLF DER HARRAS.
　Wahnsinnge Weiber, habt ihr kein Gefühl,
　Daß ihr den Blick an diesem Schrecknis weidet?
　– Helft – Leget Hand an – Steht mir niemand bei,
　Den Schmerzenspfeil ihm aus der Brust zu ziehn?　　2815
WEIBER (*treten zurück*).
　Wir ihn berühren, welchen Gott geschlagen!
RUDOLF DER HARRAS. Fluch treff euch und Verdammnis!

　　　　　　(*Zieht das Schwert*)

STÜSSI (*fällt ihm in den Arm*).　　　　　Wagt es, Herr!
　Eur Walten hat ein Ende. Der Tyrann
　Des Landes ist gefallen. Wir erdulden
　Keine Gewalt mehr. Wir sind freie Menschen.　　　2820
ALLE (*tumultuarisch*).
　Das Land ist frei.
*RUDOLF DER HARRAS. Ist es dahin gekommen?
　Endet die Furcht so schnell und der Gehorsam?

　　　　(*Zu den Waffenknechten, die hereindringen*)

　Ihr seht die grausenvolle Tat des Mords,
　Die hier geschehen – Hilfe ist umsonst –
　Vergeblich ists, dem Mörder nachzusetzen.　　　　2825
　Uns drängen andre Sorgen – Auf, nach Küßnacht,
*Daß wir dem Kaiser seine Feste retten!
　Denn aufgelöst in diesem Augenblick
　Sind aller Ordnung, aller Pflichten Bande,

Und keines Mannes Treu ist zu vertrauen. 2830

(*Indem er mit den Waffenknechten abgeht, erscheinen sechs Barmherzige Brüder*)

*ARMGARD. Platz! Platz! Da kommen die Barmherzgen Brüder.

STÜSSI. Das Opfer liegt – Die Raben steigen nieder.

BARMHERZIGE BRÜDER (*schließen einen Halbkreis um den Toten und singen in tiefem Ton*).

> Rasch tritt der Tod den Menschen an,
> Es ist ihm keine Frist gegeben,
> Es stürzt ihn mitten in der Bahn, 2835
> Es reißt ihn fort vom vollen Leben.
> Bereitet oder nicht, zu gehen,
> Er muß vor seinen Richter stehen!

(*Indem die letzten Zeilen wiederholt werden, fällt der Vorhang*)

FÜNFTER AUFZUG

Erste Szene

Öffentlicher Platz bei Altdorf

Im Hintergrunde rechts die Feste Zwing Uri mit dem noch stehenden Baugerüste, wie in der dritten Szene des ersten Aufzugs; links eine Aussicht in viele Berge hinein, auf welchen allen Signalfeuer brennen. Es ist eben Tagesanbruch, Glocken ertönen aus verschiedenen Fernen

RUODI, KUONI, WERNI, MEISTER STEINMETZ *und viele andre* LANDLEUTE, *auch* WEIBER *und* KINDER

RUODI. Seht ihr die Feuersignale auf den Bergen?
STEINMETZ. Hört ihr die Glocken drüben überm Wald?   2840
RUODI. Die Feinde sind verjagt.
STEINMETZ.   Die Burgen sind erobert.
RUODI. Und wir im Lande Uri dulden noch
    Auf unserm Boden das Tyrannenschloß?
    Sind wir die letzten, die sich frei erklären?
STEINMETZ. Das Joch soll stehen, das uns zwingen wollte?
    Auf, reißt es nieder!
ALLE.   Nieder! Nieder! Nieder!   2846
*RUODI. Wo ist der Stier von Uri?
STIER VON URI.   Hier. Was soll ich?
RUODI. Steigt auf die Hochwacht, blast in Euer Horn,
    Daß es weitschmetternd in die Berge schalle,
    Und, jedes Echo in den Felsenklüften   2850
    Aufweckend, schnell die Männer des Gebirgs
    Zusammenrufe.

        (*Stier von Uri geht ab.* WALTER FÜRST *kommt*)

*WALTER FÜRST. Haltet, Freunde! Haltet!
    Noch fehlt uns Kunde, was in Unterwalden

Und Schwyz geschehen. Laßt uns Boten erst
Erwarten.

RUODI.   Was erwarten? Der Tyrann   2855
Ist tot, der Tag der Freiheit ist erschienen.

STEINMETZ. Ists nicht genug an diesen flammenden Boten,
Die ringsherum auf allen Bergen leuchten?

RUODI.
Kommt alle, kommt, legt Hand an, Männer und Weiber!
Brecht das Gerüste! Sprengt die Bogen! Reißt   2860
Die Mauern ein! Kein Stein bleib auf dem andern.

*STEINMETZ. Gesellen, kommt! Wir habens aufgebaut,
Wir wissens zu zerstören.

ALLE.   Kommt! reißt nieder.

(*Sie stürzen sich von allen Seiten auf den Bau*)

*WALTER FÜRST. Es ist im Lauf. Ich kann sie nicht mehr
halten.

(MELCHTHAL *und* BAUMGARTEN *kommen*)

MELCHTHAL.
Was? Steht die Burg noch und Schloß Sarnen liegt   2865
In Asche, und der Roßberg ist gebrochen?

WALTER FÜRST.
Seid Ihr es, Melchthal? Bringt Ihr uns die Freiheit?
Sagt! Sind die Lande alle rein vom Feind?

MELCHTHAL (*umarmt ihn*).
Rein ist der Boden. Freut Euch, alter Vater!
In diesem Augenblicke, da wir reden,   2870
Ist kein Tyrann mehr in der Schweizer Land.

WALTER FÜRST. O sprecht, wie wurdet ihr der Burgen mächtig?

MELCHTHAL. Der Rudenz war es, der das Sarner Schloß
Mit männlich kühner Wagetat gewann,
Den Roßberg hatt ich nachts zuvor erstiegen.   2875
– Doch höret, was geschah. Als wir das Schloß
Vom Feind geleert, nun freudig angezündet,
Die Flamme prasselnd schon zum Himmel schlug,
*Da stürzt der Diethelm, Geßlers Bub, hervor

Und ruft, daß die Bruneckerin verbrenne.   2880
WALTER FÜRST.   Gerechter Gott!

(*Man hört die Balken des Gerüstes stürzen*)

MELCHTHAL.   Sie war es selbst, war heimlich
  Hier eingeschlossen auf des Vogts Geheiß.
  Rasend erhub sich Rudenz – denn wir hörten
  Die Balken schon, die festen Pfosten stürzen,
  Und aus dem Rauch hervor den Jammerruf   2885
  – Der Unglückseligen.
WALTER FÜRST.   Sie ist gerettet?
MELCHTHAL. Da galt Geschwindsein und Entschlossenheit!
  – Wär er *nur* unser Edelmann gewesen,
  Wir hätten unser Leben wohl geliebt,
  Doch er war unser Eidgenoß, und Berta   2890
  Ehrte das Volk – So setzten wir getrost
  Das Leben dran, und stürzten in das Feuer.
WALTER FÜRST. Sie ist gerettet?
MELCHTHAL.   Sie ists. Rudenz und ich,
  *Wir trugen sie selbander aus den Flammen,
  Und hinter uns fiel krachend das Gebälk.   2895
  – Und jetzt, als sie gerettet sich erkannte,
  Die Augen aufschlug zu dem Himmelslicht,
  Jetzt stürzte mir der Freiherr an das Herz,
  Und schweigend ward ein Bündnis jetzt beschworen,
  Das, fest gehärtet in des Feuers Glut,   2900
  Bestehen wird in allen Schicksalsproben –
WALTER FÜRST. Wo ist der Landenberg?
*MELCHTHAL.   Über den Brünig.
  Nicht lags an mir, daß er das Licht der Augen
  Davontrug, der den Vater mir geblendet.
  *Nach jagt ich ihm, erreicht ihn auf der Flucht 2905
  Und riß ihn zu den Füßen meines Vaters.
  Geschwungen über ihm war schon das Schwert,
  Von der Barmherzigkeit des blinden Greises
  Erhielt er flehend das Geschenk des Lebens.
  *Urfehde schwur er, nie zurückzukehren,   2910

Er wird sie halten, unsern Arm hat er
Gefühlt.
WALTER FÜRST. Wohl Euch, daß Ihr den reinen Sieg
*Mit Blute nicht geschändet!
KINDER (*eilen mit Trümmern des Gerüstes über die Szene*).
                    Freiheit! Freiheit!

        (*Das Horn von Uri wird mit Macht geblasen*)

WALTER FÜRST. Seht, welch ein Fest! Des Tages werden sich
Die Kinder spät als Greise noch erinnern.   2915

(*Mädchen bringen den Hut auf einer Stange getragen, die
    ganze Szene füllt sich mit Volk an*)

RUODI. Hier ist der Hut, dem wir uns beugen mußten.
BAUMGARTEN. Gebt uns Bescheid, was damit werden soll.
*WALTER FÜRST. Gott! Unter diesem Hute stand mein Enkel!
MEHRERE STIMMEN. Zerstört das Denkmal der Tyrannen-
    macht!
Ins Feuer mit ihm!
WALTER FÜRST.   Nein, laßt ihn aufbewahren!   2920
Der Tyrannei mußt er zum Werkzeug dienen,
Er soll der Freiheit ewig Zeichen sein!

(*Die Landleute, Männer, Weiber und Kinder stehen und sitzen
auf den Balken des zerbrochenen Gerüstes malerisch gruppiert
            in einem großen Halbkreis umher*)

MELCHTHAL. So stehen wir nun fröhlich auf den Trümmern
Der Tyrannei, und herrlich ists erfüllt,
Was wir im Rütli schwuren, Eidgenossen.   2925
WALTER FÜRST. Das Werk ist angefangen, nicht vollendet.
Jetzt ist uns Mut und feste Eintracht not,
*Denn seid gewiß, nicht säumen wird der König,
Den Tod zu rächen seines Vogts, und den
Vertriebnen mit Gewalt zurückzuführen.   2930
MELCHTHAL. Er zieh heran mit seiner Heeresmacht,
*Ist aus dem Innern doch der Feind verjagt,
Dem Feind von außen wollen wir begegnen.

RUODI. Nur wen'ge Pässe öffnen ihm das Land,
  Die wollen wir mit unsern Leibern decken.   2935
*BAUMGARTEN. Wir sind vereinigt durch ein ewig Band,
  Und seine Heere sollen uns nicht schrecken!

(RÖSSELMANN *und* STAUFFACHER *kommen*)

RÖSSELMANN (*im Eintreten*).
  *Das sind des Himmels furchtbare Gerichte.
LANDLEUTE. Was gibts?
RÖSSELMANN.   In welchen Zeiten leben wir!
WALTER FÜRST.
  Sagt an, was ist es? – Ha, seid Ihrs, Herr Werner?   2940
  Was bringt Ihr uns?
LANDLEUTE.   Was gibts?
RÖSSELMANN.   Hört und erstaunet!
STAUFFACHER. Von einer großen Furcht sind wir befreit –
*RÖSSELMANN. Der Kaiser ist ermordet.
WALTER FÜRST.   Gnädger Gott!

(*Landleute machen einen Aufstand und umdrängen den
Stauffacher*)

ALLE. Ermordet! Was! Der Kaiser! Hört! Der Kaiser!
MELCHTHAL. Nicht möglich! Woher kam Euch diese Kunde?
*STAUFFACHER. Es ist gewiß. Bei Bruck fiel König Albrecht
  Durch Mörders Hand – ein glaubenwerter Mann,   2947
*Johannes Müller, bracht es von Schaffhausen.
WALTER FÜRST. Wer wagte solche grauenvolle Tat?
STAUFFACHER. Sie wird noch grauenvoller durch den Täter.
  Es war sein Neffe, seines Bruders Kind,   2951
  Herzog Johann von Schwaben, ders vollbrachte.
MELCHTHAL. Was trieb ihn zu der Tat des Vatermords?
*STAUFFACHER. Der Kaiser hielt das väterliche Erbe
  Dem ungeduldig Mahnenden zurück,   2955
  Es hieß, er denk ihn ganz darum zu kürzen,
  Mit einem Bischofshut ihn abzufinden.
  Wie dem auch sei – der Jüngling öffnete
  Der Waffenfreunde bösem Rat sein Ohr,

Und mit den edeln Herrn von Eschenbach,   2960
Von Tegerfelden, von der Wart und Palm
Beschloß er, da er Recht nicht konnte finden,
Sich Rach zu holen mit der eignen Hand.

WALTER FÜRST. O sprecht, wie ward das Gräßliche vollendet?

*STAUFFACHER. Der König ritt herab vom Stein zu Baden,
Gen Rheinfeld, wo die Hofstatt war, zu ziehn,   2966
Mit ihm die Fürsten, Hans und Leopold,
Und ein Gefolge hochgeborner Herren.
Und als sie kamen an die Reuß, wo man
Auf einer Fähre sich läßt übersetzen,   2970
Da drängten sich die Mörder in das Schiff,
Daß sie den Kaiser vom Gefolge trennten.
Drauf, als der Fürst durch ein geackert Feld
Hinreitet – eine alte große Stadt
Soll drunter liegen aus der Heiden Zeit –   2975
Die alte Feste Habsburg im Gesicht,
Wo seines Stammes Hoheit ausgegangen –
Stößt Herzog Hans den Dolch ihm in die Kehle,
Rudolf von Palm durchrennt ihn mit dem Speer,
Und Eschenbach zerspaltet ihm das Haupt,   2980
Daß er heruntersinkt in seinem Blut,
Gemordet von den Seinen, *auf* dem Seinen.
Am andern Ufer sahen sie die Tat,
Doch, durch den Strom geschieden, konnten sie
Nur ein ohnmächtig Wehgeschrei erheben;   2985
Am Wege aber saß ein armes Weib,
In ihrem Schoß verblutete der Kaiser.

MELCHTHAL. So hat er nur sein frühes Grab gegraben,
Der unersättlich alles wollte haben!

*STAUFFACHER. Ein ungeheurer Schrecken ist im Land umher,
Gesperrt sind alle Pässe des Gebirgs,   2991
Jedweder Stand verwahret seine Grenzen,
Die alte Zürich selbst schloß ihre Tore,
Die dreißig Jahr lang offen standen, zu,
Die Mörder fürchtend und noch mehr – die Rächer.   2995
Denn mit des Bannes Fluch bewaffnet, kommt

Der Ungarn Königin, die strenge Agnes,
Die nicht die Milde kennet ihres zarten
Geschlechts, des Vaters königliches Blut
Zu rächen an der Mörder ganzem Stamm,   3000
An ihren Knechten, Kindern, Kindeskindern,
Ja an den Steinen ihrer Schlösser selbst.
Geschworen hat sie, ganze Zeugungen
Hinabzusenden in des Vaters Grab,
In Blut sich wie in Maientau zu baden.   3005
MELCHTHAL. Weiß man, wo sich die Mörder hingeflüchtet?
STAUFFACHER. Sie flohen alsbald nach vollbrachter Tat
    Auf fünf verschiednen Straßen auseinander
    Und trennten sich, um nie sich mehr zu sehn –
    Herzog Johann soll irren im Gebirge.   3010
WALTER FÜRST. So trägt die Untat ihnen keine Frucht!
    *Rache trägt keine Frucht! Sich selbst ist sie
    Die fürchterliche Nahrung, ihr Genuß
    Ist Mord, und ihre Sättigung das Grausen.
STAUFFACHER. Den Mördern bringt die Untat nicht Gewinn,
    Wir aber brechen mit der reinen Hand   3016
    Des blutgen Frevels segenvolle Frucht.
    Denn einer großen Furcht sind wir entledigt;
    Gefallen ist der Freiheit größter Feind,
    Und wie verlautet, wird das Szepter gehn   3020
    Aus Habsburgs Haus zu einem andern Stamm,
    Das Reich will seine Wahlfreiheit behaupten.
WALTER FÜRST UND MEHRERE.
    Vernahmt Ihr was?
*STAUFFACHER.   Der Graf von Luxemburg
    *Ist von den mehrsten Stimmen schon bezeichnet.
WALTER FÜRST. Wohl uns, daß wir beim Reiche treu gehalten,
    Jetzt ist zu hoffen auf Gerechtigkeit!   3026
STAUFFACHER. Dem neuen Herrn tun tapfre Freunde not,
    Er wird uns schirmen gegen Östreichs Rache.

(*Die Landleute umarmen einander*)
(SIGRIST *mit einem* REICHSBOTEN)

SIGRIST. Hier sind des Landes würdge Oberhäupter.

RÖSSELMANN UND MEHRERE.

Sigrist, was gibts?

SIGRIST.   Ein Reichsbot bringt dies Schreiben. 3030

*ALLE (*zu Walter Fürst*). Erbrecht und leset.

WALTER FÜRST (*liest*).   „Den bescheidnen Männern

Von Uri, Schwyz und Unterwalden bietet

*Die Königin Elsbet Gnad und alles Gutes."

VIELE STIMMEN. Was will die Königin? Ihr Reich ist aus.

WALTER FÜRST (*liest*).

„In ihrem großen Schmerz und Witwenleid,   3035

*Worein der blutge Hinscheid ihres Herrn

Die Königin versetzt, gedenkt sie noch

Der alten Treu und Lieb der Schwyzerlande."

MELCHTHAL. In ihrem Glück hat sie das nie getan.

RÖSSELMANN. Still! Lasset hören!   3040

WALTER FÜRST (*liest*).

*„Und sie versieht sich zu dem treuen Volk,

Daß es gerechten Abscheu werde tragen

Vor den verfluchten Tätern dieser Tat.

Darum erwartet sie von den drei Landen,

*Daß sie den Mördern nimmer Vorschub tun,   3045

Vielmehr getreulich dazu helfen werden,

*Sie auszuliefern in des Rächers Hand,

Der Lieb gedenkend und der alten Gunst,

*Die sie von Rudolfs Fürstenhaus empfangen."

(*Zeichen des Unwillens unter den Landleuten*)

VIELE STIMMEN. Der Lieb und Gunst!   3050

STAUFFACHER. Wir haben Gunst empfangen von dem Vater,

*Doch wessen rühmen wir uns von dem Sohn?

Hat er den Brief der Freiheit uns bestätigt,

*Wie *vor* ihm alle Kaiser doch getan?

*Hat er gerichtet nach gerechtem Spruch,   3055

Und der bedrängten Unschuld Schutz verliehn?

Hat er auch nur die Boten wollen hören,

Die wir in unsrer Angst zu ihm gesendet?

Nicht eins von diesem allen hat der König
An uns getan, und hätten wir nicht selbst   3060
Uns Recht verschafft mit eigner mutger Hand,
Ihn rührte unsre Not nicht an – Ihm Dank?
Nicht Dank hat er gesät in diesen Tälern.
Er stand auf einem hohen Platz, er konnte
Ein Vater seiner Völker sein, doch ihm   3065
Gefiel es, nur zu sorgen für die Seinen,
Die er gemehrt hat, mögen um ihn weinen!

WALTER FÜRST. Wir wollen nicht frohlocken seines Falls,
Nicht des empfangnen Bösen *jetzt* gedenken,
Fern seis von uns! Doch, daß wir *rächen* sollten   3070
Des Königs Tod, der nie uns Gutes tat,
Und die verfolgen, die uns nie betrübten,
Das ziemt uns nicht und will uns nicht gebühren.
*Die Liebe will ein freies Opfer sein;
Der Tod entbindet von erzwungnen Pflichten,   3075
– Ihm haben wir nichts weiter zu entrichten.

MELCHTHAL. Und weint die Königin in ihrer Kammer,
*Und klagt ihr wilder Schmerz den Himmel an,
So seht ihr hier ein angstbefreites Volk
Zu eben diesem Himmel dankend flehen –   3080
Wer Tränen ernten will, muß Liebe säen.

(*Reichsbote geht ab*)

STAUFFACHER (*zu dem Volk*).
Wo ist der Tell? Soll *er* allein uns fehlen,
Der unsrer Freiheit Stifter ist? Das Größte
Hat *er* getan, das Härteste erduldet.
Kommt alle, kommt, nach seinem Haus zu wallen,   3085
Und rufet Heil dem Retter von uns allen. (*Alle gehen ab*)

Zweite Szene

Tells Hausflur
Ein Feuer brennt auf dem Herd. Die offenstehende Türe zeigt ins
Freie

HEDWIG. WALTER *und* WILHELM

HEDWIG. Heut kommt der Vater. Kinder, liebe Kinder!
   Er lebt, ist frei, und wir sind frei und alles!
   Und euer Vater ists, der 's Land gerettet.
WALTER. Und ich bin auch dabei gewesen, Mutter!   3090
   Mich muß man auch mit nennen. Vaters Pfeil
   Ging mir am Leben hart vorbei, und ich
   Hab nicht gezittert.
HEDWIG (*umarmt ihn*). Ja, du bist mir wieder
   Gegeben! Zweimal hab ich dich geboren!
   Zweimal litt ich den Mutterschmerz um dich!   3095
   Es ist vorbei – Ich hab euch beide, beide!
   Und heute kommt der liebe Vater wieder!

   (*Ein* MÖNCH *erscheint an der Haustüre*)

WILHELM. Sieh, Mutter, sieh – dort steht ein frommer
   Bruder,
   Gewiß wird er um eine Gabe flehn.
HEDWIG. Führ ihn herein, damit wir ihn erquicken,   3100
   *Er fühlts, daß er ins Freudenhaus gekommen.

   (*Geht hinein und kommt bald mit einem Becher wieder*)

WILHELM (*zum Mönch*).
   Kommt, guter Mann. Die Mutter will Euch laben.
WALTER. Kommt, ruht Euch aus und geht gestärkt von
   dannen.
*MÖNCH (*scheu umherblickend, mit zerstörten Zügen*).
   Wo bin ich? Saget an, in welchem Lande?
WALTER. Seid Ihr verirret, daß Ihr das nicht wißt?   3105
   Ihr seid zu Bürglen, Herr, im Lande Uri,
   Wo man hineingeht in das Schächental.

MÖNCH (*zu Hedwig, welche zurückkommt*).
    Seid Ihr allein? Ist Euer Herr zu Hause?
HEDWIG. Ich erwart ihn eben – doch was ist Euch, Mann?
    Ihr seht nicht aus, als ob Ihr Gutes brächtet.   3110
    – Wer Ihr auch seid, Ihr seid bedürftig, nehmt!

          (*Reicht ihm den Becher*)

MÖNCH. Wie auch mein lechzend Herz nach Labung
    schmachtet,
    Nichts rühr ich an, bis Ihr mir zugesagt –
HEDWIG. Berührt mein Kleid nicht, tretet mir nicht nah,
    Bleibt ferne stehn, wenn ich Euch hören soll.   3115
MÖNCH. Bei diesem Feuer, das hier gastlich lodert,
    Bei Eurer Kinder teurem Haupt, das ich
    Umfasse – (*Ergreift die Knaben*)
HEDWIG.   Mann, was sinnet Ihr? Zurück
    Von meinen Kindern! – Ihr seid kein Mönch! Ihr seid
    Es nicht! Der Friede wohnt in diesem Kleide,   3120
    In Euren Zügen wohnt der Friede nicht.
MÖNCH. Ich bin der unglückseligste der Menschen.
HEDWIG. Das Unglück spricht gewaltig zu dem Herzen,
    *Doch Euer Blick schnürt mir das Innre zu.
WALTER (*aufspringend*). Mutter, der Vater! (*Eilt hinaus*)
HEDWIG.   O mein Gott!

      (*Will nach, zittert und hält sich an*)

WILHELM (*eilt nach*).   Der Vater!
WALTER (*draußen*). Da bist du wieder!   3126
WILHELM (*draußen*).   Vater, lieber Vater!
TELL (*draußen*).
    Da bin ich wieder – Wo ist eure Mutter?

          (*Treten herein*)

WALTER. Da steht sie an der Tür und kann nicht weiter,
    So zittert sie für Schrecken und für Freude.
*TELL. O Hedwig, Hedwig! Mutter meiner Kinder!   3130
    Gott hat geholfen – Uns trennt kein Tyrann mehr.

HEDWIG (*an seinem Halse*).
    O Tell! Tell! Welche Angst litt ich um dich!

(*Mönch wird aufmerksam*)

TELL. Vergiß sie jetzt und lebe nur der Freude!
    Da bin ich wieder! Das ist meine Hütte!
    Ich stehe wieder auf dem Meinigen!   3135
WILHELM. Wo aber hast du deine Armbrust, Vater?
    Ich seh sie nicht.
TELL.   Du wirst sie nie mehr sehn.
    An heilger Stätte ist sie aufbewahrt,
    Sie wird hinfort zu keiner Jagd mehr dienen.
HEDWIG. O Tell! Tell! (*Tritt zurück, läßt seine Hand los*)
TELL.   Was erschreckt dich, liebes Weib? 3140
HEDWIG. Wie – *wie* kommst du mir wieder? – Diese Hand
    – Darf ich sie fassen? – Diese Hand – O Gott!
TELL (*herzlich und mutig*).
    Hat euch verteidigt und das Land gerettet,
    Ich darf sie frei hinauf zum Himmel heben.

(*Mönch macht eine rasche Bewegung, er erblickt ihn*)

    Wer ist der Bruder hier?
HEDWIG.   Ach, ich vergaß ihn!   3145
    Sprich *du* mit ihm, mir graut in seiner Nähe.
MÖNCH (*tritt näher*).
    Seid Ihr der Tell, durch den der Landvogt fiel?
TELL. Der bin ich, ich verberg es keinem Menschen.
MÖNCH. Ihr seid der Tell! Ach, es ist Gottes Hand,
    Die unter Euer Dach mich hat geführt.   3150
TELL (*mißt ihn mit den Augen*).
    Ihr seid kein Mönch! Wer seid Ihr?
MÖNCH.   Ihr erschlugt
    Den Landvogt, der Euch Böses tat – Auch ich
    Hab einen Feind erschlagen, der mir Recht
    Versagte – Er war Euer Feind wie meiner –
    Ich hab das Land von ihm befreit.
TELL (*zurückfahrend*).   Ihr seid –   3155

Entsetzen! – Kinder! Kinder geht hinein.
Geh, liebes Weib! Geh! Geh! – Unglücklicher,
*Ihr wäret –
HEDWIG.   Gott, wer ist es?
TELL.   Frage nicht!
Fort! Fort! Die Kinder dürfen es nicht hören.
Geh aus dem Hause – Weit hinweg – Du darfst   3160
Nicht unter *einem* Dach mit diesem wohnen.
HEDWIG. Weh mir, was ist das? Kommt!

(*Geht mit den Kindern*)

*TELL (*zu dem Mönch*).   Ihr seid der Herzog
Von Österreich – Ihr seids! Ihr habt den Kaiser
Erschlagen, Euern Ohm und Herrn.
JOHANNES PARRICIDA.   Er war
Der Räuber meines Erbes.
TELL.   Euern Ohm   3165
Erschlagen, Euern Kaiser! Und Euch trägt
Die Erde noch! Euch leuchtet noch die Sonne!
PARRICIDA. Tell, hört mich, eh Ihr –
TELL.   Von dem Blute triefend
Des Vatermordes und des Kaisermords,
Wagst du zu treten in mein reines Haus,   3170
Du wagst, dein Antlitz einem guten Menschen
Zu zeigen und das Gastrecht zu begehren?
PARRICIDA. Bei Euch hofft ich Barmherzigkeit zu finden,
Auch Ihr nahmt Rach an Eurem Feind.
TELL.   Unglücklicher!
Darfst du der Ehrsucht blutge Schuld vermengen   3175
Mit der gerechten Notwehr eines Vaters?
Hast du der Kinder liebes Haupt verteidigt?
Des Herdes Heiligtum beschützt? das Schrecklichste,
Das Letzte von den Deinen abgewehrt?
– Zum Himmel heb ich meine reinen Hände,   3180
Verfluche dich und deine Tat – Gerächt
Hab ich die heilige Natur, die *du*
*Geschändet – Nichts teil ich mit dir – Gemordet

Hast *du*, ich hab mein Teuerstes verteidigt.

PARRICIDA.

Ihr stoßt mich von Euch, trostlos, in Verzweiflung? 3185

TELL. Mich faßt ein Grausen, da ich mit dir rede.
Fort! Wandle deine fürchterliche Straße,
Laß rein die Hütte, wo die Unschuld wohnt.

PARRICIDA (*wendet sich zu gehen*).

So *kann* ich, und so *will* ich nicht mehr leben!

TELL. Und doch erbarmt mich deiner – Gott des Himmels!
So jung, von solchem adeligen Stamm, 3191
*Der Enkel Rudolfs, meines Herrn und Kaisers,
Als Mörder flüchtig, hier an meiner Schwelle,
*Des armen Mannes, flehend und verzweifelnd –

(*Verhüllt sich das Gesicht*)

PARRICIDA. O, wenn Ihr weinen könnt, laßt mein Geschick
Euch jammern, es ist fürchterlich – Ich bin 3196
Ein Fürst – ich *wars* – ich konnte glücklich werden,
Wenn ich der Wünsche Ungeduld bezwang.
Der Neid zernagte mir das Herz – Ich sah
Die Jugend meines Vetters Leopold 3200
Gekrönt mit Ehre und mit Land belohnt,
Und mich, der gleiches Alters mit ihm war,
In sklavischer Unmündigkeit gehalten –

TELL. Unglücklicher, wohl kannte dich dein Ohm,
Da er dir Land und Leute weigerte! 3205
Du selbst mit rascher, wilder Wahnsinnstat
Rechtfertigst furchtbar seinen weisen Schluß.
– Wo sind die blutgen Helfer deines Mords?

*PARRICIDA. Wohin die Rachegeister sie geführt,
Ich sah sie seit der Unglückstat nicht wieder. 3210

*TELL. Weißt du, daß dich die Acht verfolgt, daß du
Dem Freund verboten und dem Feind erlaubt?

PARRICIDA. Darum vermeid ich alle offne Straßen,
An keine Hütte wag ich anzupochen –
Der Wüste kehr ich meine Schritte zu, 3215
Mein eignes Schrecknis irr ich durch die Berge,

G

Und fahre schaudernd vor mir selbst zurück,
Zeigt mir ein Bach mein unglückselig Bild.
O wenn Ihr Mitleid fühlt und Menschlichkeit –

(*Fällt vor ihm nieder*)

TELL (*abgewendet*).
Steht auf! Steht auf!   3220
PARRICIDA. Nicht, bis Ihr mir die Hand gereicht zur Hilfe.
TELL. Kann ich Euch helfen? Kanns ein Mensch der Sünde?
Doch steht auf – Was Ihr auch Gräßliches
Verübt – Ihr seid ein Mensch – Ich bin es auch –
Vom Tell soll keiner ungetröstet scheiden –   3225
Was ich vermag, das will ich tun.
PARRICIDA (*aufspringend und seine Hand mit Heftigkeit ergreif-
end*).
O Tell!
Ihr rettet meine Seele von Verzweiflung.
TELL. Laßt meine Hand los – Ihr müßt fort. Hier könnt
Ihr unentdeckt nicht bleiben, könnt entdeckt
Auf Schutz nicht rechnen – Wo gedenkt Ihr hin?   3230
Wo hofft Ihr Ruh zu finden?
PARRICIDA.   Weiß ichs? Ach!
TELL. Hört, was mir Gott ins Herz gibt – Ihr müßt fort
*Ins Land Italien, nach Sankt Peters Stadt;
Dort werft Ihr Euch dem Papst zu Füßen, beichtet
Ihm Eure Schuld und löset Eure Seele.   3235
PARRICIDA. Wird er mich nicht dem Rächer überliefern?
TELL. Was er Euch tut, das nehmet an von Gott.
PARRICIDA. Wie komm ich in das unbekannte Land?
Ich bin des Wegs nicht kundig, wage nicht
Zu Wanderern die Schritte zu gesellen.   3240
TELL. Den Weg will ich Euch nennen, merket wohl!
Ihr steigt hinauf, dem Strom der Reuß entgegen,
Die wildes Laufes von dem Berge stürzt –
PARRICIDA (*erschrickt*).
*Seh ich die Reuß? Sie floß bei meiner Tat.
TELL. Am Abrund geht der Weg, und viele Kreuze   3245

Bezeichnen ihn, errichtet zum Gedächtnis
Der Wanderer, die die Lawin begraben.
PARRICIDA. Ich fürchte nicht die Schrecken der Natur,
Wenn ich des Herzens wilde Qualen zähme.
TELL. Vor jedem Kreuze fallet hin und büßet 3250
Mit heißen Reuetränen Eure Schuld –
*Und seid Ihr glücklich durch die Schreckensstraße,
Sendet der Berg nicht seine Windeswehen
Auf Euch herab von dem beeisten Joch,
So kommt Ihr auf die Brücke, welche stäubet. 3255
Wenn sie nicht einbricht unter Eurer Schuld,
Wenn Ihr sie glücklich hinter Euch gelassen,
So reißt ein schwarzes Felsentor sich auf,
Kein Tag hats noch erhellt – da geht Ihr durch,
Es führt Euch in ein heitres Tal der Freude – 3260
Doch schnellen Schritts müßt Ihr vorüber eilen,
Ihr dürft nicht weilen, wo die Ruhe wohnt.
PARRICIDA. O Rudolf! Rudolf! Königlicher Ahn!
*So zieht dein Enkel ein auf deines Reiches Boden!
TELL. So immer steigend, kommt Ihr auf die Höhen 3265
*Des Gotthards, wo die ewgen Seen sind,
Die von des Himmels Strömen selbst sich füllen.
Dort nehmt Ihr Abschied von der deutschen Erde,
*Und muntern Laufs führt Euch ein andrer Strom
*Ins Land Italien hinab, Euch das gelobte – 3270

(*Man hört den Kuhreihen von vielen Alphörnern geblasen*)

Ich höre Stimmen. Fort!
HEDWIG (*eilt herein*). Wo bist du, Tell?
Der Vater kommt! Es nahn in frohem Zug
Die Eidgenossen alle –
PARRICIDA (*verhüllt sich*). Wehe mir!
Ich darf nicht weilen bei den Glücklichen.
TELL. Geh, liebes Weib. Erfrische diesen Mann, 3275
Belad ihn reich mit Gaben, denn sein Weg
Ist weit, und keine Herberg findet er.
Eile! Sie nahn.

HEDWIG.   Wer ist es?
TELL.   Forsche nicht!
Und wenn er geht, so wende deine Augen,
Daß sie nicht sehen, welchen Weg er wandelt!   3280

*(Parricida geht auf den Tell zu mit einer raschen Bewegung,
dieser aber bedeutet ihn mit der Hand und geht. Wenn beide zu
verschiedenen Seiten abgegangen, verändert sich der Schauplatz,
und man sieht in der*

Letzten Szene

*den ganzen Talgrund vor Tells Wohnung, nebst den Anhöhen,
welche ihn einschließen, mit Landleuten besetzt, welche sich zu
einem Ganzen gruppieren. Andre kommen über einen hohen
Steg, der über den Schächen führt, gezogen.* WALTER FÜRST
mit den beiden Knaben, MELCHTHAL *und* STAUFFACHER
*kommen vorwärts, andre drängen nach; wie Tell heraustritt,
empfangen ihn alle mit lautem Frohlocken*

ALLE. Es lebe Tell! der Schütz und der Erretter!

*(Indem sich die vordersten um den Tell drängen und ihn
umarmen, erscheinen noch* RUDENZ *und* BERTA, *jener die
Landleute, diese die Hedwig umarmend. Die Musik vom
Berge begleitet diese stumme Szene. Wenn sie geendigt, tritt
Berta in die Mitte des Volks)*

BERTA. Landleute! Eidgenossen! Nehmt mich auf
In euern Bund, die erste Glückliche,
Die Schutz gefunden in der Freiheit Land.
In eure tapfre Hand leg ich mein Recht,   3285
*Wollt ihr als eure Bürgerin mich schützen?
LANDLEUTE. Das wollen wir mit Gut und Blut.
BERTA.   Wohlan!
So reich ich diesem Jüngling meine Rechte,
Die freie Schweizerin dem freien Mann!
RUDENZ. Und frei erklär ich alle meine Knechte.   3290

(Indem die Musik von neuem rasch einfällt, fällt der Vorhang)

Notes

Key to abbreviations used in the following pages:

Ad.   Johann Christoph Adelung, *Grammatisch-kritisches Wörterbuch der Hochdeutschen Mundart, mit beständiger Vergleichung der übrigen Mundarten, besonders aber der Oberdeutschen,* Zweyte vermehrte und verbesserte Ausgabe, Leipzig, 1793–1801.

J.v.M.   *Der Geschichten Schweizerischer Eidgenossenschaft Erster und Zweyter Theil,* Neue verbesserte und vermehrte Auflage, Leipzig, 1806.

Säk.-Ausg.   *Schillers Sämtliche Werke in 16 Bänden,* herausgegeben von Eduard von der Hellen, Stuttgart and Berlin, 1904–5.

Tsch.   *Aegidii Tschudii Landammanns zu Glarus chronicon helveticum,* herausgegeben von Johann Rudolf Iselin, Basel, 1734.

M.H.G.   Middle High German.

Oberd.   Oberdeutsch.

Sw.   German-Swiss dialect usage.

st. dir.   stage-direction.

Acts and scenes are referred to numerically: III. ii (Act III, scene ii), etc.

ERSTER AUFZUG

Erste Szene

St. dir. The scene is laid near the border of nid dem Wald and Uri, facing Schwyz, to which Baumgarten has to escape pursuit by the servants of Landenberg, governor of Unterwalden. **Vierwaldstättensee**: Lake of Lucerne. *Waldstatt* = a settlement in the forest, the word used since the early 14th c. to denote the valleys of Uri, Schwyz and Unterwalden, to which Lucerne (Luzern) was later added. Plural form in 14th-c. MSS. variously *waltstetten, waltsteten*; in the 17th c. *waldstett* and *waldstetten* (as in *Vierwaldstettensee,* used later by J.v.M.) occur. Current mod. form *Vierwaldstättersee* (cf. Hugendubel ed., 1836) appears in Hamburg MS. **Matten**: 'Matte. Eine Wiese, ein vorzüglich

Oberdeutsches Wort, welches im Hochdeutschen nur in der höhern Schreibart üblich ist' (Ad.); say 'Alpine pasture' (cogn. with Eng. *mead, meadow*, after*math*; cf. also Zermatt). **Höfe**: farmsteads. **Haken** (*Haggen*): mountain range including der Große and der Kleine Myten (or Mythen). **Kuhreihen** (or *Kuhreigen*): Sw. corresponding to French *ranz des vaches*, an Alpine melody, vocal (with yodelling) or played on the alphorn to call the cattle on the mountain pastures. Districts have their own versions; Queen Anne of England had an Appenzell *Kuhreihen* performed in her private chapel (see G. R. de Beer, *Early Travellers in the Alps*, London, 1930, p. 24). The sentimental appeal spread through the 18th c. (cf. F. L. von Stolberg, *Reise in Deutschland, die Schweiz* Königsberg and Leipzig, 1794, quoted Säk.-Ausg., vii, p. 360). The *Kuhreihen* found its way into famous compositions, e.g. Beethoven's Sixth ('Pastoral') Symphony (Vienna, 1808), Rossini's opera *Guillaume Tell* (Paris, 1829). In reference to l. 845 it may be recalled that where Swiss soldiers were in French service it was forbidden on pain of death to sound the melody, since it had led to desertions and suicide. Bernhard Anselm Weber's Overture for the first Berlin production of Schiller's *Wilhelm Tell* returns to its first subject – 'ländlich-einfach, rührend-froh' – to introduce the beginning of Act I.

1 ff. The fisher-boy's song derives from a legend known to Schiller from Scheuchzer, quoted by Bellermann, *Schillers Dramen*, iii, p. 164: 'Es sind noch mehr Leute im Leben, welche auch bei diesem See eingeschlafen, und da sie erwachten schon mit ihren Füßen im Wasser gewesen.' (Cf. also Goethe, *Der Fischer*.)

15. **Senne**: 'herdsman'. Occurs also as *der Senn*. This, and *die Senne* or *die Sennte*, 'the herd', are noted by Ad. as limited to Sw. *Sente* (as in l. 2653) = *Sennhütte* (cogn. with O.E. *sunor*).

17. **fahren**: Ad. notes on *fahren=gehen*: 'In der Schweiz fahren die Sennen oder Hirten zu Alp, wenn sie mit ihren Herden auf die Alpen ziehen.'

25. **Steg**: foot-bridge.

26. **Schützen**: 'marksman', 'bowman'. The song of the huntsman, undismayed by the perils of his occupation, prefigures Tell. **schwindligtem**: commonly accepted form is *schwinblig*; cf. l. 31, **nebligtes** (*nebliges*).

32. Schiller noted from Fäsi (see Leitzmann, *Die Quellen von Schillers Wilhelm Tell*, Excerpten, p. 40): 'Anblick von oben wenn man über den Wolken steht. Die Gegend scheint wie ein großer See vor einem zu liegen, Inseln ragen daraus hervor; oefnen sich die Wolken irgendwo, so kann man ins Menschenbewohnte Thal auf Häuser und Kirchen hinabsehen.' The watery illusion is now familiar from air-travel.

St. dir. after l. 36. **dumpfes Krachen** (cf. l. 38): reverberation from the glaciers puzzled early travellers; it appears to be caused by stones rubbing together under the moving ice and snow.

37. **Naue:** Here a small boat, but also used as a barge, up to 50 ft. long. Etterlyn (see p. xxix) calls Geßler's boat 'einen nawen oder Schifflin' (connection with Lat. *navis* obscure).

38. **Talvogt:** the governor of the valley, personification of the storm-cloud, a local (Engelberg) expression noted by Schiller from Scheuchzer and Stumpf, together with other signs of approaching storm (such as the dog pawing the earth, l. 43) mentioned by Ruodi, Kuoni, and Werni. **Firn:** 'der alte, nie schmelzende Schnee der Hochalpe'.

39. **Mytenstein:** Correctly used of a single rock beside the Rütli (which has borne since 1860 the inscription: 'Dem Sänger Tells, Friedrich Schiller . . .'). Here Schiller appears to use it erroneously for der Große Myten.

40. **Wetterloch:** the quarter where the bad weather comes from, referring here to the Gotthard Pass. Cf. Sw. (Bern) *Regenloch*, pron. [rɛkəlox], and South Dutch *regengat*. Note also general use of word in the Urnersee region: 'Seit langem bekannt sind die vielen Kaltluftaustritte (Windhöhlen, Windlöcher, Wetterlöcher). . . . Gerne benutzte man sie zum Einbau von Kellern, in denen die abfließende Kaltluft für ständige Kühlung sorgt' (H. Gutersohn, *Geographie der Schweiz*, Bern, 1964, Bd. II, ii, p. 40).

46. **Seppi:** Joseph. **Lug:** Sw. look, see (if).

47. **Lisel:** Elisa or Elisabeth, the cow's name. Each is distinguished by her bell. **Geläut** here = *Laut*.

49. **Geläute:** here collective, for all the bells of the herd – 'a chime'.

50. **schmuckes:** *hübsch, zierlich*, trim, handsome.

52. **des Attinghäusers:** Freiherr von Attinghausen, by whom they are entrusted or parcelled out (*zugezählt*) to Kuoni.

54. **Reihen:** commonly 'dance'. Here perhaps 'procession'.

57. **Vernunft**: cf. Ad.: 'da man denn auch den Thieren Vernunft zuzuschreyben pfleget'.

60. **Vorhut**: 'guard', 'watch'. Schiller noted from Fäsi: 'Gemsen weiden gesellschaftlich – Vorgeiß, pfeift wenn Gefahr ist' (see Leitzmann, op. cit., p. 40).

62. **die Alp**: 'grazing land'. 'Die Sprache des Volkes bezeichnet mit Alpen nicht die Hochgebirgszüge in ihrem Gesammtkörper, sondern nur die großen Weidegründe des Gebirges (mit dem anliegenden Wald)' (Tobler *et al.*, *Schweizerisches Idiotikon*, Frauenfeld, 1881). There are *Kuhalpen* and *Schafalpen*. **abgeweidet**: grazed bare.

64. **Fahrt**: used for journey on foot. Cf. note to l. 17, also *auf Fahrt* in traditional language of the 'Wandervögel'.

72. **Landvogts**: bailiff or governor appointed by the ruler to adjudicate in capital offences (Lat. *advocatus*, cf. O. H. G. *focât*). The Landvogt here referred to is Beringer von Landenberg, who, by Tschudi's account, ordered the brothers of Wolfenschießen to avenge his death; they would not, since they regarded Wolfenschießen as a traitor and thought he had deserved what befell him.

77. **Des Kaisers**: *König* and *Kaiser* are used indiscriminately by Schiller in reference to Albrecht. **Burgvogt**: the castellan (Wolfenschießen).

97. **gesegnet**: 'blessed', used ironically, as in Tsch., where Boumgarten (*sic*) says 'ich wil Im das Bad gesegnen / daß Ers keiner Frowen mer tut'.

101. **ruchtbar**: 'noised abroad', the accepted spelling in Schiller's time, now *ruchbar*.

109. **Föhn**: a hot wind from the south (Ital. *favonio*).

111. **mein**: pers. pron. gen.; cf. M.H.G. *mîn*, now replaced by *meiner*. St. dir. Clasping of knees is the traditional gesture of entreaty.

113. Note significant mention of the family here and at ll. 115, 145, 159.

130. **Burgvogt**: subordinate to the Landvogt.

141. **läßt sichs gemächlich raten**: it's easy to give advice (when you are on dry land).

142. **Kahn** must refer to the same craft as *Naue* in l. 37 and *Nachen* in st. dir. l. 174.

146. **Simons und Judä**: 28 October, date of the Saints' feast, i.e. of Simon the Cananean or Zealot and Jude Thaddaeus,

brother of James the Less. Folklore gives no clear explanation of this alleged connection with storms. There may have
been confusion between Jude and Judas (Iscariot)!

149. **muß Hilfe werden**: an old construction corresponding to
zu Teil werden (cf. ll. 644, 1346).

153. **Weidgesellen**: *Weidmann*. Werner, who is also a hunter, is
proud of Tell's courage.

154. Cf. l. 1433.

156. **ein andrer**: cf. ll. 140, 143, 157, all indicating Tell's
trust in God and in His mercy which can temper the
elements; but note that Tell also shows awareness of
ineradicable ill-will in some men; cf. l. 1813.

160. **lassen**: The phrase is traditional; *lassen = unterlassen*.

162. **sich ... getraut**: 'ventures'. Cf. l. 2246.

176. **beilegt**: *beilegen*, 'das Schiff gegen den Wind drehen' (Ad.),
turn into the wind; odd in reference to horsemen, and
scarcely fitting the sense. If Schiller was looking for a
nautical expression, he may have confused *beilegen* with
(neue Segel) beisetzen. The intention may be ironical: 'Use
your horse as a ship.'

181. **Wütriche**: cruel, merciless tyrants.

Zweite Szene

184–5. **Östreich** (for *Österreich*) ... **Reich**: Important as the
first announcement of the political theme. The ambitions
of the ducal House of Austria threaten the freedom of the
cantons which the Empire (*Reich*) is expected to protect.
The immediate difficulty is that the present Duke is the
elected Emperor (cf. ll. 702–3). Pfeiffer speaks from
experience, because his canton has sworn fealty to Austria.
Cf. ll. 895–6.

190–3. **Was ihr ... gelangen**: Tell also (l. 427) counsels patience.
The change does come suddenly, with the accession of
Henry of Luxemburg (see l. 3023).

211–12. Frescoes and painted proverbial inscriptions are still a
popular form of decoration in Switzerland.

215. **es wankt der Grund**: The political encroachment is
represented naturally in this image: the ground which the
Swiss have made habitable is no longer secure as their
possession. Cf. ll. 1259, 2667.

222. **erhub**: commonly now *erhob*.

228–9. Cf. Tsch.: 'das Huß ist mins Herrn des Künigs / und
    üwer / und min Lechen'. Schiller retained the diplomatic
    ambiguity as well as Stauffacher's assurance of his tenure in
    fief.

240. Ibergs: The name Iberg occurs in J.v.M. (i, p. 638) as that
    of a family of patriots in Schwyz, in the same context as
    the name Stauffacher; but 'die Stauffacherin' in J.v.M.
    (i, p. 642) is Frau Margareth Herlobig.

266. den Höchsten in der Christenheit: the Emperor.

270. Mit scheelen Augen ...: eyes askance and venomous in
    envy.

273. die böse Lust ... gebüßt: has gratified his evil desire
    against you. Cf. l. 178, where büßen = 'pay the penalty', but
    also l. 1559, where the meaning is 'to exact a penalty', 'to
    punish' (current German usage in the 18th c., and still
    preserved today in Sw.).

304. The same argument is used by Ulrich von Rudenz, ll.
    906–7.

317. Unbilliges: here 'injustice'.

321. wärf: past subj. of werfen; cf. l. 2026. Adelung, Deutsche
    Sprachlehre für Schulen, 2nd ed. Berlin, 1795, gives present-
    day form würfe.

329. Ein Sprung ... frei: For the character of Gertrud, cf.
    J.v.M., i, p. 642: 'alte Sitten gaben den Hausfrauen männ-
    lichen Sinn'.

336. Bannerherrn: 'banneret', who commanded the local
    troops.

341. weil: 18th-c. colloquial usage = dieweil, modern indem,
    während.

Dritte Szene

St. dir. Altdorf, or Altorf, capital of Canton Uri. Fronvogt:
taskmaster; cf. frôn (M.H.G.), gen. pl. of frô, lord. The basic
meaning is 'that which belongs to the lord', hence Frondienst, 'a
task'. Handlanger: unskilled labourer. Schiller recommended
that in order to suggest proportions in this scene, children
should be used for labourers (see letter to Iffland, 5 December
1803). Directors of amateur productions will know that this is
not a good idea, though the effect may have been less grotesque
in Schiller's time, when everyday costume still tended to make
children look like miniature adults.

353-4. Past participles with imperative function: 'Don't loiter . . . bring stones, lime, mortar.'

358. **Pflicht bestehlen**: In the ordinary sense of 'neglecting duty', *versäumen, unterlassen* were 18th-c. usage; but here *Pflichten* seems to mean specific duties owed to a superior; hence the phrase might suggest giving short measure.

360. **Twing** (= *Zwing*); a form taken over from J.v.M. (i, p. 392) which gave Schiller the opportunity for a serious play on words by its reference to a building and to the force (*Zwang*) of jurisdiction (*Twing* = *Gerichtsbarkeit*).

365. **Eingeweid**: cf. (bowels of) mercy.

379-80. Note Stauffacher's deep affliction and Tell's desire to get away from the grievous sight.

384. **fürder**: *fortan, ferner*; indicates continuance in place or time; alternative form to *förder*, and specifically Oberd. (Ad.).

385. **Flanken**: the walls of the bastion, or the bastions themselves.

387-8. Cf. E. Bonjour *et al.*, *A Short History of Switzerland*, Oxford, 1952, pp. 79-80: 'chronicle tradition tells of castles in the forest cantons destroyed by an insurrection of the inhabitants, and the spade has confirmed that these castles existed and were destroyed'. Tell's words are not incitement to rebellion. He thinks of the transitoriness of man's evil works and contrasts human bondage with the majesty and freedom of the mountains. Cf. 'Auf den Bergen ist Freiheit' (chorus in *Die Braut von Messina* IV. vii), and

> Ihres Laufes furchtbare Spur
> Geht verrinnend im Sande verloren,
> Die Zerstörung verkündigt sie nur.
> – Die fremden Eroberer kommen und gehen . . .

(ibid, I. iv)

See also l. 1280.

390. **Faßnachtsaufzug**: 'carnival procession'; now commonly *Fastnachts.* . . .

393. **Säule**: a pompous word for what is in fact a *Stange*, a post.

402-3. J.v.M. (i, p. 646 n.) observes: 'Den damaligen Sitten war nicht entgegen, daß Geßler den herzoglichen Hut zu einem Parteyzeichen aufgeworfen.' The gravity of the matter is perceived by the journeymen and the master-builder (ll. 408, 411). Cf. l. 184.

414 ff. **Ihr wisset nun Bescheid**: 'Now you know the facts.'
This is a non-committal statement. There is no reason to
suppose that Tell has not been listening to the instructions
about the hat, but he seems to have paid little heed (cf.
ll. 1815, 1869). He obviously does not wish to discuss
matters with Stauffacher; from a hunter who is often away
from home and who says 'Rastlos muß ich ein flüchtig Ziel
verfolgen', l. 416 sounds a little forced. The dialogue to
l. 437 gives no sign that he recognizes the urgency of the
political situation. As a man of action he is not yet aware
that inaction can be an offence in the eyes of authority. His
characteristic evasion of Stauffacher's prompting is shown
in the images he uses, drawn from experience of nature
and not from contending with human enemies; l. 2634
gains pathos in retrospect.

422. **Die schnellen Herrscher**: usually, and probably rightly,
taken to mean here 'rash', 'impetuous'.

424. **Löscht ... aus**: Schiller probably derived knowledge of
this custom from Scheuchzer, *Beschreibung der Naturgeschichten des Schweitzerlands*, ii, p. 87.

431. **Lande**: Oberd. Common 18th-c. usage was *Länder*, as now.

439. **zur Notwehr greift**: resorts to arms in self-defence.

449 ff. Just as Geßler (l. 2082, 'Ich kenn euch alle'; l. 2779,
'dies Volk') sees the lower orders collectively, so the builder
addresses Berta merely as a representative of the alien
rulers; in social conflict the individual becomes an un-
differentiated specimen of his group.

456–7. These lines prepare for Berta's rebuke of Ulrich von
Rudenz in III. ii.

Vierte Szene

459. **Spähern**: the first mention of spies, in this case servants
of the Landvogt.

469. **Bube**: 'boy', 'servant'. Ad. notes survival in Oberd. of the
meaning 'ein Kind männlichen Geschlechts'; cf. mod.
German *ein herziges Bübchen*. *Bube* had in Schiller's time a
pejorative meaning (cf. l. 1833), not obvious in the present
context.

500. **schwanen**: *ahnen*, 'to have a foreboding'; 'nur in den
gemeinen Sprecharten üblich ... auch im Oberdeutschen
nicht unbekannt' (Ad.).

518. **Meinrads Zell**: hermitage of Einsiedeln, where St Meinrad, Benedictine of the Hohenzollern family, was murdered in the year 861. **Welschland**: Italy; see note to l. 1229.

527. **seit Menschendenken**: commonly *Menschengedenken*, 'within the memory of man'.

530. **verhalten**: Bibical and Chancellery style =*verschweigen*.

536. Note that Stauffacher insists that the Swiss have enjoyed freedom from of old. This is characteristic of the man of Schwyz; cf. J.v.M., i, p. 497: 'Die Schwytzer waren zu allen Zeiten wider Bann und Waffen in ihrer Freyheit standhaft.' Cf. also ll. 254 ff.

541. Note this third mention of Attinghausen's name before II. i.

547. **Gelüsten**: commonly, though not exclusively, used in the 18th c. in reference to carnal desire. Stories similar to that of Baumgarten were recorded by Etterlyn and J.v.M.

551. **Gerichte Gottes**: cf. l. 3011; Walter Fürst shows naïve opportunism in his moral judgments.

552. **bescheiden**: in the 18th c. = 'intelligent', 'circumspect', and, as now, 'modest in demands'.

569. **fodern**: now *fordern*. 18th-c. grammarians did not agree about the medial 'r'.

588–601. These lines form a remarkably disciplined composition (see above, p. xlii). They are not detached from the dramatic theme. By the preceding st. dir., as well as by ll. 597–9, Melchthal is shown to be aware of his companions' presence, and the thought of the father is retained through the succession of vividly contrasting phrases.

620. **Nichts liegt mir am Leben**: 'I care nought for life'; this reveals the submerged thought in l. 596 ('Sterben ist nichts').

627. **Schreckhorn**: a peak between Bern and Luzern; the **Jungfrau** rises some nine miles to the south-east.

628–37. The intensity of Melchthal's words, his scorn of the shepherds' timidity, and his appeal to the sense of freedom nurtured in the mountains have the expected result.

638. Stauffacher recognizes the climax and the moment for resolve.

643. The first mention of the cross-bow as possible means of defence or retaliation.

645. **Notgewehr**: a weapon for use in emergency. *Gewehr* now means 'rifle'.

655. **vermögen**: 'be able to achieve something'. Note the extreme caution in Fürst's form of words.

657. As in the Rütli (cf. l. 1155), Stauffacher here insists that there has been a *Bund* in existence for a long time.

669. **Felsen**: weak gen. of *Fels*, still standard form in the early 20th c. side by side with *Felsens* (from nom. *Felsen*), which is now the accepted gen.

681. Cf. Luke xxiii. 40: 'seeing thou art in the same condemnation' ('der du doch in gleicher Verdamniß bist'). Cf. also l. 2084.

684. Tsch. lists some twenty names of local gentry opposed to the tyranny of the 'Vögte', including Attinghausen and 'edelknechte von Silinen' (whose estates were on the Reuß above Altdorf); the name von Rudentz also occurs in Tsch., but as nephew of Stauffacher! Tsch. records the complaint of Attinghausen to Stauffacher about the ducal hat in Altdorf, but adds: 'Noch dorfft Im der Stouffacher (*sic*) von der heimlichen Pündtnuß nit offenbaren.'

698. **entstehn** (with aux. *haben*) =*fehlen, mangeln*, an accepted usage in the 18th c., e.g. 'Ich werde dir mit meinem Rathe nicht enstehen.' *Entstehen* (with aux. *sein*) had also as now the meaning 'spring from', 'arise'. Stauffacher's prophecy proves of course correct: help from the nobility is not lacking, and Melchthal's animosity is overcome when the need for mutual aid is urgent (IV. ii).

700. **Obmann**: a supervisor (archaic in Schiller's time, but subsequently widely used for foreman of work party, jury, etc.). Here = 'arbitrator'.

703–4. Cf. with Reding's words (l. 1321) and Tell's (l. 2596) as illustration of the adaptability of man's reason when he tries to recruit God's help. This matter is treated in a much more mellow way in *Wilhelm Tell* than in *Die Braut von Messina*.

710. **Schliche**: 'secret paths'; the secondary meaning in the 18th c., 'secret and harmful tricks', is now dominant.

716. **der Alzeller**: Baumgarten.
   nid: 'below' (the forest), as distinct from ob dem Wald. Cf. forms *nieden* and *hienieden*.

720. By mention of trade-routes here, as in Tell's monologue (ll. 2614 ff.), Schiller heightens our awareness of environment and period.

724. **grad über**: perhaps = *gerade gegenüber*, which would suggest the mountain peak Myten as in l. 39. On the other hand **Mytenstein** may here refer correctly to the rock, for the Rütli is just above it.

733. So the total of thirty-three is reached (cf. st. dir., l. 1097).

741–2. **Trutz**: archaic in the 18th c. = *Trotz*, but retained in traditional phrase used here, 'defence and defiance'. The solemn phrasing of Stauffacher reflects the Tsch. account of the meeting of the three men ('davon die Eidtgenoßschafft entsprungen'), in which much more of the Rütli resolution is anticipated than in Schiller's scene.

ZWEITER AUFZUG

Erste Szene

St. dir. **gotischer Saal**: There is no evidence that Schiller was deeply affected by the enthusiasm of the years following 1770 for the 'deutscher, germanischer oder Spitzbogenstil', but he doubtless saw that the comparatively recent discovery of its dignity and spiritual quality made an appropriate surrounding for Attinghausen.

757. **Schaffner**: 'overseer', 'steward', a use which Ad. records as Oberd. equivalent to *Haushofmeister*. The common use now is for 'conductor', 'railway-guard'.

760. **enger … engerm**: The undeclined comparative form of the first adj. may be noted as a feature of Goethe's later style.

779. **Pfauenfeder**: Peacock feathers (and purple cloaks), the dress of the Austrian nobility, came to be so hated that any Swiss seen wearing such feathers was said to be in danger of his life; a man in an inn, reminded of the colours by the reflection from a glass of wine, drew his sword and smashed the glass 'mit hundert Flüchen' (see J.v.M., ii, pp. 489–90). But note that this was after the battle of Sempach, and see p. xix above.

783. Cf. ll. 1974–5. Rudenz echoes, though with less venom, the thoughts of the 'Landvögte'.

785. Cf. l. 2593. The cause of the King's anger is at no point clearly stated.

787. **ob**: as preposition = 'on', 'above', 'because of'; archaic in Schiller's time, though surviving in Oberd. Cf. ob dem Wald, Rothenburg ob der Tauber.

797–804. Cf. l. 1291. The promise of favour and the argument that other communities have committed themselves to 'dem ewigen Schirm des königlichen Hauses' were the content of a flattering note to the Forest Cantons (see J.v.M., i, pp. 633–4). Rudenz's argument must be seen in relation to this and to the reply of the local nobility and freemen: 'sie lieben den Zustand ihrer Altvordern und wollen in demselben verharren . . .' (ibid., p. 634). Schiller illustrates here the clash between the old and the young generation, Attinghausen defending tradition, Rudenz eager to move with the times.

812. **Landammann**: chief dignitary chosen by the people of the canton. 'In the 13th century each valley had several *Ammänner* exercising the low justice and in some sense representing both the overlord and the community. To one among them authority came to be attributed, and to him, in time, was given the title of *Landammann*' (Bonjour *et al.*, op. cit., p. 72). The office still exists, and the *Landammann* is now something in the nature of an ombudsman. *Ammann* = *Amtmann*.

824. **schelten**: call derisively. **Baurenadel** (=*Bauernadel*) was the derogatory nickname for the local aristocracy.

828. **Lenz**: springtime.

833. **Kriegstrommete** = *-trompete*.

846. Goethe pointed out (letter, 13 January 1804) that the Swiss abroad becomes homesick not because he hears the *Kuhreihen* – since this is played (*geblasen*) only in Switzerland – 'sondern eben weil er ihn nicht hört, weil seinem Ohr ein Jugendbedürfnis mangelt'.

854. **Fürstenknecht** and *Fürstendiener* have sharp overtones in Schiller (cf. Marquis Posa in *Don Carlos*).

861. Note reference to stage properties as emblems of tradition.

864. **brechend Auge**: the eye in the moment of death.

867. A man seeking to become a vassal yields his estate to the overlord and receives it back in fief.

873–7. Cf. ll. 1801–9, where Tell presents a similar picture in a contrary argument. The present scene illustrates the long conflict between regionalism and the power politics of centralization.

874. **Saumroß**: 'pack-horse'. Occasionally also used for 'sumpter mule'.

883-4. The eagle is the emblem of the Empire. Imperial revenues had to be mortgaged under economic stress.

886. **Parteiung**: 'party strife'. The basis of Rudenz's argument is the same as that of the Rütli men: 'einig wollen wir handeln' (l. 1203) and 'Ein Oberhaupt muß sein' (l. 1216); the difference lies in the question: which unit and which head?

895. **Luzern**: acquired by the Habsburgs in 1291.

899. **Hochflug ... Hochgewilde**: 'game birds' and 'big game'. **bannen**: here = 'preserve' (cf. play on the word in ll. 1774-6).

910. **Favenz**: Faenza, taken by Friedrich II in 1241 after long siege. On this occasion the Emperor granted the Charter to Schwyz (see l. 1214 and note).

921. This line is frequently quoted, without warrant, as Schiller's patriotic message to Germany. Attinghausen's words are very moving, but if they are used, as they have been, as a motto for the whole play, Schiller's drama gets lost in a contrivance of trivialities of no greater literary worth than an attempt to explain Goethe's *Faust I* by means of the 'Hexeneinmaleins'. In *Wilhelm Tell* the idea of Swiss patriotism is traced to its very early stages. Attinghausen, as an old man, cherishes the history he has helped to make. In this melancholy last encounter with his nephew the past is all he has – his own past, in which the life of the cantons seems to have had the golden quality of permanence. The threat from outside and the defection of Wolfenschießen and Rudenz now obliterate the future – those centuries still to be chronicled by men of equal zeal who were to see in the events of Attinghausen's lifetime the beginning of a glorious story. In this scene, dismally contrasting with IV. ii, the old laird craves for but one day to plead with Rudenz to save his heritage and protect the future of his people. Unforeseen by both, the young man's impulsive refusal is, on this same day, to bring about the change of heart which Attinghausen has failed to achieve by persuasion.

925. **Ein schwankes Rohr**: seems to have been a favourite image for Schiller (cf. *Maria Stuart* II. iii: 'dieses unstet schwanke Rohr').

939. **Braut**: 'bride' (on the wedding-day), but also, as now, 'bride to be'.

In a letter to Iffland (5 December 1803), Schiller placed the

scene in the Attinghausen residence in Act I after the Stauffacher scene and before the scene showing the work on Zwing
Uri.

Zweite Szene

St. dir. As in I. i (the idyllic scene), the serene majesty of the
landscape is presented; the grandeur and mystery are intensified
by the moonlight. **Steige**: paths with steps hewn. **Eisgebirge**:
of Glarus. **am Bühel**: a family name, from the geographical
term *Bühl*, a hillock.

963–4. **Feuerwächter**: like *Nachtwächter*, current in the 18th c.,
the watchman who guards against spread of fire. **Selisberg**:
a village near-by.

965. **Mettenglöcklein**: 'the bell for matins'. *Mette* (Lat. *cantus
matutinus* or *matutinae vigiliae*) is the church service between
midnight and daybreak.

970. **Mondennacht**: cf. *Mondenschein*; the form *Monden-* is
mostly confined to Oberd.

982. Meier, of somewhat choleric temperament, is jealous of the
honour of his canton (cf. ll. 1394–5).

St. dir. at l. 986. Jörg: Georg. **noch drei andre Landleute**:
According to l. 733, each of the original Confederates was to
bring ten men; thus Stauffacher's company seems to be one
short. The phasing of the arrivals appears perfectly natural, but
it is excellently devised to allow for the necessary expositional
dialogue before the meeting begins.

997. **Surennen**: Melchthal's route may have been mapped out
from Scheuchzer's journey (August 1702), which took him
from Altdorf up the Waldnachttal to the Surner Pass.

1003. **Gletscher Milch**: Scheuchzer, iii, pp. 113–14, praises the
'Milchweisse Gletscherwasser' which the local people drink
'ohne einigen darauf erfolgten Schaden' and which he,
overcoming his fear, has found refreshing 'als so vil
Kraftwasser'.

1004. **Runse**: *Bach.* Ad. also notes, as Oberd., *Rünse* and *der
Runs* for 'watercourse' or 'river-bed'. In the regions of
Bern and Solothurn, *Runse* is still used for 'watercourse' or
'dried-up channel' among rocks. Schiller noted from
Scheuchzer: 'Runs, Spalt wo was rinnt'; cf. *Rinnsal*.

1010. **schaffte**: *verschaffte*, 'procured' (their honest respect).

1013. **ob**: see note to l. 787.

1020. **tragen:** *ertragen.* Again, as in, e.g., ll. 512–13 and 840, there is insistence on the worth of old tradition.

1031. **Gehöfte:** farmstead.

1033. **Vettern:** included paternal and maternal uncles and male cousins, and extended to kinsfolk generally.

1042. **ich späht es aus:** *daß ich es nicht ausspähte.*

1049. Cf. the case of Armgard's husband (ll. 2734 ff.).

1055. **Roßberg:** residence of Wolfenschießen (cf. l. 77). **Sarnen:** Landenberg's residence.

1066. **jetzo:** one of a variety of forms which gave way in the later 18th c. to *jetzt.*

1072. A Winkelried is said to have fought at Faenza. The name became famous through Arnold von Winkelried, who, by drawing the Austrian lances upon himself, enabled the Swiss to press an attack at Sempach.

1076. **Strauß:** 'kämpferische Auseinandersetzung, bewaffnetes Zusammentreffen', fight, shock, encounter.

1079. **eigne Leute:** *Leibeigene,* 'serfs', who belonged to their overlord.

1081. **wohl berufen:** of good repute.

1090. **das Horn von Uri:** the horn of the *Auerochs* (Lat. *urus,* wild ox; the form *Uhr* occurs in Sw. – cf. Matthisson, *Der Genfersee,* in *Schriften,* i, 79: 'Wenn ... ein Uhr mit wilder Lust entgegenbrauste'). The horn is the emblem of the canton and said to be the origin of its name.

1101. **sonnenscheuen:** shunning the light of day.

1104. **der ... Schoß des Tages:** a very curious figure of speech.

1105. **Laßts gut sein:** Let it be.

1106. **der Sonnen:** the weak gen. (and dat.) ending of some fem. nouns was still retained in the 18th c., e.g. *unserer lieben Frauen, von der Wiegen an, der Seelen Seligkeit, zur Höllen fahren.*

1107. **Hört ... gibt:** Exactly the same phrase is used by Tell to Johannes Parricida (l. 3232). **Eidgenossen:** one of the many irregularities in the Rütli meeting, for the oath (*Eid*) has not yet been taken! Stauffacher uses the same form of address (l. 1156); it is necessary for him to justify the use by referring (l. 1155) to 'ein uralt Bündnis'. Rösselmann in the present speech also relates the proceedings to old custom.

1113–14. **Gott ... verwaltet**: For the guidance of the Rütli meeting the only pattern available appears to be that of cantonal judicial procedure – a familiar enough picture in constitutional history. But though the assurance of God's presence is no doubt strengthening and sobering, the claim to administer justice is hardly relevant, since the men are gathered for a secret protest meeting, at which no defendants can possibly be present.

1118–21. The repetition of *Herz* implies for the two speakers sincerity, but to the reader and spectator it conveys the emotional nature of the occasion. **die Besten sind zugegen** is easily accepted by such an assembly in such circumstances: the impressive sense of responsibility and of representative function precludes any question about the meaning or truth of the statement. But contrast ll. 2092 and 2101.

1123. Two swords are the sign of the authority of the assembly.

1130. **die Flehenden**: Though all three cantons are hard pressed, matters have come to a head in Unterwalden through incidents involving Melchthal and Baumgarten.

1133. **Römerzügen**: expeditions of the German kings to receive the Imperial crown.

1135. **seines Stammes ... alle**: Schwyz gave its name to the whole country. The race is a different matter. Schiller knew something of the complex story of the settlement of the other cantons.

1142. **Altlandammann**: *Alt-* indicates either seniority or, as probably here, former tenure of office.

1144. **des Tages**: 'diet' or 'meeting'.

1155. **Ein uralt Bündnis**: The first documentary evidence of a permanent alliance is a treaty dated 1291, rediscovered in 1760 in the archives of Schwyz (see Bonjour *et al.*, op. cit., p. 75). 'But it is quite clear ... that what happened in 1291 was only the renewal ... of an older union' (ibid.). Dates suggested go back to the 1240s.

1160. **eine Heimat**: This, and what follows (ll. 1165–1201), clearly reflects the account given as a *Sage* in J.v.M. (i, pp. 417–21). It is the story of Canton Schwyz, to which Stauffacher and the chairman Reding belong. This will be seen to contribute to the controlling influence of Stauffacher, who guides opinion towards the desired end, i.e. creates within the drama the pattern which later historians in fact assembled.

1161. **in den Liedern**: J.v.M. refers to the *Westfriesenlied* (*sic*) for the tradition of northern origin and suggests as explanation the old chroniclers' use of *svecia* for both Sweden and Schwyz (i, p. 417). Winkelried from Unterwalden (whose family history has been commended by Stauffacher) welcomes 'confirmation' of the epic tradition by a respected authority.

1167. **Mitternacht**. 'the north'; cf. *Morgenland*, 'orient', *Abendland*, 'occident'.

1169. **je der zehnte**: every tenth man.

1177. **Muotta**: the river flowing into the Lake near Brunnen.

1179–80. J.v.M. does not mention this mysterious hut and figure.

1192. **Zum schwarzen Berg**: the Brünig (or Brauneck) in Unterwalden. **Weißland**: 'Oberhasli an den Glätschern' (J.v.M., i, p. 421) – hence *ewgem Eiseswall* (l. 1193).

1202. Note that it is another man of Schwyz who proclaims solidarity and racial integrity.

1204. **Die andern Völker**: other cantons (see J.v.M., i, p. 423) had not enjoyed the same measure of free choice as Schwyz.

1207. **Sassen**: *der Saß*, 'settler', 'dweller'; archaic as a separate word in Schiller's time, but present in many compounds e.g. *Erbsaß*, *Freysaß*, *Hintersaß*, *Beysaß*. Here the reference appears to be to those who owe hereditary dues to various superiors; they would include *Leibeigene*. J.v.M. notes that there are many such in Schwyz (i, p. 423); Jost von Weiler is in this general category of dependence (see l. 1360; J.v.M. mentions that some paid dues to the Counts of Rapperschwyl). The evidence suggests that Stauffacher is presenting a somewhat biased statement to the advantage of his own canton.

1212. The Charter bestowing on Schwyz direct protection of the Empire was granted in 1241.

1214. Rösselmann adroitly reminds the assembly (including his parishioners from Uri) of *the* Charter; the one of interest to him was granted to Uri in 1231.

1215. Stauffacher swiftly proceeds to defend the principles of leadership and fealty on a basis of free bargaining.

1227. **Heribann**: call to arms, for *Heerbann*, 'Aufgebot der waffenfähigen Freien in einem Bezirke, zu allen öffentlichen Angelegenheiten, später nur zum Kriegsdienst' (Ad.).

1229. **Welschland**: *wälsch* = 'foreign', archaic in late 18th c. Referring to 'French', also obsolescent at this time; but Ad. notes 'die wälsche Schweiz' as current reference to French-speaking cantons. *wälsch* = 'Italian', 'noch in manchen Oberdeutschen Provinzen gangbar' (Ad.); the reference in *Wilhelm Tell* is to Italy.

1233. Jurisdiction in capital crimes alone was entrusted to a representative of the Emperor.

1244. In a long-drawn-out dispute over grazing rights, the Emperor had supported the Abbey of Einsiedeln.

1247. **beweidet**: *beweiden*, 'to use for grazing', a rare verb.

1251. **Erschlichen**: 'obtained by cunning'. In most of Schiller's plays documents supporting claims, and of doubtful validity, acquire dramatic significance. Cf. the dispute about the Charters with Geßler (ll. 2075–8).

1255–73. Stauffacher's argument is skilful: if our forebears opposed the Emperor, we must surely oppose the alien servants of tyranny; the use of the word *Knecht* is emotionally effective. To say that the land, because it is made habitable by the people, belongs to the people, carries a kind of legalistic conviction. This preliminary justification of deeds which must be done in order to cast out an inhuman tyranny gives coherence and strength to the general will, which may then be expected to approve the means. To the individual will of Tell the political argument is irrelevant ('Ich kann nicht lange prüfen oder wählen', l. 443), the acceptance of the means is obligatory, but the effort of approval is a source of great suffering.

1277. **getrosten Mutes**: 'with courage and assurance'; an 'adverbial genitive'.

1284. **verfangen**: to be of use.

1289–94. A purposely provocative suggestion has the desired result in the formulation (ll. 1306–8) that any man who dare speak of submission to Austria shall be declared outwith the law and shall forfeit all honour.

1310. **frei ... durch dies Gesetz**: i.e. the decision to make the law is a sign of freedom.

1321. The abhorrence of force is humanely stated, but this line,

with its ultimate evocation of the Lord of Hosts, is as skilfully paradoxical as Tell's (l. 2596).

1322. Note that still another man from Schwyz is called upon
by Stauffacher to give testimony!

1323 ff. des Kaisers Pfalz: 'Imperial palace'; also used of the
region administered from that centre – the Palatinate. In
Konrad Hunn's account two incidents, narrated separately
by Tsch., are brought together – the reception of the
delegates and the rebuff of Duke Johann.

1337. Erker: turret.

1338. Two of the accomplices of Johann in the assassination of
Albrecht (cf. l. 2961).

1343. sein Mütterliches: his maternal inheritance.

1356. Cf. Mark xii. 17: 'So gebet dem Kaiser, was des Kaisers
ist.' Similarly, l. 1363 echoes the sense of the other half of
the scriptural injunction – 'und Gott, was Gottes ist'. To
l. 1374 Walter Fürst prescribes the details of non-revolu-
tionary conduct for a responsible community in the paying
of rents and taxes (zinsen and steuern) and in the pursuit of
the limited objective (getting rid of oppression, l. 1352). As
he made his notes, Schiller clearly saw some of the diffi-
culties, e.g. 'Sarnen und Roßberg sind Oesterreichisch. In
wiefern können also die Meier gegen Oestreich handeln?'
(see Leitzmann, op. cit., p. 41).

1360. The Counts of Rappersweil, with estates on Lake Zürich.

1362. Our Lady's Convent in Zürich.

1372. staatsklug: perhaps political sense may mitigate his anger.

1373. billge Furcht: billig = reasonable, due, just: 'wholesome
respect' seems nearest to the meaning.

1386–8. Cf. note to l. 459. Doubts about security illustrate latent
animosity between the cantons. Meier of Unterwalden even
questions the impartiality of the chairman (Reding of
Schwyz).

1396. weisen: 'mit Worten bestrafen' (Ad.), already archaic in
Schiller's time.

1399 ff. Fest des Herrn: In Tsch. the bringing of New Year
greetings to the governor of Sarnen is suggested as oppor-
tune occasion for the capture; this, and the simultaneous
assault on Roßberg, is agreeable to all present. Adroitly,
Schiller avoids tedious argument, but suggests disagreement
in l. 1418, with further reminder in l. 1970.

1413. **Dirn**: By Schiller's time the word had become somewhat debased, but was not universally derogatory. Christian Ludwig, *Teutsch-Englisches Lexikon*, 3rd ed., Leipzig, 1765, gives 'wench'. Here it is obviously a young serving-wench. **hold**: *hold sein*, befriend, love, favour.

1424. **sich des Streits begeben**: give up the struggle.

1426. **Landesmarken**: *die Mark*, a 'mark' or 'marker' showing boundaries of territory, then used of the boundaries, finally of the territory itself.

1427 ff. **Stand**: *Widerstand*. For this and previous reference in the scene (l. 1096) see above, p. liii.

1438. **nächtlich . . . tagen**. W. H. Carruth (ed.), *Wilhelm Tell*, p. 201, comments: 'It is not likely that Schiller intended this curious conjunction of words.'

1439–40. The topmost peaks catch the light of the sun.

1447–48. 'This couplet was a favourite motto during the Franco-Prussian War' (Carruth, ed. cit., p. 202). Since then it has found its way into diverse armories: 'Tell und seine Schweizer. "Ein einzig Volk von Brüdern!" Also sind hier auch eins Volk und Führer!' (Friedrich Braig, op. cit., p. 170); 'jene herrlichen Worte aus dem Rütlischwur . . . die gleichsam die zusammenfassende Lehre Schillers an die ganze deutsche Nation sind' (Otto Grotewohl, 'Wir sind ein Volk!', in *Schiller in unserer Zeit*, p. 39). As the figures quietly depart, and the music swells, and the glow of sunrise spreads on the *Eisgebirge*, the majesty of the whole poetic composition of the scene asserts itself; the sad limitations of the Rütli men and of all the generations which have followed are dispersed 'in wesenlosem Scheine'. The aesthetic distance which Schiller thus creates prepares us to contemplate freely the most tense, tumultuous, and vivid scenes which Stauffacher and his compatriots needed for the enhancement of their story.

DRITTER AUFZUG

Erste Szene

1486 ff. Cf. Schiller's poem *Der Alpenjäger*:

> Und der Knabe ging zu jagen,
> Und es treibt und reißt ihn fort,

> Rastlos fort mit blindem Wagen
> An des Berges finstern Ort ...

1488–9. Cf. Goethe's *Faust II*, Act V: 'Nur der verdient sich Freiheit wie das Leben, / Der täglich sie erobern muß.'

1492 ff. Among the many stories of the hazards of chamois-hunting, Schiller no doubt read that of Caspar Störi in Scheuchzer, iii, pp. 32–34).

1500. **Windlawine**: avalanche started by wind blowing over soft new snow. Cf. also *Staublawine, Brettlawine*, of loose and packed snow respectively.

1516. **Es spinnt sich etwas**: A plot is afoot.

1524. Hedwig, like Geßler (l. 1988), has heard of the rescue of Baumgarten.

1530. **Das heißt Gott versuchen**: Cf. l. 2044; in both lines it is Tell who is seen to be tempting God.

1532–3. Cf. ll. 1988–9.

1538. **Ehni**: *Großvater*. Occurs also in Upper Swabia; cf. *Än, Ändel, Andel* in Austria and Bavaria.

1539. Carruth notes (ed. cit., p. 204) 'One need not wonder at the knowledge of circumstances in Altdorf, since Bürglen is less than two miles away.'

1541. Cf. l. 1559. Schiller noted (see Leitzmann, op. cit., pp. 37–38): 'Tell hat, als Schütze, etwas gethan, was den Landvogt heftig reizt und was er doch nicht strafen kann.' This is not made explicit in the play.

1544. Cf. ll. 1570–1. Hedwig is more astute in her judgment of Geßler's character and of the episode than Tell.

1549. Bürglen is situated on the River Schächen.

St. dir. at l. 1554. Note the effective grouping which concentrates attention on Tell and helps towards simple expression of curiosity and pride by the children.

1556. **Mensch zu Mensch ... Abgrund**: cf. ll. 1507, 1282, and p. lix.

1573. **Geh lieber jagen**: The simplicity of the line, spoken as by a mother to a child, can be very moving.

Zweite Szene

St. dir. **Staubbäche**: brooks which are dashed into spray over the falls.

1584. **mich erklären**: The operatic mood of the scene is suggested by the hasty aside of Berta, announcing her intention to say what is on her mind. The convention is so apparent – a Diana figure taking the initiative in the pursuit and decoying of her prey – that the swift fusion of love-scene and political rebuke is all the more startling.

1585–8. The rhyme evokes the lyrical mood and prepares for succeeding passages in rhyme, e.g. ll. 1640–1, 1663–71, 1705–14. **Abgründe**, 'abysses', has portentous connotation beyond the geographical reference.

1598. **in die Reih . . . stellen**: 'consort with'. Rudenz mistakes Berta's severity for a rebuke to his presumption.

1601–2. **Treue . . . treulos**: In these two words the dominant themes of the scene are brought concisely together – love and patriotism.

1609. Cf. ll. 939–40.

1610. **naturvergeßnen Sohn**: 'degenerate son', i.e. forgetful of his birthright and true affinity.

1617 ff. For this declaration of love for the people, ll. 456–7 have prepared us. Praise of Swiss qualities ('bescheiden, voll Kraft') was probably derived from Charlotte's recollections (cf. above, p. xxiii). The appeal (l. 1622) on behalf of the people combines 18th-c. humanitarianism and a modern idea of the medieval code of chivalry.

1627. **Mein Herz bezwingen**: note the balanced antithesis between this and ll. 1644–5, and cf. above, p. xl.

1628 ff. The argument corresponds to that of II. i (with Rudenz now losing ground), and recalls that between Philip and Marquis Posa in *Don Carlos* III. x.

1631. **dem letzten Schloß**: equivalent to 'Haus der Freiheit' (l. 388).

1658–9. Berta's admission of material interest has been criticized by those who expect her (and Schiller) to show 'pure idealism'. By these and the following lines she is brought closer to the Confederates, with whom she shares hatred of coercion, the appeal to 'heilig Recht', and a belief in the established claims to possession.

1664. **Ländergier**: greed for territorial expansion.

1667. **Günstling**: court favourite.

1668. **Falschheit . . . Ränke**: Words which belong to Schiller's token vocabulary when he wishes to summarize the evils of court life.

1670. **Dort ... Ketten**: *harren* with gen. (*mein*, cf. l. 111), specifically Oberd., but of wide use, as alternative to *auf* with acc.: 'there await me the fetters of abhorrent wedlock'. Thus Berta makes a personal plea for help, as Rudenz later does on her behalf to the Confederates.

1688. **gelichtet**: here 'illumined'.

1699. **die selge Insel**: classical allusion – 'the Isle(s) of the Blessed' – is appropriate to the idyllic mood here evoked.

1701–26. Study of these lines, with their insistence on dominant ideas – happiness, freedom, liberation – on the union of man's dignity with the grace of woman, and on the harmonious association of these ideas in the life of a community, reveals the formal control and precision of Schiller's style. Some reference has been made (see above, p. xxxix) to the musical quality of this passage of dialogue. Schiller had given some thought to analogy between poetry and music (cf., e.g., his review of Matthisson's poetry, and discussion of musical and plastic qualities in poetry in *Über naive und sentimentalische Dichtung*); in considering this, and the formalism of Schiller's own lyric, it may be appropriate to think of G. Ph. Telemann (d. 1767), C. P. E. Bach (d. 1788) and Joseph Haydn (d. 1809).

1719. **Landbedrücker**: the country's oppressor.

1725. 'Whate'er befall, stand by thy people'; *steh zu* more commonly now *steh bei*.

Dritte Szene

St. dir. **Bannberg**: cf. ll. 1770–4.

1733. **'s war doch sonst wie Jahrmarkt hier**: *doch* unstressed, yet drawing attention to the contrast with the former or usual aspect of the scene – 'like a fair-ground'; this enclitic *doch* has similar function to English initial 'why!' Contrast use in l. 1759.

1735. **Popanz**: 'bogey, bogle, scare-crow'. A word of uncertain origin.

1739. **Flecken**: 'ein bewohnter Theil der Erdfläche' (Ad., who also notes Oberd. use: 'ein großes Dorf').

1740. **beugten**: presumably a subjunctive.

1747. **dem Hochwürdigen**: the Host, or sacred wafer carried in the *Monstranz* (l. 1750). Carruth (ed. cit., p. 206) points out that the Host would normally be carried to the sick in the much simpler ciborium. Note again Rösselmann's skill in dealing with a tricky situation.

1751. **deuchten**: not a back-formation invented by Schiller from indic. *deucht*, but an alternative infin. form to *däuchten* (regarded by Ad. as an older and more acceptable form than *dünken*, which has superseded it in modern German). *Es deucht mich* = 'meseems'; here the meaning is perhaps 'it begins to look as if'.

1757. **traun**: forsooth.

1759. **doch**: With preceding inversion of verb and subject *doch* is explanatory, with much the same meaning as *denn . . . ja*, or *nämlich*.

1760. **ein dienstfertger Schurke**: a servile knave.

1767. **Volk der Weiber**: *Weiber-* or *Weibsvolk*, by the 18th c. derogatory.

The somewhat rough colloquial style of the scene so far makes effective contrast to the elevated language of the preceding one. It also contrasts with the dialect-flavoured style of the self-respecting rustics in I. i.

St. dir. at l. 1770. Note that Tell and Walter are not challenged as they pass the hat for the first time, proceeding down-stage; Frießhardt is shouting after the retreating women.

1774. **gebannt**: Of the strict laws against the felling of trees Schiller probably read in Fäsi. In this legal sense they were 'protected'. But *bannen* also means to put under a spell; Walter's line suggests a fantasy to frighten people so that they would not damage the trees.

1776. Tell does not dispel the fantasy; the trees are *gebannt*, 'kept where they are', for a good purpose – as protection against the avalanches which would otherwise destroy Altdorf.

1780. **Schlaglawine**: heavy avalanche of *Firn* ice.

1784. **Landwehr**: barrier, palisade; not used here in the sense of 'militia' or 'yeoman force'.

1788. The country could be either France or Germany.

1796. **ängstigen und plagen**: Odd words for Walter, except that Schiller has given a vivid picture of his mother's fretting.

1800. At no point is there any clearer definition of Tell's status.

1805. **das Salz**: the one possible clue to France (see note to l. 1788).

1809. Cf. ll. 504–5, where Walter Fürst, it is true, refers to 'Boten der Gewalt' in the neighbourhood.

1810. **es wird mir eng**: 'shut in', 'stifled' (cf. *es wird mir eng ums Herz*, 18th-c. usage).

1815. It is an open question whether Tell remembers the injunction about the hat (I. iii). In Tsch., Tell walks past the hat 'etlichmal'; in J.v.M. (i, p. 646) 'Tell, der Freyheit Freund, verschmähete . . . den Hut . . . zu ehren.' It is in keeping with Schiller's interpretation that he does not show open defiance at this point.

St. dir. at l. 1821. **In die Szene rufend**: up-stage, or into the wings.

1827. **Ehrenmann**: In Oberd. (Ad.) a man who is 'honourable and enjoys respect'.

1829. **Ich leiste Bürgschaft**: I will stand surety.

1833. **Das hätt der Tell getan?** You mean to say that Tell did that?

1836. **ledig**: specifically legal expression in the 18th c. for 'free', 'acquitted'. The commonest meaning now is 'unmarried'.

1838. **Wir tun, was unsers Amtes**: We are (only) doing our duty (what belongs to our office).

1839. **schreiende Gewalt**: flagrant violence.

1841–2. **die Stärkern**: St. dirs. do not make the number clear; perhaps six or nine adults are present at this point. But 'einen Rücken an den andern' (cf. l. 660) may refer to the rest of the Confederates; cf. *jemandem den Rücken halten* (18th-c.), support, protect.

1845 ff. Tell has overcome the anger which stirred him to vigorous action (st. dir. at l. 1826) on being called a traitor. In ll. 1846–7 there is possibly a reminiscence of Matt. xxvi. 53.

1857. **was**: *warum*.

1858 ff. **Gestrenger Herr**: title applied mainly to the nobility; it became less common in the 18th c. except in Oberd. 'Your Honour' would be suitable here. **Waffenknecht**: man-at-arms. **wohlbestellter**: duly appointed. **über frischer Tat**: 'in the very act'; the common phrase is *auf frischer Tat*.

1868. **Dein böses Trachten**: Your evil intent.

1869 ff. Note the conciliatory tone of Tell, which contrasts with the florid language of authority. **Eurer**: pers. pron. gen., now only *Euer* (or *euer*); Ad. suggests that *eurer* may be the 'correct' form.

1871. Tsch. has 'wär ich witzig / so hieß ich nit der Tell'. This answer appears to belong to the oldest Tell tradition (cf. *Urner Spiel*: 'Wer ich vernünfftig, witzig und schnell, / so were ich nit genannt der Thell'), and was thought to point to some word meaning 'dull'. Schiller inquired of Cotta, but the matter remained obscure. He could scarcely avoid using the characteristic phrase, and the sense he gives it (associated with l. 443) appears to be: 'I am Tell, and everybody knows that I *do* things, I don't mull over them.' Thus the legendary image is strengthened, contrasting with ll. 1485 ff., 1798 ff. and the monologue.

1875–6. Walter's boast, which brings him into the action and gives Geßler the cue for the *Apfelschuß*, appears to have been inserted at Goethe's suggestion (Schiller to Iffland, 16 March 1804; cf. also Eckermann, *Gespräche*, 18 January 1825).

1884. Du hast sie gleich zur Hand: Note the studied casualness of Geßler's remark, and cf. l. 1972.

1891. kömmt: colloquial, customary form in the 18th c. (now only *kommt*).

1904. Cf. l. 1487.

1906–7. Ein eigen Wagstück: a deed of peculiar daring specially for you. **Ein andrer wohl bedächte sich**: 'another man would stop to consider'. Thus Geßler plays on Tell's answer (l. 1871).

1911. Kurzweils: 'diversion', specifically (as here) 'jest'. In the 18th c. commonly, and now always, *die Kurzweil(e)*.

1915. Er rühmte sich: a perniciously false statement, since Tell had not himself boasted.

1918. Note here and later the consistent but ineffective attempts of Rudolf der Harras to mitigate the harshness of Geßler.

1924. Verwirkt: 'forfeited'. Note how Geßler repeats this word in l. 1930.

1937. Cf. Tell in ll. 2642, 2649.

1941. Dem 's Herz ... Auge: whose feelings do not affect the steadiness of hand or eye.

1943 ff. Note the variety of appeal – to mercy (*Gnade vor* [=*für*] *Recht ergehen lassen*, to let mercy take the place of justice), cupidity (Fürst's offer of a bargain), pity for innocence, fear of divine judgment – all followed by Geßler's curt command.

1947. hinstehn: *mich hinstellen*.

1949. elliptical: *fehl schießen und das Herz des Kindes treffen*.

1953. The oldest extant illustration of the episode, a woodcut in Etterlyn's *Chronicle*, shows the boy with hands bound, his eyes not bandaged (see ll. 1958 and 2326, where Hedwig imagines him to have been bound).

1961. 'Nor so much as let my eyelid (lit. eye-lash) quiver.'

1964. Dem Wütrich zum Verdrusse: 'to spite the tyrant'. By stressing the boy's defiance and lack of fear, an effective contrast is made with the distress and impotent anger of the country-folk.

1969–70. Cf. l. 1418.

1979–90. St. dirs. and dialogue combine to suggest the resolve, as Tell bids the bystanders make a lane, the faltering, the frenzied appeal to Geßler, the physical and mental torment, the taking out of the second arrow – all observed by Geßler, who stands unmoved, making his ironical comments: 'Nothing ever daunts you.'

St. dir. at l. 1989. Goller: thus Tsch. for more usual *Koller*, 'jerkin'.

1991 ff. The altercation of Rudenz and Geßler serves a double purpose: to distract attention from Tell and the cross-bow, and to demonstrate publicly Rudenz's change of heart; he speaks of his people (ll. 2001, 2010) and his country (l. 2008). Like Geßler, but in a contrary sense, Rudenz professes loyalty and interprets the Emperor's will. Note the rhetoric, with its strong emphasis on personal feeling ('überschwellend und empörtes Herz', 'alle Bande der Natur', 'schaudernd', 'freies Urteil', 'redlich Herz').

St. dir. at l. 2031: hat Tell den Pfeil abgedrückt: To Schwarz of the Breslau Theatre, Schiller wrote (24 March 1804): 'Tell schießt nicht wirklich, sondern schnellt nur ab, denn der Pfeil kann in der Luft nicht gesehen werden.' With Tell facing upstage and aiming into wings stage-right, the make-believe release of the cross-bow mechanism (the *Schneller*) is easy enough.

2032, 2042. Geßler's surprise shows him to have been aware of the enormity of his demand. His praise of Tell's marksmanship postpones the question about the second arrow.

2048 ff. Following closely the dialogue in Tsch., the question

and answer about the arrow are a dramatic *tour de force*
which swiftly renews the tension of the *Apfelschuß* episode.
2059. **durchschoß**: *hätt ich Euch durchschossen* would not give
due emphasis to *Euch*. The technical explanation of the
marksman (l. 2051) and the frank avowal of intention run as
follows in Tsch:

> Es wäre also der Schützen Gewonheit; der Landt-Vogt
> merckt wol/ daß Im der Tell entsaß [=trotzte]/ und
> sprach: Tell nun sag mir frolich die Warheit/ und furcht
> dir nützit darumb/ du söllt dins Lebens sicher sin/ dann
> die gegebene Antwurt nimm ich nit an/ es wird etwas
> anders bedüt haben. Do redt Willhelm Tell: Wolan Herr/
> sidmalen Ir mich mins Lebens versichert habend/ so will
> ich üch die grundlich Warheit sagen/ daß min entliche
> Meinung gewesen/ wann ich min Kind getroffen hette/
> daß ich üch mit dem andern Pfyl erschossen/ und ohne
> Zwifel üwer nit gefält wolt haben.

The st. dir. *verlegen* and *mit einem furchtbaren Blick*, and
the retrospect in ll. 2579–87, illustrate how Schiller adapted
the chronicler's account. The recent experience has humi-
liated Tell and roused his anger. His unaccustomed confusion is such that he even accepts Geßler's promise to
grant him his life.
2066. Cf. ll. 2359–60.
2074. **außer Lands**: from Uri to Schwyz, i.e. beyond the
jurisdiction of his own canton.
2075–6. The weakness of the argument is known to Geßler, and
to the Confederates (cf. l. 1334).
2093. **es erbarmt mich**: somewhat vulgar usage in the 18th c.
More choice expression was *es jammert mich*.

VIERTER AUFZUG

Erste Szene

St. dir. **Östliches Ufer**: For a summary of lengthy arguments
about Schiller's alleged geographical error see Bellermann, op.
cit., iii, pp. 190–2.
2102. **gelten ... für die Freiheit**: 'if ever a blow had to be
struck for freedom'. The unusual construction = modern

acc., without preposition; in the 18th c. the case after *gelten* was controversial – acc., dat., even gen.

2112–13. A summing-up of the circumstance in the manner of a chorus.

2124–6. The references form a chiasmic pattern: **Mund der Wahrheit** = Attinghausen; **Der Arm, der retten sollte** = Tell; the middle reference, **das sehnde Auge**, is most probably to Rudenz, whose change of heart is not known to the fisherman (cf. ll. 838, and especially 2004: 'Mein sehend Auge hab ich zugeschlossen'). A traditional suggestion that Melchthal's father is meant is unconvincing.

2129–49. Utter loss of hope and a lament for the passing of freedom are expressed in stylized, rhetorical evocation of elemental forces. In addition to the reminiscence of *King Lear* III. ii (see above, p. xxxii), there may be some borrowing from classical antiquity – perhaps, e.g., Lucan, *De bello civile*, i: 'veteremque iugis nutantibus Alpes/ Discussere nivem. Tethys maioribus undis/ Hesperian Calpen summumque inplevit Atlanta' ('the Alps dislodged their ancient snow from their tottering peaks and the sea filled western Calpe and distant Atlas with a flood'; cf. ll. 2144–9). From l. 2141 the language recalls that of an ancient soothsayer; it seems inappropriate to criticize on the grounds that a Swiss fisherman would not talk like this.

2141. Nature, angered by an unnatural deed, demands redress (cf. ll. 2665, 3182–3).

2158. **Busen**: *Meerbusen*, 'bay'.

2159. **Handlos**: where there is no ledge to grasp.

2164. **Wasserkluft**: 'watery gorge'. At the 'Tellsplatte', below the Axenberg, Lake Uri narrows appreciably.

2170. **Herrenschiff**: the governor's barge, recognizable by its flag and red awning.

2172–80. Note the insistence on judgment and retribution in 'Gerichte Gottes', 'des Rächers', 'dem Richter'. The fisherman has of course forgotten, in his agitation, the presence of Tell on board.

2187–90. **Buggisgrat, Hakmesser**: ridges projecting from the Axenberg. **Teufelsmünster**: a steep ridge on the west side of the lake.

2193. **Fluh**: a sloping rocky eminence of considerable height and extent (Sw.).

2194. gähstotzig: *gäh* =*jäh*, *stotzig* =*schüssig*; hence *abschüssig*, *steil*.

St. dir. at l. 2197. Tell's entrance seems very swift. But note that from l. 2190 the boat is lost from view. The point where he leaps ashore must be assumed hidden but close at hand. Carruth (ed. cit., p. 212) suggested that 'several minutes must elapse between the last speech and Tell's appearance'. Even a much shorter gap in dialogue than 'several minutes' can ruin a performance. Ordinary care in production makes no gap necessary. Note that Tell's frenzied movements correspond to the fisherman's comment 'Wie außer sich' (literally 'in ecstasy' – a phrase favoured by Schiller for extreme states of mental agitation; cf. *Maria Stuart*, end of III. iv).

2220. Cf. ll. 2066, 2359–60.

2223–67. These lines follow the account in Tsch.

2226. Gransen: in Early New High German for *Schnabel* or *Ende des Schiffes*; current only in Oberd. (Ad.); taken by Schiller in context from Tsch., 'stern of a boat'.

2228. kleinen Axen: a part of the Axenberg.

2230. gählings: *jählings*, 'suddenly'; cf. note to l. 2194.

2238. Für großer Furcht: modern *vor großer Furcht*.

2239. berichtet: 'trained', 'experienced'; *berichtet* and *bericht* with these meanings were already uncommon in the 18th c.

2241. wenn wir sein jetzt brauchten: The use of gen. *sein* (=*seiner*) with *brauchen* occurs in Luther's translation of the Bible, but came to be regarded by Ad. as chiefly Oberd.; he also noted that *gebrauchen* was better than *brauchen* in the sense of 'use'.

2246. Getrau: as in l. 2243 =venture. Cf. Tsch.: 'Jo Herr / ich getruwe uns mit GOttes Hilff wol hiedannen zuhelfen.'

2257. Cf. Tsch.: 'schry den knechten zu/ daß si hantlich zugind/ biß man für dieselb Blatten käme. . . .' **handlich**: Oberd., =*tapfer*. *zugind* (Tsch.) =*zögen*, but was probably misunderstood by Schiller, and so replaced by *zugehen*.

2281. Cf. l. 2071.

2282 ff. Arth: at the south end of Lake Zug; **Steinen**: east of Lake Lowerz; **Lowerz**: to the west.

2287. There is some evidence, including reference to Jenni (Johann) in l. 2301, that the fisherman is Ruodi of I. i; cf. also st. dir. at l. 1097. But why does Tell think of him as a Rütli man and make no reference to their former encounter?

2294. Schwäher: in the late 18th c. archaic = *Schwiegervater*.

2300. Tell's parting words are appropriate in the scene, but also indicate what the chroniclers in fact did: they made his deed known. Cf. ll. 2038-40.

Zweite Szene

St. dir. **sterbend** and **vor dem Sterbenden** are an unusual epic intrusion for Schiller in his maturity; Fürst's opening line makes them unnecessary.

2307. Bellermann (op. cit., iii, p. 194) summarizes and tries to refute a number of objections to the sudden appearance of all these figures at Attinghausen's bedside. Dramatically the situation is not at all fantastic. More important still is the poetic significance: three generations, having heard the old laird's prophecy and his last appeal, witness his passing and the arrival of Rudenz as his heir. The lamentations and accusations of Hedwig are disturbing, but they add cogency to Attinghausen's desire for solidarity, which he believes will free the people from such suffering.

2320. Here, as in l. 2326, Hedwig's overwrought imagination presents inaccurate details; she cannot know that Geßler gave no choice (cf. l. 1898) which might have saved her child from ordeal and danger.

2329-30. Wenn ihr Stolz beleidigt wird: a generalization (cf. 'streng und stolz, sich selbst genügend' as typical of the *man*, in the poem *Würde der Frauen*), but also a true perception of Tell's response to humiliation (cf. l. 1571).

2336 ff. Tränen must bear equal stress with *du*: 'Have you only tears to shed when your friend is in peril?' Cf. Hedwig's previous reference to Baumgarten (l. 1524). He also, like Tell, is a man of action, but his longing to repay by action his debt to Tell has been frustrated by circumstance.

2350 ff. Hedwig's sensibility at once discovers sympathy for her father, and then passes to grief at her husband's imprisonment.

2354 ff. Cf. *Maria Stuart* v. vii: 'nicht zu mir / In meinem Kerker dringt der Himmelssegen'.

2357. die Alpenrose: Name given to species of rhododendron, e.g. *R. hirsutum, R. ferrugineum*. Carruth (ed.) perhaps confused with *Alpenglöckchen*. Cf. Matthisson, *Alpenwandrer*, in *Schriften*, i, p. 130: 'Wo, von der Genziane / Und Anemon' umblüht / Auf seidnem Rasenplane die Alpenrose glüht.'

2369. Cf. l. 1989. It may be felt that laments over the loss of Tell and his present state cannot deeply affect us, because we know he is free (cf. Garland, ed. cit., p. 135). But, like spectators of a classical tragedy, we do not expect to be told an unknown story or to identify ourselves with the figures before us in their groping ignorance of event, but are free to concern ourselves with the poet's interpretation and with choric matters. As Tell's action is foreshadowed in the Rütli scene, the lamentations of Hedwig induce us to think of Tell's state of mind, in which loss of human dignity and of individual freedom (as reality or threat) are dominant. About these matters the legend tells us next to nothing.

2407. Cf. ll. 1387, 2504.

2414. **Wir harren ... gilt**: 'If need be, we count upon their help'. The Confederates have made no statement about this; before the Rütli meeting Stauffacher has expressed confidence (l. 698), arguing against Melchthal (l. 692).

2416. **sich. ... verwogen**: from *sich verwagen*, colloquial regional usage in the 18th c. = *sich vermessen*.

2419. **unserer** = *unser* (pers. pron. gen.), referring to the nobility.

2422. **Das Herrliche**: parallel to 'das Würdige' (l. 952). **der Menschheit** may be construed as genitive – 'the glory of mankind' – or as dative: 'other forces are destined to preserve the glory for mankind'.

2430–46. Attinghausen's prophetic words summarize the story of emancipation and growing solidarity in the spirit of the later patriotic historian, e.g. J.v.M. (i, p. xv): 'bald ein Baron von uraltem Stamm, bald eines einfältigen Landwirthes verdienstvoller Sohn ... aufgerufen, vor Gott und neben den Fürsten an der Spitze seines Landes zu stehen.' **Üchtland**: the old name for a region watered by the Aar and the Saane in Cantons Bern and Fribourg. **Thurgau**, covering a smaller area than formerly, the north-east canton which stretches west from Lake Constance (Bodensee), was a Habsburg possession from 1264 to 1460. **Bern**, founded in 1191 by the Duke of Zähringen; when the last of the Zähringen line died, Bern received *Reichsfreiheit* (1218) and, in alliance with the 'Waldstätten', overcame the Habsburg nobility at Laupan (1339). **Freiburg ... Burg der Freien**: also under the Dukes of Zähringen, but did not obtain

Reichsfreiheit in 1218; it came under the protection of
Savoy, and after prolonged resistance by the 'Waldstätten'
was admitted to the Confederacy in 1481. **Zürich** was
granted *Reichsfreiheit* in 1218 and joined the Confederacy
in 1351, 'zu mannhafter Verteidigung der Verbündeten
entschlossen' (J.v.M., ii, p. 53; see also pp. 128 ff.); the
Zürich constitution, introduced by Rudolf Brun (1336),
provided for representation on the council by knights,
citizens of substance, and artisans.

2443–5. Allusion to the heroic death of Winkelried at Sempach
(1386); cf. note to l. 1072.

2450. **der Bund zum Bunde ...:** The *ewiger Bund* was re-
affirmed after the victory at Morgarten (1315); as other
cantons and cities joined the *Urkantone*, the number rose to
eight – the traditional reference being 'die acht alten
Orte'.

2454. **einen andern Namen:** Schloß Rudenz auf Attinghausen.

2477–8. Rudenz, one supposes, proffers his hand to Walter
Fürst, then to Stauffacher.

2483. **wessen soll man sich zu Euch versehn?** 'what are we to
expect of you?' The gen. (here *wessen*) and *zu* are permis-
sive construction with *sich versehen* = 'look for', 'expect'; the
18th c. had also acc. and *von* respectively: 'Das hätte ich
mir von ihm nicht versehen.'

2484. **denket:** now *gedenk(e)t*, as in l. 2486.

2489. **unser Stand ... der Eure:** i.e. *Der Bauernstand ist älter
als der Adelsstand.*

2499. **vergleichen:** settle (an argument).

2506. **vertrauet:** Note repetition of the verb from l. 2501. The
suggestion is: he has kept their secret, though they are not
even yet ready to confide in him. Though in II. i, Rudenz's
words reveal scorn of the people, they cannot be said to
be in direct contradiction to l. 2509.

2512 ff. Cf. l. 1970. The remark, in Melchthal's presence, is
tactless and unconsciously ironical. There is no reason to
suppose that Schiller was unaware of the irony of this encounter. If we can abandon the notion that he intended to
present two admirable young idealists and failed in the
characterization of one of them, we can see an interesting
balance of motive and action between Melchthal and
Rudenz. Their efforts merge and their language has the

conventional ring of collective zeal; but their impulse to
act has been the personal suffering of individuals who are
dear to them. With l. 2514 cf. l. 1519.

2529–30. ich zuerst muß sie von euch erflehn: Cf. Melchthal
(ll. 1130–1): 'wir sind die Flehenden, / Die Hilfe heischen
von den mächtgen Freunden.'

2539. Note the metaphor of the night, and cf. l. 750.

2543–4. 'Only from beneath the ruins of the tyrants' power can
she be rescued.' Abstract and concrete reference coalesce.

2550. Das Ungeheure: 'this monstrous thing' may refer to both
Tell's capture and the abduction of Berta. Cf. l. 2574.

2551. Cf. l. 1437. The counsel of patience to await the turn of
events contrasts with an urge to action now that changed
circumstance demands it.

2555. Botensegel: Even allowing for the figure of speech
(synecdoche), an unusual word for a swift craft bearing a
messenger.

Dritte Szene

St. dir. Provision is made in the staging of this scene not only
for Tell's ambush but also for the appearance of passers-by at a
higher level up-stage before they come abreast of Tell; this
affords a natural illustration to his comments on the various
sorts of travellers he observes or imagines.

2563. Holunderstrauch: elder-bush or tree.

2567. deine Uhr ist abgelaufen: The anachronism, if such it is,
does not weaken the sense of the statement: 'Your hour has
come.'

2573. Milch der frommen Denkart: probably influenced by
Macbeth I. v.

2574 ff. Zum Ungeheuren: The word draws together the
enormity both of the deed Tell contemplates and of
Geßler's order which has prompted it; beyond this it
epitomizes the whole circumstance of tyranny, which demands emergency action from the individual, Tell, and
the body of the Confederates (cf. l. 2550). The notion of
good turning to evil is presented in the metaphor of the
dragon, a monster familiar in the folklore of the cantons;
see *inter alia* Scheuchzer, *Itinera Alpina*, Leiden, 1723, and
quotations and illustrations from this in de Beer, *Early
Travellers in the Alps*, pp. 88 ff.

2579 ff. See above, p. lvii.

2597–8. As Carruth (ed. cit., p. 216) among others has pointed out, there seems to be a discrepancy in the reference to this one remaining arrow which Tell now apostrophizes. He escapes from the boat (l. 2264) with *Schießzeug*, which must include the quiver, but this is apparently empty (see l. 2608). Hence the single arrow must be the one in st. dir. at l. 1989; the question is: how could he, under arrest, return it to the *Goller* after l. 2059?

2599. Ein Ziel ... undurchdringlich war: i.e. the heart of Geßler, deaf to entreaty, but defenceless against Tell's arrow.

2609. Auf dieser Bank ... mich setzen: As Steinberg notes, 'much ink has been spilt in defence and justification of the dative *dieser*' in this line. Common usage in the 18th c., as now, required the accusative.

2611 ff. These melancholy reflections are appropriately stylized; note the succession of epithets – the merchant care-laden, the pilgrim lightly girded, the robber of gloomy mien, the cheerful minstrel, the bagman with heavy-laden horse. These lines, culminating in the dominant word of the whole monologue – *Mord* – have their own key-words: *keine Heimat, fremd, Schmerz* show Tell thrust by circumstance into an alien, shifting environment, and foreshadow the relentless, desolate pilgrimage of Johannes Parricida (ll. 3241–62).

2622 ff. Tell's thoughts turn to the contrast of happier days, but as he protests his purpose to save his children, the brooding on his immediate intention again possesses him.

2626. Ammonshorn: ammonite, a fossil-shell resembling the ram's horns of Jupiter Ammon. (Schiller might have used *Drachenstein*, a popular name for the ammonite in the 18th c.).

2635 ff. Image and episode from the life of the hunter and the marksman are now predominant, Geßler being identified as *edles Wild* with the object of the chase. **Läßt sichs nicht verdrießen**: 'For the hunter does not shrink from. . . .' (Here the explanatory *doch* would usually follow *sichs*.) The device of letting blood from the heel to prevent slipping is described by Scheuchzer (*Beschreibung der Naturgeschichten des Schweizerlands*, i, p. 71). **Grattier**: small variety of chamois which frequents the *Grat* (high ridge).

2645 ff. Tell's pride in his knowledge of the rules of archery and in his skill, cruelly abused by Geßler, now gives him confidence. **das Beste**: the archer's term for 'the highest prize'.

2651. **Klostermei(e)r**: *Klosterschaffner*, 'steward of a monastery'. **Mörlischachen**: monastery estate on the Küßnachtersee in Canton Luzern.

2652. **Brautlauf**: *Hochzeit* (Sw.). Cf. M.H.G. *brûtlouf(t)*, Dutch *bruiloft*.

2653. **Senten**: cf. note to l. 15.

2654. **Imisee**: on the Zuger See, at the farther end of the 'hohle Gasse'.

2655. **wird hoch geschwelgt**: 'there will be much feasting'. This chance encounter with the talkative Stüssi has a Shakespearean ring, revealing by contrast and consonance the sombre cast of Tell's thoughts.

2664. **Ruffi** or *Rüfe* (fem.): (Sw.). A mountain torrent in the springtime which sweeps away earth and rocks in its course; sometimes used of the débris, and commonly of the action itself – *Bergsturz* – landslide. Etym. doubtful, possibly *ruina*>*rufina*. Scheuchzer (iii, p. 29) tells of 'ein gewaltiger Erdbidem' (=*Erdbeben*) at Martinmas 1594, 'in welchem ein Stück ab dem Gipfel des Glärnisch Bergs mit entsetzlichem prascheln auf der seite gegen dem Hauptflecken Glarus hinunter gefallen . . .'.

2672 ff. The story of the hornets was derived from Tsch. (see Säk.-Ausg., vii, p. 369).

2682–3. **Es kann . . . nicht gefällt**: Bellermann (op. cit., iii, p. 196) compares with ll. 427–8, to prove that events have shown Tell the error of his former views. But note also ll. 1812–13.

2688–90. This news, and the arrival of Armgard, who is also waiting for Geßler, provide a moment of doubt and suspense before the entrance of the Landvogt.

St. dir. at l. 2696. Except in open-air performances it has been found expedient to do without the horses, as in III. iii.

2712. Cf. ll. 2078–9.

2717. **Des Scherzes wegen**: cf. l. 1912.

2727. **Weitschichtge Dinge. . . . Werden**: 'Great projects are at work and hatching now' (trans. Theodore Martin, Bohn's Standard Library, 1881). 'Here for the first time Geßler

throws a light upon his policy' (Garland, ed. cit., p. 137).
'Absichtlich betont Schiller ... den gemeinen Egoismus
des Strebers' (R. Petsch, *Freiheit und Notwendigkeit in
Schillers Dramen*, München, 1905, p. 278).

2738. **Wildheuer**: gleaner of wild grass. The dangers of this
occupation are described most graphically by Scheuchzer,
iii, p. 16.

2742 ff. Note again the attempted mediation of Rudolf der
Harras.

2753. Note how Schiller reiterates the futile plea for justice
(cf. ll. 700, 1348) before Tell's act of retribution and the
news of the assassination of Albrecht.

2781. **gelob**: promise.

2788. **Mitten ins Herz**: It has of course been pointed out that
this cannot be true. But Geßler's gesture – 'mit der Hand
ans Herz' – would seem to Armgard to indicate where the
arrow has struck, and it is poetically fitting that the reference
to the heart of Geßler is repeated (cf. l. 2576).

St. dir. at l. 2797. The shrill contrast of the event and the lively
wedding music can be immensely effective.

2810. **die Augen sind gebrochen**: His eyes grow dim and
fixed.

2811 ff. The macabre action and words of Armgard are perhaps
a reminiscence of news of the Terror in France; it is worth
noting that imagery of the French Revolution occurs in
Schiller's construction of the Swiss uprising: 'diese
Bastille' is his reference to Zwing Uri in notes on scenery
(letter to Iffland, 5 December 1803). Cf. also *Das Lied von
der Glocke*: 'Da werden Weiber zu Hyänen. . . .'

2821 ff. The comments of Rudolf der Harras on the sudden
signs of disorder are also akin to lines in *Das Lied von der
Glocke*: 'Nichts Heiliges ist mehr, es lösen / Sich alle Bande
frommer Scheu.' Cf. also ll. 2829-30.

2827. **Feste**: *Festung*, stronghold.

2831-2. **die Barmherzgen Brüder**: Brothers of Mercy, i.e.
Hospitallers (in fact not founded until the mid-16th c.).
Stüssi's jibe (comparison of the black-habited Brothers with
ravens), like his ll. 2705-7, adds point to the apprehensions
of Rudolf der Harras.

FÜNFTER AUFZUG

Erste Szene

St. dir. Notes on décor in his letter to Iffland (5 December 1803) indicate Schiller's intention to maintain the tempo and impetus of action: 'Das Gerüste wird eingestürzt, alles Volk legt Hand an . . . man hört Balken und Steine fallen. Das Gerüste kann auch angezündet werden. . . .'

2847. **Stier von Uri**: the man to whom the horn of Uri was entrusted (see l. 1090 and note). In these celebrations note the important part assumed by Ruodi, recalling his reluctance to act in I. i. Such emergence of enthusiasm when collective victory seems assured will be familiar to those who have witnessed individual behaviour before and after liberation of occupied territory.

2852 ff. Cf. ll. 1419 ff. Walter Fürst's hesitation has been criticized (cf. Bellermann, op. cit., iii, pp. 196–7); but it is not inconsistent that reflection after the rush of events should revive the caution (e.g. ll. 458, 623) and moderation (l. 1365) which Walter Fürst has shown; cf. also l. 2928.

2862–3. Cf. l. 387.

2864. **Es ist im Lauf . . . halten**: Comparable to the words of Mark Antony in *Julius Caesar* when the mob is dispersing after his funeral oration.

2879. **Diethelm**: Schiller discarded part of an earlier scene in which Gessler was to have given orders about the *Herzogshut* to his servant Diethelm.

2894. **selbander**: also *selbandere*, common in the 18th c. and later, to indicate participation as one of a number indicated by second part of compound (*ander-* [=*zweit-*]; cf. *selbdritt*): 'The two of us together.'

2902. **Brünig**: Cf. l. 1192 and note.

2905. **Nach jagt ich ihm**: unusual position of *nach* is appropriate to the vigorous narrative of Melchthal; cf. 'Nicht lags an mir' and 'Geschwungen über ihm'.

2910. **Urfehde**: strictly an oath taken on release from prison not to seek revenge; the meaning is extended, as here, in J.v.M. (ii, p. 4) in the account of Landenberg's expulsion.

2913. Cf. l. 1368. Carruth observes (ed. cit., p. 221): 'This looks like a pointed reflection on Tell's deed, which Schiller can not have intended.' One may rather suppose ironical intention, since Fürst's remark is entirely in keeping with the opportunist morality of the Rütli politicians.

2918 Cf. l. 1953. From the MS. for the Mannheim production it would appear that the boy was to stand by the post with the hat upon it.

2928 ff. Cf. l. 3025, where fear of retribution gives way to satisfaction that the Confederates have retained allegiance to the Empire.

2932. Punctuation has varied in some editions; a semi-colon after 'verjagt' would give the meaning: 'Let the king attack with all the might of his army; [we can prevail] since the enemy in our midst has been expelled.' The present punctuation aids the rhetorical balance with l. 2933: 'Now the foe within has been expelled, let us meet the foe outside.'

2936. Baumgarten, used to build up Tell's reputation, expresses here the verdict of later patriots on the *Rütlibund*.

2938. des Himmels furchtbare Gerichte: As in l. 2816, a deed which aids the people's cause is seen to be providential.

2943. Historical tradition puts the assassination of Albrecht some six months after the Rütli uprising.

2946. Bruck (or Brügg): near the junction of the Aar and the Reuß.

2948. Schiller's whimsical acknowledgment to the historian Johannes von Müller (1752–1809).

2954 ff. Cf. ll. 1341–43. Duke Johannes saw himself cheated of his maternal inheritance in Bohemia and of his father's (Rudolf's) Swabian estates (see J.v.M., ii, p. 7). **ganz darum zu kürzen**: deprive him entirely of them. **Mit . . . abzufinden**: appease him with a bishop's mitre. On the response of the nobles to whom Johannes appealed see J.v.M. (loc. cit.): 'Es däuchte sie, daß ein Oberherr, welcher dem Lehensmann sein Recht versagt, den Schirm des Rechts, das er höhne, selbst verliert, und Gewalt Nothwehr wird.' Now compare ll. 2962–3 with ll. 1275–8. It is difficult to imagine how Schiller could have made the contradiction any clearer between justification of collective action and condemnation of the individual deed. The phrases tally wonderfully well: 'Wenn der Gedrückte nirgends Recht kann finden . . . greift er / Hinauf getrosten Mutes in den Himmel / Und holt herunter seine ewgen Rechte . . .' (ll.

1275–8), and 'Beschloß er, da er Recht nicht konnte finden,/ Sich Rach zu holen mit der eignen Hand' (ll. 1962–3). The clue to Stauffacher's judgment is in ll. 2949–50: the deed of Johannes is 'grauenvoll' and 'Sie wird noch grauenvoller durch den Täter'. This is the emotional concern for the sanctity of the family (cf. l. 1287). Man's rational fibre, as superstructure upon his emotional constitution, is seen to be exquisitely adjustable. The ease of adjustment is all the greater according to the degree of political commitment. Stauffacher is the politician. Tell's judgment is subjected to a harsher test.

2965 ff. The narrative follows J.v.M. (ii, pp. 12–13). **eine alte große Stadt**: 'in der Ebene, wo die alte Vindonissa lag', i.e. Windisch. **ein armes Weib**: as in J.v.M. Tsch. has 'ein arme gemeine Dirn'.

2990–3005. See J.v.M., ii, pp. 16 ff. **Jedweder** (=*jeder*) **Stand**: probably not here each of the three estates (clergy, nobility, citizenry) but each of the three territories. **die strenge Agnes**: the young widow of King Andreas of Hungary and daughter of Albrecht. J.v.M. gives details of her fearful acts of revenge, befitting the 'angeborne Strenge ihres Ge-müthes', and adds: 'Die Menschen dieses Zeitalters hatten Kraft zu Liebe und Haß.' **sich wie in Maientau zu baden**: After the slaughter of sixty-three men in the castle of Far-wangen, Agnes is reported to have said: 'Nun bade ich in Maythau' ('May-time dew'). **Zeugungen**: *Geschlechter* (generations).

3012. **Rache trägt keine Frucht!**: general human judgment, as expressed by a classical chorus, but inevitably at variance with particular interest and with the uneven facts of experience. Cf. ll. 3016–17 and the unquestioning acceptance of the benefits of Tell's final deed.

3023. **Der Graf von Luxemburg**: Count Henry IV of Luxem-burg was elected King in May 1308 and subsequently crowned Emperor as Henry VII. He confirmed the charters of the three *Urkantone*.

3024. **mehrsten**: judged in the 18th c. more choice usage than the common equivalent *meisten* (see Ad.).

3031. **Erbrecht** (sc. *das Siegel*): 'Break the seal'. **bescheidnen**: cf. l. 552 and note.

3033. **Elsbet**: widow of Albrecht. Her marriage had added her paternal inheritance in Tirol and Carinthia to the Habsburg territories.

3036. **Hinscheid**: an uncommon word in 18th c., = 'demise'.

3041. **sie versieht sich**: see l. 2483 and note.

3045. **Vorschub tun**: 'give assistance'. 18th-c. usage; now more commonly *Vorschub leisten*.

3047. **in des Rächers Hand**: Note the use of the word for the legally recognized 'avenger'.

3049. **Rudolfs Fürstenhaus**: i.e. the royal house of Habsburg. Rudolf I (d. 1291) was the father of Albrecht.

3052. **wessen ... Sohn?**: *sich einer Sache rühmen*, in the 18th c., as now, = 'to boast of something'. But here the idiom seems to carry an old meaning of *rühmen*, 'applaud', 'rejoice'. Thus: 'What has he given us that we should rejoice?'

3054. **alle Kaiser**: a customary exaggeration. Cf. ll. 1251–2.

3055–67. Cf. ll. 1323–34. **Die er gemehrt hat**: Those whom he has increased (prospered). Cf. ll. 2727–9.

3074. **Die Liebe will ein freies Opfer sein**: perhaps reminiscent of 1 Cor. 13: 'Die Liebe treibt nicht Muthwillen ... sie suchet nicht das Ihre. . . .'

3078. Cf. J.v.M.: 'die Königin Elisabeth, anfangs halb entseelt (alle ihre Kinder schrien zu Gott) . . .' (ii, p. 14).

Zweite Szene

v. i provides indispensable balance and contrast to v. ii: on the one hand vivid presentation of action on stage and in narrative, on the other concentration of interest in dialogue of the utmost intensity. In the first scene the feelings of all are centred upon a homeland now freed from outer threat; in the second the rapture of homecoming yields to restless imagining of a journey beyond the confines of the land. The Confederates, having enjoyed to the full the excitement of liberation from the tyranny of the 'Landvögte', discover added zest in the sensational news of the assassination. With the naïveté of collective assurance that God has recognized the justice of their cause they set forth to find their hero, at the very time when he is engaged in grim reflection upon two deeds which, in opposition to their principle, have set the seal of success on their efforts. The transition is effected by the unease of Hedwig, whose lively apprehension of evil has already been prelude (III. i) to a scene of suffering for Tell.

3101. **Freudenhaus**: 'a house of rejoicing'. The word could

still be used in Schiller's time without any suggestion of
ill-fame.

St. dir. at l. 3104. **mit zerstörten Zügen** =mod. *verstörten*
('distraught'). Distinction of meaning between *zerstört* ('destroyed') and *verstört* was not completely established by the end
of the 18th c.

3124. Increasing interest in physiognomy in the 18th c., and the
underlying conviction that there *is* 'an art to find the mind's
construction in the face', frequently induced this kind of
instant perception; cf. Gretchen's antipathy to Mephisto
in Goethe's *Faust I*, and Maria's words on encountering
Elisabeth:

> Wenn Ihr mich anschaut mit dem Eisesblick,
> Schließt sich das Herz mir schaudernd zu . . .
> *Maria Stuart*, ll. 2275-6.

3130 ff. There is no sign of misgiving or hesitation, nor can any
be expected, in Tell's first expression of joy and thankful-
ness on being restored to his family. These moments are
comparable to that of his escape from Geßler's barge.

3158. Ihr wäret: 'Is it possible that you are . . .'; Carruth (ed.
cit., p. 223) is (perhaps unduly) puzzled that Tell and
Parricida have heard of each other's deed.

3162. der Herzog von Österreich: the title is loosely applied,
on the grounds that he is a Habsburg; strictly he is Herzog
von Schwaben.

3183. Nichts teil ich mit dir: I have nothing in common with
you.

3192. Rudolfs, meines Herrn und Kaisers: Note, as in l. 3051,
the respect for the memory of Rudolf.

3194. Des armen Mannes: in apposition to *meiner*: 'at my
door, the poor man's door'.

3209. die Rachegeister: 'the avenging spirits' suggests the
imagery of classical drama; cf. *Maria Stuart* I. iv: 'Des
Gatten rachefoderndes Gespenst.'

3211-12. die Acht: 'ban', 'outlawry'. Tsch. (cit. Säk.-Ausg., vii,
p. 370) quotes declaration of the new king, Henry VII: 'Wir
verbietend Si Iren Fründen, und erlouben Si Iren Vien-
den!', and J.v.M.: 'die Reichsacht, wodurch alle wider
Albrecht Verschworne für todeswürdige Leute und ihre
Weiber für Witwen erklärt, sie ihren Freunden verboten

und ihren Feinden erlaubt . . . und alle, welche sie aufge-
nommen, für mitschuldig erkannt wurden' (ii, p. 18).

3233. J.v.M. (ii, p. 19) tells of Johannes' journeying to Italy in a monk's habit and being seen by the Emperor Henry in Pisa; he also records that Freiherr von Wart, who merely witnessed the deed, went to Avignon to seek absolution but was delivered up to the children of Albrecht and broken on the wheel (p. 20). Such accounts doubtless influenced Schiller's presentation of Johannes' unhappy state and gave substance to the fiction of his clandestine meeting with Tell.

3244. Sie floß bei meiner Tat: Cf. l. 2969.

3252 ff. The description of the landscape is probably taken from Fäsi (op. cit., ii, pp. 195 ff; see Säk.-Ausg., vii, pp. 370–1). **Schreckensstraße:** the road through the Reuß gorge to the St Gotthard. **Windeswehen:** flurries of fresh snow. **von dem beeisten Joch:** from the ice-covered ridge. **die Brücke, welche stäubet:** *die stäubende Brücke,* an old name for the Teufelsbrücke, in reference to the spray of the torrent. **ein schwarzes Felsentor:** the pass known as the Ursener Loch, which opens into the Ursener Tal.

3264. auf deines Reiches Boden: the imperial territory (of Italy).

3266. die ewgen Seen: six or seven small lakes. 'Die Seen bleiben fast das ganze Jahr hindurch in gleicher Tiefe' (Säk.-Ausg., vii, p. 372).

3269. ein andrer Strom: the River Ticino.

3270. Euch das gelobte: for you the Promised Land.

3286. Berta's gesture in ceding her rights to become a 'good republican', leading up to Rudenz's proclamation in the final line, is reminiscent of the end of the Mannheim version of *Fiesco*: 'umarmt euren glücklichsten Bürger'. It is theatrically effective, and highly fantastic.

Appendix 1

Times and Dates According to the Play

(Abridged from edition by W. H. Carruth, New York,
1898, p. lviii. See also Bellermann, *Schillers Dramen*,
iii, pp. 119–20.)

Act I. i: afternoon, Oct. 18.
    ii: same afternoon.
   iii: probably same afternoon, though if distance from
       Steinen to Altdorf is considered, perhaps the follow-
       ing day.
   iv: same as I. iii.

Act II. i: morning, no lapse of time indicated.
    ii: some days must intervene after I. iv, to allow for
       Melchthal's trip; it is traditionally Nov. 8.

Act III. i: probably afternoon, traditionally Nov. 18.
    ii: same day, time not indicated.
   iii: same day, probably afternoon.

Act IV. i: same day as III. iii.
    ii: no indication of time, but presumably same day as
       IV. i.
   iii: same day, though if distance is considered, perhaps
       the following day.

Act V. i: next or second day after IV. iii. Distances, deeds
       accomplished, and spread of news would take in
       reason two days.
  ii, iii: same day, no time of day indicated.

Carruth summarized 'Dates according to Legendary History'
(derived from Tschudi), and set these side by side with the
above.

1304. Geßler and Landenberg appointed governors.
1305. Embassies to complain of these.
1306. Wolfenschießen's offence. Herzog Johann's vain request
for his estates.

1307. Blinding of Heinrich von der Halden (father of Melch-
      thal). Geßler builds fortress in Altdorf.
      July 25, sets up hat; threatens Stauffacher.
      Early autumn, compact of the three leaders.
      Nov. 7–8, meeting in the Rütli.
      Nov. 18, Tell's contempt of the hat.
      Nov. 19, the apple-shooting. Geßler's death.
1308. Jan. 1, capture of Roßberg, Sarnen, Lowerz, Zwing Uri.
      Apr. 28, adventure of the knight with the hornets (ll.
      2672 ff.).
      Apr. 30, Herzog Johann's last appeal.
      May 1, murder of Albrecht.
1315. Tell in battle of Morgarten.
1354. Tell drowned in the River Schächen.

Appendix 2

The following few excerpts from comments on Schiller's *Wilhelm Tell* may be found of use as starting-points for discussion:

'. . . das Stück ist ganz von Vaterlandsliebe durchdrungen und mahnte in schweren Zeiten an ernste Pflichten; die freie Luft der Volksbewegung weht trefflich in diesem Gegenstücke zu *Wallenstein*, wo alles militärisch und ordonnanzmäßig hergeht.' Georg Gottfried Gervinus, *Geschichte der poetischen National-literatur der Deutschen*, 1835–42, ed. Gotthard Arler, *Schriften zur Literatur*, Berlin, Aufbau Verlag, 1962, p. 304.

'Mit großer Kunst hat Schiller die staatsrechtlichen Verhält-nisse in der Rütliszene und im Gespräch Tells mit dem Knaben entwickelt, auf denen der Rechtsanspruch der Schweizer beruht. In jedem einzelnen Fall ist es das Recht der Notwehr, einer überragenden Gewalt gegenüber sich mit allen Mitteln, auch denen der List, des Überfalls, des Mordes, in den vertragsmäßig feststehenden Rechtsverhältnissen zu behaupten.' Wilhelm Dilthey, *Schiller* (essay, begun *c.* 1894, published in Nachl. *Von deutscher Dichtung und Musik*, Stuttgart, 1957; the above passage quoted from ed. H. Nohl, Göttingen, Kleine Vandenhoeck-Reihe, 79, 1959).

'The inadequacy of classic art to cope with a theme like that of *Wilhelm Tell* is . . . most clearly seen in the unreal character of the hero. Tell's self-satisfied sententiousness creates a prejudice against him from the first; and his creator is so insistent on his hero being regarded as an immaculate type that he neglects such opportunities as the unheroic murder of Gessler, or Tell's inhuman repudiation of the Parricida, to develop sides of Tell's personality which might have won our interest for him as a man.' J. G. Robertson, *Schiller after a Century*, Edinburgh and London, 1905, pp. 119–20.

'Der wahre Inhalt des Werkes ist die Erhebung des freien Bürgertums. So klingt gerade vor der Tat des Tell die alte Schweiz der Patriarchen in der Sterbeszene Attinghausens aus. Seine brechenden Augen sehen die neue Schweiz der freien

Bürger und rufen ihr das Grundgesetz des nationalen Daseins
zu: "Seid einig – einig – einig –". Eugen Kühnemann, *Schiller*,
München, 1905, pp. 576–7.

'Every solution fails, save the violent act from which all
parties, including Tell, recoil. The famous Rütli scene connects
the vital threads of this process, and while showing the in-
efficacy of political debate, is itself a discussion of the issue before
Tell. Is violence the solution or not? There are times, says
Stauffacher . . . when man must take his fate into his own
hands: 'Wenn unerträglich wird die Last . . . seine ew'gen
Rechte. . . .' This speech has been taken as the motto of the
play, but it reads more effectively as one position of its dialectic.'
W. G. Moore, 'A New Reading of Wilhelm Tell', in *German
Studies presented to H. G. Fiedler*, Oxford, 1938, pp. 288–9.

'Nicht das Ringen mit der Gegenwelt, nicht ihre Entartung
und Verworfenheit, wie in den Jugenddramen, beschäftigt den
reifen Schiller. Einzig um die Lauterkeit und Makellosigkeit
dieses Befreiungskampfes, seinen Einklang mit den ewigen
naturgegebenen Gesetzen ist es ihm zu tun.' Melitta Gerhard,
Friedrich Schiller, Bern, 1950, p. 402.

'Und man lese einmal Tells Reden in dieser ersten Szene des
vierten Aktes aufmerksam durch: auch sie sind durchzogen von
immer neuen Hinweisen auf „Gottes gnädige Fürsehung",
„Gottes Hilfe", „Gottes Gnade". Solche Gedanken also be-
herrschen seine Seele, als er jetzt sein nächstes Ziel verfolgt. . . .
Tell ist sich bewußt, was in diesem Augenblick nicht etwa nur
sein Recht, sondern auch seine heilige Pflicht ist.' Reinhard
Buchwald, *Schiller*, 2. Bd., Wiesbaden, 1954, p. 434.

'Some critics discern a development in Tell from the peace-
loving citizen at the beginning of the play to the unwilling
criminal at the end. This is reading too much into the work.
In truth Wilhelm Tell remains throughout a model of pro-
priety.' E. L. Stahl, *Friedrich Schiller's Drama: Theory and
Practice*, Oxford, 1954, p. 146.

'Das Entscheidende im Ideengehalt des *Tell* ist, daß es sich
um ein *Stück für die nationale Einigung gegen eine Fremdherrschaft*
handelt.' Alexander Abusch, *Schiller: Größe und Tragik eines
deutschen Genius*, Berlin, Aufbau Verlag, 1953, p. 306.

'Was er [Tell] vollbringen will, ist nicht Rache, sondern Wiederherstellung des Naturstandes, den auch er – durch den Schuß nach dem Haupte seines Kindes – zu verletzen gezwungen worden ist.' Gerhard Storz, *Der Dichter Friedrich Schiller*, Stuttgart, 1959, pp. 419–20.

... Tell is in truth what Schiller's tragic protagonists aim at being, yet fail to be: an aesthetic personality. Here, for the first time, is an independent being standing by himself and relying on his own resources, token of the fact that he is a self-sufficient psychic organism with all his functions intact and all his potential freed, sustained by the life of the whole and sustaining it in turn.' Ilse Appelbaum-Graham, 'Structure of Personality in Schiller's Tragic Poetry.' in *Schiller: Bicentenary Lectures*, London, 1960, pp. 130–1.